Les profondeurs

JAMES GRIPPANDO

Les profondeurs

Roman

Titre original : CANE & ABE

Traduction de l'américain par MARC ROSATI

MOSAÏC, une maison d'édition de la société HARLEQUIN
83-85, boulevard Vincent-Auriol, 75646 PARIS CEDEX 13
Tél. : 01 42 16 63 63

www.editions-mosaic.fr

ISBN 978-2-2803-5270-3 — ISSN 2430-5464

Pour Tiffany

1

Incroyable. Un mot qui semble n'avoir été inventé que pour elle. Incroyable comme Samantha Vine était belle. Incroyable qu'elle m'ait épousé. Plus incroyable encore qu'elle soit partie.

Et tellement incroyable que, malgré tout, j'aie pu tomber amoureux une nouvelle fois et me remarier. Mais on possède une capacité de résistance supérieure à ce qu'on s'imagine, n'est-ce pas ? Les gens s'aiment. Les gens meurent. Les gens recollent les morceaux comme ils peuvent et poursuivent leur chemin, qu'ils croient ou non à la Bonne Nouvelle, celle qui console en expliquant que la mort n'est, après tout, qu'un changement d'adresse radical et définitif.

Mais revenons à Samantha. Ce qu'il y avait de plus incroyable chez elle était sans rapport avec notre couple et même, à strictement parler, ne tenait pas à sa personne. C'était son père. Luther Vine, autrefois, avait été un esclave afro-américain.

« Esclave ? Qu'est-ce que c'est que cette histoire ? » me direz-vous, et pas parce que vous me prenez pour un de ces dingues de Blancs qui utilisent le mariage pour essayer de s'immiscer dans l'histoire du peuple noir (ou peut-être que si, d'ailleurs). En fait, votre perplexité s'explique plus simplement par une zone d'ombre dans la chronologie.

Et je vous comprends puisque l'esclavage a été aboli en 1865 par le 13e amendement de la Constitution des Etats-Unis. Samantha, elle, n'a été conçue qu'après que le président

Jimmy Carter, qui se gelait dans sa Maison-Blanche, eut pris la décision de mettre un pull et demandé à tous les Américains d'en faire autant, d'économiser l'énergie et de régler leur thermostat à 12 °C la nuit. Durant tout l'hiver, Luther et Carlotta Vine se sont réfugiés sous la couette et ont utilisé la plus vieille des méthodes pour se tenir chaud.

Bien sûr, de nos jours, le racisme sévit toujours, mais Samantha n'a jamais connu le racisme institutionnel, l'esclavage. Elle a toujours vu au moins un Noir parmi les juges de la Cour suprême des Etats-Unis. Elle n'aurait jamais pu imaginer la NFL[1] sans aucun *quarterback* de couleur. Elle aurait été incapable de citer un seul tube de Prince antérieur à la période où on l'a officiellement surnommé « l'Artiste connu auparavant sous le nom de Prince », et il lui aura fallu attendre pour de vrai l'année 1999 pour danser sur le titre *Party like it's 1999*, car elle était bien trop jeune lorsque l'album *1999* est sorti.

Ce qui nous ramène donc à cet épineux problème de chronologie. Même si le père de Samantha était déjà un vieil homme à la naissance de sa fille, quelque chose ne colle pas. En fait, c'est un véritable défi à l'histoire. Sylvester Magee, le dernier esclave américain, est mort en 1971. Pas un seul de ses enfants n'était encore vivant le jour où on a érigé une stèle sur sa tombe dans le Mississippi, quarante ans plus tard, l'année même où j'ai perdu ma femme.

Samantha Vine, la fille d'un esclave ?

— Impossible, me disent les gens. Ou bien j'ai raté quelque chose.

— Vous avez raté quelque chose.

— Quoi ?

— Vous ne connaissez pas le sucre.

— Va te faire foutre, Abe. C'est toi qui ne connais rien à rien.

— Non, je vous dis. Vous ne connaissez pas le *sucre*. Je veux dire « Big Sugar ».

1. Ligue nationale de football américain.

A l'automne 1941, un groupe d'hommes sillonnait le Sud profond des Etats-Unis. Ils allaient de porte en porte voir les habitants des quartiers noirs de villes comme Memphis et Biloxi, et proposaient des « emplois stables » aux « ouvriers agricoles de couleur » âgés de dix-huit ans et plus. Peu importait si, à l'époque, Luther n'avait que seize ans. En fait, rien dans cette histoire n'était vraiment légal. « Venez récolter la canne à sucre sur les plantations de la National Sugar Company et profitez du soleil de Floride durant les mois d'hiver », promettait la publicité. Luther n'était pas complètement idiot. Il savait que manier la machette toute la journée, couper des tiges de quatre mètres de haut grosses comme le bras et charger des tonnes de canne à sucre dans des camions, ce n'était pas exactement un boulot pour les gosses. Comme disait souvent Luther en jouant sur les mots : « Quelle que soit la manière dont on s'y prenait, on passait la journée plié en deux. On n'y *coupait* pas. » Mais la compagnie promettait de bons salaires, au moins 30 dollars par semaine. Le contrat stipulait des conditions d'hébergement convenables, le gîte, le couvert, le transport jusqu'en Floride et l'assistance médicale gratuits, et même des loisirs. Donc il signa et monta dans le camion avec les autres.

Leur destination était Clewiston, « la ville la plus douce du monde », où des plantations de milliers d'hectares de canne à sucre bordaient la rive sud du lac Okeechobee, dans les Everglades. Le voyage dura deux jours. Les hommes eurent droit à deux repas qui consistaient chacun en une rondelle de salami sur une tranche de pain. A l'arrivée, chaque nouveau venu se vit remettre une facture de 11 dollars, le coût du voyage « gratuit » depuis Memphis. Et l'addition continua de s'allonger. Soixante-quinze cents pour une couverture. Cinquante pour une machette. Trente pour la pierre à affûter. Un dollar pour le badge de la compagnie avec son nom dessus. Cinquante cents pour de l'eau potable pas trop sale. Avant même leur premier jour de travail, qui débuta par un petit déjeuner à 3 h 30 du matin, ils étaient tous endettés jusqu'au cou. Ils arrivèrent dans les champs à 4 h 30, à midi, ils firent une pause pour un déjeuner sur le pouce, puis ils coupèrent des cannes jusqu'à la nuit. Le salaire pour le premier jour était de 1,80 dollar, soit 4 dollars de moins que ce qui avait été promis. Des gardiens armés de matraques et de pistolets patrouillaient dans les champs et menaçaient ceux qui ne travaillaient pas assez dur ou qui parlaient de rentrer chez eux. Le seul moment où il y avait une chance de s'enfuir, c'était la nuit. Au bout de trois semaines, c'est-à-dire vingt et un jours de travail non-stop du matin jusqu'au soir, qu'il pleuve ou qu'il vente, neuf ouvriers réussirent à s'échapper des baraquements. Luther était l'un d'eux. Leur plan était de faire du stop jusqu'à Memphis. On les arrêta à vingt kilomètres de Clewiston, on leur colla une amende de 40 dollars pour « vagabondage » et on les ramena sur la plantation. Il n'y avait qu'une manière de payer l'amende : couper encore plus de canne à sucre. Naïvement, Luther demanda s'il était possible de commuer l'amende en une peine de prison, car il préférait rester en geôle plutôt que de retourner dans les champs. Un des gardiens lui donna d'abord un grand coup de matraque, puis lui dit : « Ça, c'est sûr, que t'iras », mais pas avant d'avoir remboursé ce qu'il devait à la compagnie, et sa dette grossissait à vue d'œil parce qu'il buvait beaucoup trop d'eau quand il était dans les champs et qu'il avait eu besoin de soins médicaux à cause d'une morsure de serpent.

Il y eut malgré tout suffisamment d'ouvriers qui réussirent à filer pour que la rumeur remonte jusqu'à Memphis, et de là jusqu'au ministère de la Justice à Washington. Herbert Hoover lui-même ratifia les soixante pages du rapport d'enquête. La National Sugar et certains de ses employés furent mis en examen par le grand jury de Floride pour « complot en vue de violer le droit et le privilège des citoyens d'être libérés des liens de l'esclavage selon le 13e amendement ».

Donc, à mon avis, dire que Luther Vine est un ancien

esclave n'est pas exagéré, même si la mise en examen avait dû être abandonnée pour des raisons techniques. D'après les avocats de la compagnie, « la décision de la cour avait été entachée du fait qu'aucun planteur ne faisait partie du grand jury ». *Ben voyons…* C'est comme si Timothy McVeigh avait porté plainte parce qu'il n'y avait aucun terroriste dans le grand jury qui l'a mis en examen pour ses attentats à Oklahoma City.

Aujourd'hui, le père de Samantha allait sur son quatre-vingt-dixième anniversaire. Le vieil homme et moi étions restés proches, tout du moins aussi proches que l'on pouvait l'être. Luther montrait des signes de démence et, bien qu'il eût encore des moments de lucidité, il racontait à tous les pensionnaires de l'hôpital que son gendre était Abraham Lincoln. Ce qui est un peu exagéré, même si, effectivement, je suis un avocat, blanc, de grande taille, qui a plus de quatre-vingts procès pour meurtre à son actif. Mais j'avais pour règle de ne jamais contredire Luther. Cela n'aurait fait que le troubler de savoir que j'étais premier substitut auprès du bureau de la procureure générale du comté de Miami-Dade, le type absolument incontournable pour tout ce qui touchait aux affaires de peine capitale.

— Je cherche l'agent du FBI Victoria Santos, annonçai-je à la femme policier.

Sa voiture noir et crème, tous gyrophares allumés, était l'un des six véhicules de patrouille de la police routière de Floride bloquant l'entrée du pont qui traverse le cœur des Everglades. Le Tamiami Trail est la route principale qui relie l'est et l'ouest de la Floride, au-dessous du lac Okeechobee, le deuxième plus grand lac des Etats-Unis.

— Et vous êtes qui ?

Je lui montrai ma carte.

— Abe Beckham, bureau du procureur général.

Ce n'était pas vraiment mon boulot de me rendre sur chaque scène de crime dans le comté de Miami-Dade, même quand il s'agissait d'un éventuel homicide. Mais, lorsque le FBI était sur la trace d'un tueur en série, il était essentiel qu'un responsable du bureau du procureur général se tienne au courant de l'enquête. Le premier assistant de la procureure m'avait personnellement demandé de suivre cette découverte de cadavre dans les Everglades dont on avait de bonnes raisons de croire qu'il s'agissait de la cinquième victime du tueur en Floride du Sud.

— C'est par là, me dit la femme en me montrant un groupe de flics qui se tenaient sur l'ancienne route, le long du nouveau pont.

Je la remerciai et me glissai sous les rubans jaunes délimitant la scène de crime.

— Hé ! Abe ! Qu'est-ce qui se passe ?

Je m'arrêtai en entendant la voix familière. C'était la journaliste de la rubrique criminelle d'Action News. On était à plus de trois kilomètres à l'ouest des limites de la ville, bien trop loin du centre de Miami pour même apercevoir le plus haut des gratte-ciel, mais je pouvais voir les antennes paraboliques des camions de télévision qui étaient coincés dans la longue file de voitures qui s'allongeait vers le soleil levant. Les hélicoptères allaient certainement suivre. Je n'aurais pas été surpris de voir une ou deux équipes de cameramen débarquer par hydroglisseur — ces types étaient prêts à tout pour arriver les premiers.

— Je n'ai rien à dire, Susan.

— Oh ! allez, quoi ! Abe !

Susan Brown avait couvert au moins une douzaine de mes procès pour meurtre et d'habitude je lui donnais toutes les infos que je pouvais. Mais là, vraiment, je n'avais rien. Je poursuivis mon chemin vers la berge.

La vieille route avait connu pas mal de transformations depuis que les premières Ford T l'avaient empruntée en 1928, et beaucoup de gens pensaient que la construction d'un nouveau pont suspendu n'était qu'une dépense inutile. Mais cela faisait partie du plan de plusieurs milliards de dollars investis dans la réhabilitation des Everglades pour atténuer l'impact négatif sur l'environnement des travaux catastrophiques entrepris au cours du XXe siècle.

A l'époque, le corps des ingénieurs de l'armée avait creusé des canaux, ouvert les friches des grandes plaines aux planteurs de cannes et autres fermiers, tracé des routes comme le Tamiami Trail qui traversaient les marais sur des centaines de kilomètres. La seule chose à laquelle ils n'avaient pas pensé, c'était qu'il était essentiel d'assurer un flux d'eau continu afin de préserver l'existence même des Everglades. C'est pourquoi on construisait le nouveau pont sur des piliers, le long de l'ancienne route, pour justement atténuer l'effet de barrage.

Je voulus sauter depuis la berge jusqu'à la vieille route, mais je ne pris pas assez d'élan et me retrouvai enfoncé dans la boue jusqu'à mi-mollets.

— Et merde !

Mes chaussures et le bas de mon pantalon étaient trempés, mais ce n'était pas le problème. Le vrai problème, c'est qu'il faut mille ans pour fabriquer trente centimètres de tourbe et que je venais tout juste de libérer l'odeur de pourri accumulée pendant les neuf cent quatre-vingt-dix-neuf années précédentes.

— Attendez, mon vieux, je vais vous sortir de là, me dit l'un des policiers.

Il me tira par le bras et la boue fit comme un bruit de ventouse lorsque mon pied émergea enfin de ce qui était la version Everglades des sables mouvants. J'allais pour rincer mes pieds dans de l'eau stagnante, près d'un caniveau, mais la présence sur la berge d'un alligator de trois mètres de long qui se dorait au soleil me fit immédiatement changer d'avis.

— Bienvenue à la vallée des requins, me dit le policier.

Je supposai que ce n'était qu'un nom, et qu'il n'y avait pas vraiment de requins dans le coin, mais j'étais quand même content de me retrouver sur la terre ferme. D'autant plus que c'était une denrée rare à cet endroit. Depuis les rives du lac Okeechobee, des eaux brunâtres se déversaient sur des centaines de kilomètres, au sud vers l'extrémité de la péninsule, à l'ouest vers le golfe du Mexique, un peu à la manière dont se répandrait du thé qu'on aurait renversé sur une nappe. Et sur ces millions d'hectares de terres gorgées d'eau, aussi plates que les champs de blé du Kansas, on voyait onduler sans fin la laîche, un rare spécimen de jonc des marais qui avait proliféré ici pendant plus de quatre mille ans. Ce légendaire « Fleuve d'herbe », qui sépare la côte Est du reste de la Floride, est une merveille de la nature. On y trouve toutes sortes de reptiles exotiques, des lamantins et des escargots aux coquilles arc-en-ciel, des ibis roses et des orchidées blanches, l'immense palmier royal et le gommier rouge. Ici, des nuées de moustiques peuvent noircir l'horizon en quelques secondes, et des océans d'étoiles, remplir un ciel jamais souillé par les lumières de la ville. Nulle part au monde il n'existe un endroit comme celui-là. J'y venais rarement, sauf lorsque je passais en voiture à cent kilomètres-heure, pour aller à Naples.

Ou bien un jour comme aujourd'hui, quand je venais récupérer un cadavre.

— Il fait un froid de canard ici, dis-je à l'intention de mon copain policier.

Mais celui-ci était déjà parti, probablement pour aider un autre abruti qui s'était enfoncé dans la boue.

10 °C en février, c'était carrément glacial pour Miami, et on pouvait aisément identifier les agents du FBI emmitouflés dans leur coupe-vent bleu foncé, marqué de lettres jaune fluo. Les fédéraux faisaient partie d'un groupe de travail élargi, multijuridictionnel. La police de Miami-Dade était sur place, et parmi eux deux inspecteurs de la criminelle que je connaissais bien. Il y avait également une équipe de la brigade criminelle de Floride dont le bureau central jouait un rôle clé dans toutes les enquêtes qui impliquaient une collaboration entre les différents services. Le van du légiste était là aussi, garé le long de la route. Une seule femme portait le coupe-vent « FBI » et, même si elle ne se souvenait probablement pas de notre dernière rencontre, je reconnus Victoria Santos.

Je m'approchai. Elle était en discussion avec un des agents d'entretien qui refaisaient le marquage sur le nouveau pont, l'homme qui avait repéré le corps allongé dans l'herbe le long de l'ancienne route.

— A première vue, ça avait pas l'air de quelque chose d'humain, dit-il.

Je me tenais sur le côté, mais assez près pour entendre. Santos était une belle femme, aux cheveux bruns coupés court dans lesquels le soleil de Floride jetait des reflets roux. Elle assurait les fonctions de coordinatrice résidente du Centre national d'analyses criminelles, et c'était elle qui était responsable de la liaison entre le FBI et la police locale. Mais elle venait tout juste d'arriver à Miami et je ne l'avais rencontrée qu'une seule fois, lorsqu'elle était instructrice du FBI dans un cours de formation pour procureurs, à l'Académie nationale de Quantico. Santos avait vingt ans de métier et elle était devenue une sorte de légende au FBI, pas seulement parce qu'elle était un bon flic, mais aussi parce qu'elle n'hésitait pas à bousculer le système, ce qui lui avait valu de ne pas se faire que des amis à la direction du FBI. Je me demandai si ce n'était pas la raison pour laquelle elle avait été mutée de son prestigieux poste à l'unité d'analyse comportementale, une responsabilité nationale, pour celui d'officier de terrain à Miami, où pour sa première enquête elle s'était retrouvée, si j'ose dire, plongée jusqu'au cou dans la boue des Everglades.

— Ce que j'ai remarqué en premier, c'est la bague, expliquait le témoin. Il y a eu un rayon de soleil, et le diamant s'est mis à briller tellement qu'on pouvait pas le rater. J'étais sur la benne du camion en train de passer les cônes de chantier aux collègues sur la route. Et puis il y a cet éclair dans l'herbe, alors je plisse les yeux pour mieux voir, et je me dis nom de Dieu, c'est quoi, ce truc-là ? J'étais sûr que la bague était encore sur le doigt de quelqu'un, alors je me mets à taper sur le toit de la cabine et je dis : Charlie, arrête le camion ! Charlie et moi, on va jusqu'au rail de sécurité le long du pont, on est encore à une bonne vingtaine de mètres de la bague, on regarde en bas, dans le marais. Charlie pense comme moi. A tous les coups, c'est une bague sur le doigt de quelqu'un. Alors je balance une pierre et y a cet énorme alligator qui court et qui va se mettre à l'abri là-bas, dit-il en montrant un tertre un peu plus loin. Et c'est après qu'on a vu le reste du corps qui remontait et qui flottait à la surface.

Santos était une professionnelle et ne montrait aucune réaction, mais le photographe de la brigade criminelle était déjà au travail, et je savais que le moment viendrait — et très bientôt si tout le monde faisait son boulot — où j'aurais à montrer à un jury des pièces à conviction plutôt macabres. J'écoutai la conversation pendant une dizaine de minutes et laissai Santos en terminer avec le témoin, puis je me présentai. Elle me dit qu'elle dirigeait le groupe de travail qui enquêtait sur un tueur en série baptisé « Cutter ». Rappeler ainsi aux polices locales que le Bureau était aux commandes, cela faisait partie de la routine du FBI, la procédure opérationnelle permanente. Mais, cette fois, Santos insistait plus que d'habitude. Les quatre précédentes victimes de Cutter étaient des résidentes du comté de Palm Beach, cent kilomètres plus au nord, et leurs corps avaient été retrouvés dans les champs de canne à sucre, juste à côté de Clewiston. Comme tous ceux qui venaient du comté de Miami-Dade, je ne faisais pas partie de l'enquête centrale et je n'étais pas encore membre officiel du groupe de travail.

— Je peux vous parler une seconde ?

Santos acquiesça et je l'emmenai un peu loin, à l'écart de la foule. Près de nous, derrière un carré de laîche couleur cuivre, un vol d'aigrettes s'était posé sur un enchevêtrement de racines de mangrove. Le reflet de ces oiseaux blancs sur la surface lisse et sombre de l'eau semblait sortir tout droit d'un album de photos en noir et blanc de Clyde Butcher.

— Vous pensez que c'est la victime numéro cinq ?

— Difficile à dire, répondit Santos. Pour l'instant, nous

avons quelques indices concordants. Jeune femme. Corps dénudé. J'ai vu au moins une blessure grave causée par un objet tranchant, probablement une machette. Mais ce serait la première incursion de Cutter hors du comté de Palm Beach.

— Ou alors il s'agit bien d'une résidente du comté de Palm Beach et c'est la première fois qu'il se débarrasse d'un corps à Miami-Dade. Ce qui pourrait se comprendre, non ? Après quatre victimes abandonnées dans les champs de canne à sucre à Palm Beach, ça doit être assez risqué de déposer un autre corps là-bas. Il doit se douter que toutes les polices du coin sont à un degré d'alerte maximum.

— Tout à fait d'accord avec vous, dit-elle. Mais, au point où on en est, il est encore tôt pour affirmer qu'il s'agit bien du même tueur. Il y a des similitudes, mais il va falloir attendre la confirmation qu'il y a eu une agression sexuelle et les autres éléments concordants.

— C'est quoi, les autres éléments concordants ?

Elle resta un instant silencieuse, sachant parfaitement ce que je lui demandais : la « signature ». Les médias avaient révélé pas mal de choses sur Cutter, le tueur qui mutilait ses victimes à coups de machette et qui balançait leurs corps au milieu des champs de canne à sucre. Mais la police cachait toujours quelque chose dans les enquêtes sur les tueurs en série, un élément clé, une caractéristique unique qui servait de signature au tueur.

— Des marques au visage. Mais, pour confirmer, il va falloir faire de sérieuses recherches.

— Et qu'est-ce qu'on cherche ?

Santos jeta un coup d'œil en direction du van du légiste, où les restes de la victime reposaient sur un brancard. Puis son regard se porta sur les hectares de laîche qui s'étendaient le long de la route, comme pour mesurer la tâche immense qui nous attendait.

— On n'a toujours pas retrouvé la tête de la victime.

Je respirai à fond et soufflai un grand coup. L'épreuve

des pièces à conviction s'annonçait encore plus macabre que prévu.

L'assistant du légiste appela Santos. Je la suivis jusqu'au van. D'un point de vue administratif, le FBI avait beau être chargé de la coordination de l'enquête sur Cutter, les homicides étaient en général des affaires locales et le bureau du légiste du comté de Miami-Dade était sur mon territoire.

— Je voudrais signaler une déviation majeure concernant le profil de Cutter, dit l'assistant.

— Allez-y, répondit Santos.

— On est loin d'avoir identifié le corps et, comme la décomposition est beaucoup plus rapide dans les Everglades, ce n'est pas aussi facile qu'on croit de déterminer l'origine ethnique d'un cadavre. Mais je peux quand même vous dire une chose : si c'est Cutter, c'est la première fois que sa victime n'est pas blanche.

Je jetai un coup d'œil sur le brancard, puis un vrombissement me fit lever les yeux vers le ciel. Déjà le premier hélicoptère des chaînes télé survolait la scène de crime et je sentais sur mes épaules le poids de l'avalanche de questions qui allaient nous tomber dessus.

— L'origine ethnique de la victime est généralement un élément clé du profil psychologique d'un tueur, dis-je, tout en sachant que je n'apprenais rien à Santos. Ça change quelque chose pour vous ou est-ce que vous pensez toujours que c'est Cutter ?

Elle réfléchit un instant avant de répondre.

— Vous avez le temps de faire un tour avec moi au comté de Palm Beach ?

Je venais juste de négocier une peine de mort contre la prison à vie sans remise de peine et je n'avais aucun autre procès en vue pour le moment.

— Bien sûr. Pour faire quoi ?

— Je crois fermement aux bienfaits d'un regard neuf sur une affaire, dit-elle. J'aimerais beaucoup connaître votre opinion.

— Pas de problème, lui dis-je.

— Mais rendez-moi un service avant qu'on y aille.

— Oui, quoi ?

Elle jeta un coup d'œil à mes chaussures couvertes de boue.

— Débarrassez-vous de votre look d'homme-alligator qui sort tout droit de l'Okefenokee.

— Oui. Ça, je peux le faire.

2

Nous étions dans la voiture de Santos et roulions en direction d'épaisses colonnes de fumée qui s'élevaient des champs et assombrissaient l'horizon. Je fermai la ventilation du côté passager.

— Ça sent la fumée, remarquai-je.

— Un petit peu comme du maïs grillé, non ?

— Trop grillé à mon goût.

— Estimez-vous heureux de ne pas habiter dans le coin, répondit Santos.

La fumée des brûlages dans les vastes plantations privées de canne à sucre faisait partie du paysage hivernal des Everglades. On faisait d'abord brûler les feuilles et les épaisses broussailles, ensuite, les hommes ou les machines attaquaient à la base les tiges qui mesuraient plus de quatre mètres de haut.

Personne ne sait vraiment qui avait découvert que mettre le feu à un champ de cannes facilitait la récolte tout en préservant le rendement. Mais mon beau-père m'avait dit que la National Sugar Company utilisait la technique du brûlage contrôlé depuis au moins 1941, l'année où lui et les autres avaient été recrutés à Memphis. Après avoir obligé le Département de la justice à abandonner leur mise en examen pour esclavage, la National Sugar et les autres planteurs n'avaient plus jamais embauché de citoyens américains, mais exclusivement des ouvriers étrangers détenteurs du visa H-2 qui autorisait les emplois saisonniers. Ce furent donc des Jamaïcains, des Haïtiens et des Dominicains qui se chargèrent du brûlage et de la coupe. Chaque saison, et pour les cinquante années qui suivirent, des milliers d'hommes quittèrent leur île et leur famille pour aller vivre empilés les uns sur les autres dans de sordides dortoirs. Avant même que le soleil ne se lève, ils enfilaient des bottes et des casquettes de chantier, des protections pour le menton, les mains et les genoux et grimpaient dans les bus. Armés de leurs machettes, couverts de cendre, ils s'avançaient dans les champs comme une sombre armée de gladiateurs. Un sur trois serait blessé. Il se couperait avec sa machette ou bien celle d'un autre ouvrier, il se crèverait un œil ou un tympan avec une tige acérée, il perdrait une journée de travail à cause d'une insolation, d'une morsure de serpent ou d'une attaque de fourmis rouges. Mais tous iraient aussi vite qu'ils pourraient pour couper leur tonne de cannes à l'heure et, si le brûlage avait été correctement fait, ils tailleraient le plus bas possible.

— A ras du pied, mec, disaient aux nouveaux venus les Jamaïcains les mieux payés, ceux qui étaient bien vus par la compagnie.

— Si tu laisses deux centimètres de canne, la National perd deux tonnes. Alors tu te baisses, mec, tu te baisses bien bas.

Dans les années quatre-vingt-dix, les machines avaient fini par remplacer les hommes, mais le brûlage perdurait.

— C'est un spectacle assez incroyable, dit Santos, le regard fixé sur la route. Vingt hectares qui partent en fumée, comme ça, en un quart d'heure.

Je regardai à travers la vitre, fasciné par l'intensité de l'incendie. Le mur de flammes s'élevait à plus de dix mètres au-dessus des cannes. Le souffle de la chaleur faisait monter les cendres plus haut encore dans le ciel. Des milliers d'oiseaux s'envolaient, essayant de s'échapper de cet enfer. On aurait dit une scène du film *Bambi*, et je me demandai ce qui avait bien pu arriver aux lapins, aux ratons laveurs et à toutes les autres créatures qui avaient construit leur abri dans l'épaisse broussaille, sous la canne à sucre.

— La victime numéro un a sérieusement été brûlée, dit Victoria.

— Vous voulez dire brûlée vive ?

— Non. Je vais vous montrer, c'est juste un peu plus loin.

Nous étions soudain en dehors de la zone de brûlage. Les grandes langues de feu et l'aveuglante chaleur orangée laissaient place aux ondulations des feuilles de canne à sucre. Les tiges étaient plus hautes que la laîche qui poussait cinquante kilomètres plus au sud, mais tout aussi magnifiques, ce qui est normal car, après tout, la canne à sucre est une herbe de la même famille.

Santos ralentit et se gara sur l'accotement. Alors qu'à droite les broussailles qui envahissaient les champs étaient si denses qu'elles paraissaient infranchissables, l'autre côté de la route était retourné en friche. Les machines avaient extirpé de la terre tout ce que celle-ci pouvait offrir. Des tonnes de cannes avaient été coupées et chargées sur des camions, il ne restait plus que des chaumes noircis.

— Par ici, dit Santos.

La route était déserte. Je traversai les deux voies et suivis Santos à travers le champ. Au loin, les plantations brûlaient toujours, mais une brise fraîche s'était levée et chassait la fumée. Le sol était meuble, mais rien à voir avec cette soupe épaisse qui avait failli m'engloutir dans la vallée des requins. La terre était couverte de débris broyés par les machines et, de temps en temps, un petit nuage de cendre ou de poussière grise s'élevait sous mes pas, les restes du brûlage avant la récolte. On voyait encore les longues traces bien alignées des anciennes rangées de canne à sucre. Plus loin, un autre champ attendait d'être moissonné. Je pensai au père de Samantha, à seize ans, sa machette à la main, perdu au milieu de ces cannes qui l'entouraient de tous côtés comme des vagues sans fin, et qui ne désirait qu'une seule chose : retourner chez lui, à

Memphis. C'était comme si on avait demandé à un gamin de vider un océan avec une petite cuiller.

Santos s'arrêta et me montra une clairière, quelques rangées plus loin.

— La victime numéro un était ici.

— Qui l'a découverte ?

— Un des ouvriers. Ils arrosent tout le périmètre pour éviter que le feu ne se propage, ensuite, ils utilisent les allume-feu. Ils suivent la procédure standard, c'est-à-dire qu'ils font une première inspection avant le brûlage, mais ils ne peuvent pas tout voir. Ils en font une deuxième après, pour enlever tout ce qui pourrait abîmer les moissonneuses, et ça peut être n'importe quoi, un alligator qui s'est fait rôtir, une machine à laver qu'un voisin aurait balancée. C'est comme ça qu'ils ont trouvé le corps.

Santos s'accroupit, fouilla parmi les débris et ramassa une pincée de cendre qu'elle frotta dans sa main. Elle se releva et me montra le bout de ses doigts noircis.

— La signature de Cutter.

— De la cendre ?

— Les victimes sont des Blanches dont le visage a été noirci avec de la cendre.

Je jetai un coup d'œil vers la clairière où la victime numéro un avait été découverte.

— Comment vous pouvez en être sûre ? Le corps était calciné.

— On a identifié la victime. Charlotte Hansen. On sait qu'elle était blanche.

— Oui, ça, je veux bien le croire. Mais, si son corps était brûlé, comment vous avez pu savoir qu'on lui avait mis de la cendre sur le visage ?

— On n'a pas pu. Cutter l'avait abandonnée trop loin à l'intérieur du champ de cannes. Je crois que c'est pour ça que les victimes numéro deux, trois et quatre ont été beaucoup plus faciles à trouver. Cutter les a déposées sur le bord du champ, là où on arrose les cannes pour contenir le feu. Il a appris sa leçon et corrigé son erreur. Il voulait qu'on voie sa signature.

Je me baissai et ramassai un peu de cendre. Je me mis dans la tête du tueur, j'avais déjà ma propre théorie, mais je voulais l'entendre de la bouche de Santos.

— Et que veut dire sa signature ?

— Les quatre femmes sortaient avec des Noirs.

Le profil de Cutter se précisait dans mon esprit. Des victimes blanches. Des petits copains noirs. Une agression sexuelle sauvage. Une mort violente et brutale. « Alors comme ça tu veux être noire ? T'inquiète pas, salope, je vais t'arranger ça, moi ! »

— Donc, pour Miami-Dade, on se trouve devant une anomalie caractérisée, dis-je. Une victime afro-américaine.

— Exactement.

— Je suppose que vous ne vous y attendiez pas.

— Non.

— Et, s'il s'avère que la victime noire a de la cendre étalée sur le visage, vous en déduisez quoi ?

— La cendre sur le visage, c'est une chose que le groupe de travail n'a jamais divulguée aux médias. Donc, si on en trouve, il nous faudra revoir le profil du Blanc raciste et fou furieux qui tue des femmes blanches parce qu'elles sortent avec des Noirs.

— Et s'il n'y a pas de cendre ?

Santos essuya ses mains.

— Alors il se peut qu'il y ait deux tueurs.

— Un plagiaire ?

Elle ne répondit pas à ma question, mais ce n'était pas nécessaire. Elle sortit la clé de voiture de sa poche.

— On verra bien ce que le légiste va nous raconter.

3

A 15 heures, j'enfilai mon troisième pantalon de la journée. A rayures, cette fois. C'était le plus vieux pantalon de mon placard qui soit encore à ma taille et je le portais au tribunal chaque fois que j'avais besoin de chance. De beaucoup de chance.

— Etat de Floride contre Jaden Tayshawn Vine, annonça l'huissier.

Je connaissais très bien la salle d'audience pénale n° 9 du Richard E. Gerstein Justice Building. Durant ma première année de droit pénal, j'y avais fait mes premières armes en tant qu'assistant d'un célèbre procureur, et en travaillant soixante heures par semaine sous la férule de mes avocats de tutelle, pour gagner la fabuleuse somme de 40 000 dollars par an. Seulement, aujourd'hui, pour la première fois de ma vie, je me tenais au côté de l'accusé dans la salle d'audience.

Car Jaden Tayshawn Vine était le frère aîné de Samantha.

— Qu'est-ce qu'on fait maintenant ? murmura J.T.

— Assieds-toi, répondis-je doucement. Ça va aller.

Chaque famille traîne un boulet. Dans la famille de Samantha, le boulet, c'était J.T. Tout autre que moi l'aurait laissé tomber après la mort de Samantha, mais j'étais la bouée de sauvetage de J.T. Il n'avait personne d'autre. Et je ne voulais pas qu'il finisse dans la rue. Comme cela lui était déjà arrivé.

— Cela me fait plaisir de vous voir, monsieur Beckham, dit la juge. Un visage familier à une place peu familière.

— Oui, Votre Honneur, dis-je en me levant.

— Qu'est-ce qu'elle a voulu dire ? murmura de nouveau J.T., quelque peu inquiet.

— Elle voulait simplement être polie. Ça va aller.

La procureure chargée du dossier de J.T. s'appelait Leslie Highsmith, une jeune assistante qui avait là l'occasion de jouer un premier rôle dans ce qui n'était, pour ainsi dire, qu'un jugement de routine. De simples voies de fait qui normalement auraient dû conduire J.T. devant un tribunal de police où il n'aurait rien récolté d'autre qu'un coup de règle sur les doigts. Malheureusement, la victime était un employé des transports publics, un conducteur de bus, et c'était comme s'il s'en était pris à un officier de police. De plus, J.T. avait déjà été condamné une fois, du temps où il vivait dans la rue, et cela n'arrangeait pas vraiment les choses.

Highsmith se leva de sa chaise, qui, d'habitude, se trouvait être la mienne, et s'adressa à la cour.

— Votre Honneur, l'Etat de Floride est prêt à négocier une assignation à domicile de trente jours si le prévenu accepte de reconnaître les faits.

La juge parcourut le dossier qui était posé devant elle.

— Rafraîchissez-moi la mémoire, maître. Il s'agit bien d'un passager qui voulait descendre d'un bus ?

— Tout à fait, répondis-je.

La question s'adressait à la procureure, mais je l'avais devancée. Non pas que je me méfiais de Highsmith ; le bureau comptait plus de trois cents avocats et je la connaissais à peine. Mais J.T. avait une vision très personnelle de tout ce qu'il avait pu faire dans sa vie, et il réagissait assez mal lorsque les autres donnaient de la vérité une interprétation qui était différente de la sienne.

— Abe, cette fois-ci, vous n'êtes pas le ministère public, déclara la juge avec un sourire. Alors écoutons d'abord ce que Mme Highsmith veut nous dire.

La procureure remercia la juge et poursuivit.

— Il semble que M. Vine allait et venait dans le bus

en bousculant au passage les autres passagers. Lorsque le chauffeur lui a demandé de s'asseoir, il a refusé et a poursuivi ses allées et venues en marchant de plus en plus vite, puis il s'est mis à sauter.

— A sauter ? répéta la juge.

J.T. me saisit par le bras.

— C'est pas vrai ! dit-il, furieux, mais parvenant tout de même à parler à voix basse.

— Oui, déclara Highsmith. Ensuite, M. Vine a demandé à descendre du bus. Le chauffeur a répondu qu'il devrait attendre que le bus parvienne à un arrêt. M. Vine a alors élevé la voix, affirmant qu'il avait besoin de descendre immédiatement, et il a ignoré les injonctions réitérées de s'asseoir que lui faisait le chauffeur. Lorsque le bus s'est arrêté à un feu rouge, M. Vine s'est précipité vers la porte. Le chauffeur lui a expliqué que ce n'était pas un arrêt. M. Vine s'est mis à taper sur la portière. Le chauffeur s'est levé pour éviter qu'il ne se blesse en brisant la vitre. C'est alors que M. Vine l'a bousculé et que d'autres passagers sont intervenus pour le maîtriser.

— Abe, c'est rien qu'une menteuse, chuchota J.T. aussi bas qu'il pouvait.

Mais encore trop fort pour une salle de tribunal.

— Etait-il sous l'emprise de l'alcool ou de la drogue ? demanda la juge.

— Il ne semble pas que ce soit le cas, répondit Highsmith.

— Je peux affirmer que non, dis-je.

La juge me lança un regard.

Vous voulez ajouter quelque chose, monsieur Beckham ?

— M. Vine ne boit pas d'alcool et ne se drogue pas. Il était tout simplement à court de médicaments. Ce que le ministère public vient de décrire, ce sont les effets causés par l'interruption de son traitement.

— C'est pourquoi nous acceptons de négocier une assignation à domicile de trente jours si le prévenu reconnaît les faits, dit la procureure. Cela permettra au traitement médical d'agir de façon à ce que M. Vine puisse se montrer moins agité. M. Beckham a accepté de surveiller le prévenu et de le conduire régulièrement chez son médecin durant toute cette période.

— Très bien, dit la juge, cependant, je vois que, précédemment, il y a eu plusieurs interpellations pour ivresse sur la voie publique.

Elle faisait référence à l'époque où J.T. vivait dans la rue.

— Il y a de cela plusieurs années, arguai-je.

— C'est possible, rétorqua la juge. Je veux néanmoins que M. Vine soit contrôlé par un bracelet CAD.

Fixé à la cheville, le CAD, contrôle d'alcoolémie à distance, détectait la quantité d'alcool absorbée en analysant la transpiration du sujet.

— L'Etat ne soulève aucune objection, dit Highsmith.

J.T. ouvrait des yeux grands comme des soucoupes. Tout ne se passait pas exactement comme je le lui avais prédit avant l'audience ; mais après tout, un CAD, ce n'était pas non plus la fin du monde.

— Il n'y a pas de problème, lui assurai-je. Vraiment. Tout ira bien.

Je me tournai vers la juge pour annoncer :

— Aucune objection.

— Parfait, trente jours d'assignation à domicile. La cour vient de se montrer suffisamment généreuse pour vous offrir une seconde chance, monsieur Vine. Ne la laissez pas passer, ajouta-t-elle en me lançant un regard appuyé.

Il était clair que c'était à moi qu'elle s'adressait et non pas à J.T. Mais cela ne pourrait jamais figurer dans le procès-verbal de l'audience.

Mon bureau se trouvait juste en face du tribunal, mais il se passa bien deux heures avant que je puisse enfin y retourner.

Il y eut tout d'abord la séance d'essayage du bracelet, qui se déroula exactement comme je l'avais prévu. « Trop serré. » « Pas assez serré. » « Y a pas d'autre couleur ? » Ensuite, il fallut conduire J.T. chez lui. Je mis la quantité exacte de médicaments pour la journée dans son pilulier et lui fis jurer sur la tombe de Samantha qu'il les prendrait.

J'étais assis à mon bureau, en train de relire un rapport concernant une suppression d'audience dans une affaire d'homicide qui devait être jugée deux semaines plus tard, lorsqu'on m'appela sur mon portable. C'était Victoria Santos.

— Vous avez l'air stressé, me dit-elle après trente secondes de conversation.

Mon téléphone fixe se mit à sonner. Je vis sur l'écran que c'était J.T. Je le laissai bavarder avec ma boîte vocale, bien que celle-ci était probablement saturée par les six autres messages interminables qu'il m'avait laissés précédemment.

— Moi ? Stressé ? Naaan !

— Je voulais juste vous tenir au courant, dit Santos.

— Merci. On a pu identifier la victime ?

— On cherche toujours la tête. L'état de décomposition complique l'analyse des empreintes digitales. Les légistes travaillent vingt-quatre heures sur vingt-quatre. J'espère qu'on va bientôt arriver à quelque chose.

J'attrapai un crayon pour prendre des notes.

— Qu'est-ce que vous avez pour le moment ?

— Pas beaucoup plus que ce que vous savez déjà. Afro-Américaine. La petite trentaine. Un mètre soixante-dix. En prenant en compte la masse moyenne d'une tête humaine, on peut estimer son poids à environ soixante kilos. Des traces de vernis à ongles rouge sur ses ongles de main et de pied.

La pointe de mon crayon se cassa net sous mes doigts. J'étais si troublé que je n'entendis même pas ce que me disait Santos.

— Abe, vous êtes toujours là ?

— Oui. Désolé. Je… Je réfléchissais.

— Tout va bien ?

— Oui, super.

— Est-ce que vous pouvez me retrouver au bureau du légiste demain à 7 heures ? J'ai demandé au Dr Hernandez de comparer les blessures avec celles des autres victimes et j'aimerais que vous soyez là.

— Pas de problème. Je connais bien le Dr Hernandez.

— C'est le meilleur, et ça me rassure de savoir qu'il est sur l'affaire. On va le coincer, ce type.

— Oui, j'en suis sûr.

— Autre chose. Je suis en train de tout miser sur l'enquête de Miami-Dade. Je n'ai rien contre Palm Beach, mais j'aime bien l'équipe qu'on est en train de mettre sur pied ici. S'il s'avère que cette femme est une autre victime de Cutter, j'aimerais mieux qu'on instruise l'enquête d'abord à Miami. Et je voudrais que ce soit vous qui portiez l'affaire devant le tribunal.

— C'est à la procureure générale d'en décider.

— Je sais. Est-ce que vous me permettez de lui demander qu'elle vous désigne personnellement ?

Je n'eus pas besoin de réfléchir bien longtemps.

— Permission accordée.

— Merci, Abe. A demain matin, 7 heures.

— J'y serai.

Je raccrochai et restai un instant immobile. Le crayon que j'avais cassé était posé sur mon carnet jaune et les minuscules débris de la mine recouvraient les dernières lettres du mot que j'y avais noté : *rouge*.

Santos ne m'avait communiqué que des informations basiques, d'ordre général, un signalement qui pouvait correspondre à des milliers de femmes. Mais quelquefois, sans raison aucune, je recevais encore ces petits signaux qui faisaient que, même après dix-neuf mois de deuil, le souvenir de la perte que j'avais subie se révélait toujours aussi vif, aussi aigu. Il suffisait par exemple que la description de la victime d'un homicide me semble familière : la couleur de sa peau, son âge, sa taille, son poids, le choix de son vernis à ongles.

Oui, cela aurait pu être Samantha.

4

Il n'était pas loin de 21 h 30 lorsque je pris la route pour rentrer chez moi, après un lundi de travail qui avait duré quinze heures d'affilée. J'appelai ma femme depuis la voiture pour lui dire que je rentrais. Angelina semblait aussi fatiguée que moi.

— OK, à tout à l'heure, dit-elle.

D'un point de vue purement technique, Angelina et moi étions un jeune couple, car nous n'étions mariés que depuis sept mois. Mais nous nous étions connus avant que je ne rencontre Samantha. On s'était fréquentés pendant un an, puis on avait décidé de vivre ensemble. Cela avait duré dix-huit mois. Aucune rupture n'est vraiment facile, mais parfois on éprouve le besoin de poursuivre sa route. Je suis tombé amoureux de Samantha et je l'ai épousée ; Angelina a eu deux ou trois relations, mais rien de sérieux. A la mort de Samantha, elle m'a contacté sur Facebook. Nous sommes redevenus amis et, avec le temps, des liens se sont de nouveau tissés. En réalité, si l'on excepte Samantha, Angelina est la personne avec laquelle j'ai eu la relation amoureuse la plus longue de toute ma vie. Et bizarrement j'ai découvert que, alors même que je suis blanc, tout le monde, Blancs et Noirs confondus, a trouvé étrange que j'épouse une femme blanche. Certains de nos amis furent plus discrets que d'autres. Le toast porté le jour de notre mariage par J.T. — tentative maladroite de faire de l'humour — ne l'a pas vraiment aidé à se faire aimer de ma nouvelle épouse.

— Nom de Dieu, Abe. Après la Noire, la blonde. Mec, t'es vraiment devenu un frère !

Quand j'arrivai à la maison, Angelina était affalée sur le divan en train de regarder *Le Bachelor*.

— Je t'ai préparé à dîner, me dit-elle, le regard rivé sur l'écran.

— Merci.

Je me penchai par-dessus le sofa pour l'embrasser sur les lèvres, mais elle me tendit la joue.

— C'était il y a deux heures... Maintenant, c'est froid.

Je posai ma veste sur une chaise et me rendis dans la cuisine. Angelina était un vrai cordon-bleu, et ses spaghettis bolognaise, une tuerie, même réchauffés au micro-ondes. Je pris mon assiette et m'assis près d'elle sur le sofa.

— C'est délicieux.

— Je suis bien contente. Alors, ça s'est passé comment avec J.T. aujourd'hui ?

Je bus une gorgée d'eau et poussai un soupir.

— Le pauvre vieux. Il n'est pas très bien. Mais il a repris ses médicaments, alors j'espère que...

Elle m'interrompit net.

— C'est ce que je voulais dire.

— Dire quoi ?

Elle coupa le son de la télé, se redressa et se tourna vers moi d'un bloc.

— Tu n'arrêtes pas de t'occuper de lui et, quand tu rentres à la maison, tu es sur les nerfs.

— Mais non.

— Si, tu es sur les nerfs. Tu n'as qu'à t'écouter. Ça ne fait même pas cinq minutes que tu es rentré, et tu ne fais que parler de J.T.

— Mais c'est toi qui me l'as demandé. Alors je t'ai répondu.

— Bien sûr que je te l'ai demandé. Je ne peux pas faire autrement. J'ai besoin de savoir si je vais pouvoir profiter de mon mari en entier, ou de la moitié, ou seulement du quart — quel pourcentage de lui-même Abe va-t-il daigner consacrer à sa femme cette semaine ?

C'était devenu son *modus operandi*. Angelina préparait ses arguments à l'avance, et peu importait la manière dont se déroulait la conversation ; même si elle devait faire preuve d'une mauvaise foi évidente, il fallait qu'elle aille au bout de son discours.

— Ecoute, Angelina, je suis vraiment fatigué. On ne peut pas parler d'autre chose ?

Elle se leva brusquement et disparut dans la cuisine.

— Et merde, murmurai-je.

Mais il n'y avait personne pour m'entendre. J'attrapai la télécommande et trouvai le match de basket des Miami Heat. Comme ils menaient de trente-cinq points dans le dernier quart-temps, je zappai sur les infos locales de 22 heures.

« Un tueur en série à Miami ? » pouvait-on lire sur la bande-annonce. Le point d'interrogation signifiait que l'on ignorait si la dernière victime avait un rapport quelconque avec les meurtres de Palm Beach.

Angelina était revenue. Debout derrière le sofa, elle regardait par-dessus mon épaule.

— Tu t'occupes de cette affaire ?

— Ouaip.

— Une machette, dit-elle avec une grimace. C'est horrible.

— Oui. Horrible.

— Pourquoi hésitent-ils tellement à dire que les meurtres sont liés ? Cinq corps, tous abandonnés dans les Everglades, des femmes découpées à la machette.

— C'est la première qu'on retrouve à Miami-Dade. Et c'est la première victime noire.

— Ouais, et je suppose que c'est probablement le premier corps découvert un lundi avec un vent de nord-ouest soufflant à vingt kilomètres-heure. Je vous jure, les mecs, des fois, je pense que vous poussez l'analyse un peu trop loin. Tu crois vraiment que c'est une coïncidence ?

— C'est plus compliqué que tu ne crois.
— Si tu le dis.

Le téléphone fixe se mit à sonner. Angelina répondit. Quand elle me tendit le téléphone, le reportage sur le tueur en série se terminait.

— C'est J.T., dit-elle, aussi froide que le repas qu'elle m'avait laissé dans la cuisine.
— Dis-lui que je l'appellerai demain matin.
— Non, prends-le.
— Je ne veux pas.
— Si. Tu veux.
— Non. Vraiment.
— Ne le fais pas attendre juste parce que je suis furieuse. Il a l'air à cran. Je n'ai pas envie que tu me fasses des reproches si jamais il pète un câble et décide de se pendre.
— Ce n'est pas drôle, Angelina.

J'attrapai le téléphone. Lorsque Angelina avait dit « à cran », elle était bien au-dessous de la vérité.

— Abe, faut que j'enlève ce truc.

Il hurlait tellement fort que je fus obligé d'éloigner le téléphone de mon oreille.

— Calme-toi. Quel truc ?
— Le truc ! Ce putain de bracelet !
— Ecoute-moi, J.T. C'est très important. Tu ne peux pas enlever le bracelet. Si tu fais ça, la juge va te mettre en prison.
— Ils sont en train de m'écouter.
— Quoi ?
— C'est à ça qu'il sert, ce truc. Ils peuvent entendre tout ce que je dis.

Franchement, qui aurait pu être assez tordu pour écouter la conversation d'un type qui vivait tout seul dans son appartement ? Mais ça, c'était une autre question.

— C'est juste un bracelet, J.T. Personne ne t'écoute.
— Puisque je te dis que si ! Ils peuvent m'entendre, et ils peuvent me voir aussi. Abe, il faut que je l'enlève.
— J.T., personne ne peut…

— Il faut que je l'enlève tout de suite !

— J.T., s'il te plaît. Tu vas faire ce que je vais te dire. Tu vas respirer à fond, lentement. Tu inspires, et tu expires. Tu inspires, et tu expires, d'accord ?

Ce que j'entendais à l'autre bout du téléphone ne me plaisait pas du tout. J.T. haletait comme un soufflet de forge.

— Lentement, J.T. Beaucoup plus lentement.

J'écoutai encore un moment.

— C'est mieux. Alors, maintenant, je vais raccrocher et toi tu…

— Non, ne raccroche pas !

— Ne t'inquiète pas. Je vais te rappeler tout de suite sur mon portable, et ensuite je vais venir te voir. Promets-moi que tu ne toucheras pas à ton bracelet avant que j'arrive. Tu me le promets ?

Son souffle était irrégulier. Il avait du mal à respirer.

— J.T. ? Tu me le promets ?

Toujours ce souffle saccadé.

— Tu respires trop vite. Lentement. Plus lentement… J'arrive dans deux minutes.

— D'accord. Mais dépêche-toi.

Je raccrochai, pris mon téléphone portable, les clés de ma voiture et m'approchai d'Angelina.

— Je suis désolé, ma chérie. Je reviens dès que je peux.

Elle hocha simplement la tête, elle semblait plus résignée que furieuse.

— A demain.

— Non, cette fois, je ne dors pas là-bas.

Elle me regarda droit dans les yeux : nous savions tous deux que c'était un mensonge.

— Vas-y, Abe, dit-elle d'une voix lasse, détachée. Va t'occuper de ta famille.

Je sortis, fermai la porte derrière moi, et alors que je descendais les marches j'entendis Angelina mettre la chaîne de sûreté. J'allais revenir sur mes pas pour tenter de lui parler, de lui expliquer, mais mon téléphone se mit à sonner. C'était J.T.

— Abe ? Hé, mec, t'es où ? Il faut que j'enlève ce…
— OK, OK, j'arrive.

Il n'arrêtait pas de parler et moi je l'écoutais, je lui disais que tout allait bien. Je montai dans ma voiture et me rendis à son appartement.

Une fois de plus.

5

Je devais retrouver l'agent Santos à 7 heures au centre médical. Mais, un quart d'heure avant le rendez-vous, j'étais toujours coincé dans un embouteillage sur la 836. A croire que je tombais systématiquement en plein milieu des heures de pointe. Je laissai un message sur le répondeur de Santos : j'allais avoir un peu de retard.

Chez J.T., je n'avais presque pas fermé l'œil de la nuit. Pas à cause de lui. Il avait dormi comme une souche. J'étais seul en cause. Lorsque Angelina avait mis la chaîne sur la porte et m'avait dit de rester avec « ma famille », elle m'avait envoyé un message clair : ce n'était pas la peine que je rentre. Rien que cela aurait largement suffi à me tenir éveillé toute la nuit. Mais ce qui compliquait encore les choses, c'est que, chaque fois que j'allais chez J.T., je faisais comme un voyage dans le passé. Samantha et moi avions vécu dans cet appartement. Les meubles nous avaient appartenu. Les rideaux, les tapis, le papier peint, la décoration, on les lui devait. Elle avait voulu que J.T. ait un endroit où il puisse vivre et je faisais de mon mieux pour réaliser son souhait. Sans doute une bonne intention de ma part ; néanmoins, j'en éprouvais un tel sentiment de culpabilité que je ne trouvais pas le sommeil.

J.T. s'était endormi depuis déjà un bon moment lorsque je montai dans la chambre d'amis. Mais je terminai la nuit sur le sofa. Je ne pouvais pas dormir dans ce lit qui avait été notre lit, où je m'étais allongé contre Samantha, où nous avions échangé nos secrets, où j'avais écouté son souffle, senti les battements de son cœur, découvert et redécouvert ses jambes douces comme la soie. Elle avait des jambes magnifiques. Si dures et si fortes lorsque je la faisais jouir et qu'elle serrait ma tête entre ses cuisses comme dans un étau. Je me souviens d'une nuit, en particulier.

— J'adore te faire ça, lui avais-je dit.

— Je suis contente que tu aimes.

— Non, mais vraiment j'adore ça.

— Eh bien, ça me fait plaisir d'être avec un homme qui cherche autre chose que simplement me prendre par-derrière.

C'était une blague, mais le genre de blague qu'elle aurait dû garder pour ses soirées entre copines.

— Pas drôle, Samantha. Vraiment pas drôle.

— Désolée.

— Tu m'as cassé l'envie. Je ne suis plus d'humeur.

Elle m'embrassa, et je vis dans ses yeux ce que tout homme souhaite voir un jour, un regard qui lui fait oublier le passé, qui l'entraîne vers l'avenir, et que personne d'autre que lui ne verra jamais dans les yeux de cette femme si belle qui lui avait promis d'être à lui pour toujours.

Elle monta sur moi, enserra ma taille de ses jambes, ses seins se dressaient juste devant mon visage, l'odeur de ses cheveux m'enivrait.

— Je pense que je peux arranger ça, susurra-t-elle en se glissant sous le drap. Je peux même arranger ça très bien.

Le bureau du médecin légiste du comté de Miami-Dade se trouve au centre de médecine légale H. Davis, un immeuble de trois étages près du campus de l'université de médecine de Miami et du Jackson Memorial Hospital. Le matin, il y avait toujours beaucoup de monde à l'hôpital. Il est vrai qu'il s'agissait d'un établissement à la pointe de la recherche sur toutes sortes de pathologies, depuis les lésions médullaires jusqu'au cancer. Chaque jour, des patients venaient de tous les coins du pays et même de plus loin pour consulter des médecins parmi les plus réputés au monde. D'une certaine manière, cela nous avait rendu encore plus difficile d'accepter leur pronostic pour Samantha.

Je me garai aussi près que possible du bureau du légiste et n'eus finalement que cinq minutes de retard.

— Le Dr Hernandez est prêt, dit Santos.

Je connaissais Doc Hernandez, je le connaissais même suffisamment pour veiller à ne pas tomber la veste lorsque j'entrai dans la salle d'examen. Les conduits de climatisation soufflaient dans la salle un froid polaire. Les lumières étaient si vives que les murs et les dallages pourtant immaculés en paraissaient presque ternes. Doc Hernandez nous attendait près d'une table en inox sur laquelle reposait une sorte de monticule recouvert d'un drap blanc. Doc régla le projecteur au-dessus de sa tête avant de soulever le drap.

— Bon, je vous préviens, annonça-t-il. Tout ce qui vient des Everglades pour atterrir directement dans la salle d'examen du légiste n'est jamais très beau à voir.

— Je comprends, dit Santos.

Comprenait-elle vraiment ? D'accord, elle était un agent expérimenté et formé à la médecine légale à Quantico, mais pour ma part je peux affirmer que rien au monde ne m'aurait préparé à ma première autopsie d'une victime découverte dans les Everglades.

Doc souleva un coin du drap. Mentalement, je me blindai contre le pire, mais de toute évidence la victime avait été correctement emballée avant d'être sortie de l'eau. Bien sûr, le corps avait gonflé et les micro-organismes qui pullulent dans les Everglades avaient accéléré le processus normal de putréfaction, mais il était en bien meilleure condition que je ne m'y attendais. Malgré tout, j'essayais de ne pas regarder l'endroit où normalement la tête du cadavre aurait dû se trouver.

— Si on avait été en juillet, dit le médecin, et si on avait compté en jours et non pas en heures passées dans les Everglades, nous aurions pu constater une décomposition encore plus rapide, et je ne vous parle même pas des dégâts causés par les prédateurs. Mais, comme nous sommes en hiver, que les températures sont basses et que le corps a été retrouvé relativement vite, il nous reste suffisamment de matière pour pouvoir travailler.

— « Relativement vite », pour vous, ça veut dire combien temps ? demandai-je.

— Vingt-quatre heures. Peut-être un peu plus. Je dirais que nous nous trouvons devant un meurtre du samedi soir.

— Y a-t-il des signes de violence sexuelle ?

— Non. Ni rapport vaginal ni rapport anal.

Santos intervint en révélant un autre indice jusque-là caché.

— Il y avait des signes de fellation forcée sur toutes les autres victimes de Cutter.

Doc braqua le projecteur là où je ne voulais vraiment pas regarder.

— De toute évidence, c'est quelque chose que nous ne pouvons pas vérifier, étant donné l'état incomplet dans lequel se trouve le cadavre.

— Et on n'a pas confirmation de la signature de Cutter, dit Santos. A moins que vous n'ayez trouvé des traces de cendres de canne à sucre sur le corps ?

— Non, répondit Doc. En revanche, je voudrais vous parler des blessures…

Il posa son ordinateur portable sur la table et fit défiler rapidement quelques dizaines de photos de cadavres. Enfin, il trouva la bonne.

— Voilà, dit-il, s'arrêtant sur l'image.

La photo avait été prise au cours de l'autopsie d'une jeune femme dont le corps nu reposait sur la table en inox, à peu près dans la même position que la victime qui était devant nous.

— Elle s'appelait Elizabeth Gowan, dit Doc. Victime numéro trois. Son corps était dans le même état que toutes les autres victimes de Palm Beach. On peut voir plusieurs coups portés avec une machette ou quelque chose de similaire, expliqua-t-il, en pointant son curseur sur chacune des plaies.

— De l'acharnement, déclara Santos.

Je jetai un coup d'œil sur le cadavre allongé sur la table.

— Mais pas sur cette victime, fis-je remarquer.

— Exactement. Et il y a autre chose.

Il cliqua sur l'écran pour faire apparaître l'image suivante. Une photo en plan rapproché d'une horrible plaie béante sur le côté du cou. Certains représentants de la loi peuvent rester de marbre devant ce genre de choses, comme si une autopsie n'était en fait qu'un banal chapitre de manuel médical. Mais moi, même après des dizaines de procès pour meurtre et des milliers de pièces à conviction plus horribles les unes que les autres, j'avais toujours beaucoup de mal à regarder.

— Voici ce qui nous intéresse, reprit Doc. Dans le cas d'Elizabeth Gowan, comme d'ailleurs dans tous les cas des victimes de Palm Beach, le coup fatal a été porté sur le côté de la gorge et a sectionné la carotide. Une plaie béante avec exsanguination, c'est-à-dire une perte massive de sang.

— Mais aucun des corps trouvés à Palm Beach n'a été décapité, dit Santos.

— Exactement. En fait, à moins que vous soyez un exécuteur chevronné, il est très difficile de couper une tête avec une machette ou une épée, il faut s'y reprendre à plusieurs fois.

— Dans le cas qui nous occupe, il y a eu décapitation, objectai-je.

— En fait, non, répondit Doc.

Santos et moi regardâmes le corps : il y avait là une évidente contradiction.

— Un prédateur, dit Doc en secouant la tête. Les alligators ont des dents tranchantes comme des rasoirs. Mais, lorsque les proies sont trop grosses, ils s'y prennent mal, alors il se peut que l'un d'entre eux ait trouvé le corps, qu'il en ait mordu un bout et qu'il soit reparti.

Regardez, ajouta-t-il en éclairant la blessure. Ce sont des traces de dents d'alligator. Et ici : la chair est déchirée. Ce n'est pas une blessure causée par le tranchant d'une machette. C'est une morsure d'alligator et, si on considère que c'est un animal qui mesure en moyenne deux mètres, c'est beaucoup de travail juste pour un seul repas. Ce qui explique que, même si le Département de la chasse et de la pêche de Floride reçoit douze mille plaintes par an contre les alligators, en fait, il n'y a réellement que cinq ou six attaques contre des humains. Et, sur les soixante-quinze dernières années, seulement une vingtaine de cas mortels. Ces bêtes-là préfèrent les oiseaux et les tortues parce qu'elles peuvent les avaler d'un coup.

— Donc, à proprement parler, il n'y a pas eu décapitation, conclut Santos.

— Exactement.

— Ce qui nous ramène en droite ligne aux cas de Palm Beach, où, là non plus, il n'y avait pas eu décapitation.

— Voilà. Seulement il n'y a pas non plus les traces de plusieurs coups portés au torse comme à Palm Beach. Ni de blessures défensives sur les mains ou les bras ainsi qu'on pourrait s'y attendre si la victime s'était battue contre son agresseur. Et aucune trace sur les poignets ou les chevilles pouvant indiquer que la victime était ligotée.

— De grosses différences, alors, remarqua Santos.

— Oui, mais je peux les expliquer, répondit Doc.

— Je vous en prie, allez-y.

— Comme je vous l'ai dit, bien que dans les cas de Palm Beach nous ayons constaté un grand nombre de blessures, le coup fatal a probablement été celui porté à la gorge. En ce qui concerne cette victime, j'ai eu peur au début que la morsure de l'alligator rende impossible l'identification d'une blessure du même type au cou.

— Vous voulez dire que vous pouvez quand même faire le rapprochement ? demanda Santos.

— Pas avec certitude, mais j'ai un début de piste.

Il régla la lumière du projecteur sur la blessure faite au cou.

— C'est difficile de voir sous cet angle, avec le cadavre reposant sur le dos. Je vais vous montrer les photos que j'ai prises tout à l'heure.

Il reprit son ordinateur, fit apparaître l'image et zooma.

— Est-ce que vous voyez cette lacération à la base du cou ?

— Oui.

— On peut penser qu'il s'agit d'une blessure causée par un prédateur. Mais regardez bien cette surface lisse, ici, sur le bord.

Je me penchai. On voyait bien la déchirure causée par les dents de l'alligator mais, sur deux centimètres, une partie de la peau était lisse.

— C'est vrai que ce n'est pas pareil, dis-je.

— Je suis à peu sûr que cette blessure a été faite par un couteau, déclara le médecin.

— Ce serait donc un cas similaire à ceux de Palm Beach ?

— Ah ! C'est là que ça devient intéressant ! Les victimes de Palm Beach ont été blessées au muscle sterno-cléido-mastoïdien. C'est le muscle que les joueurs de football travaillent et qui donne l'impression qu'ils n'ont pas de cou. Si vous êtes un fan de *Star Trek*, comme moi, vous aurez sans doute remarqué que les bons Aliens ont toujours ce muscle et que les mauvais Aliens ne l'ont jamais, parce que ce muscle existe uniquement chez les mammifères et c'est lui qui rend les créatures attirantes aux yeux des humains.

Doc a toujours eu tendance à faire des digressions. Je le ramenai à notre sujet comme je l'avais fait maintes fois lorsque je l'avais eu à la barre des témoins.

— La victime a été frappée sur le côté de son cou, c'est ce que vous voulez dire ?

— Je vous demande pardon. En fait, oui. Il y a eu un premier coup porté aux cervicales, entre les vertèbres C1 et C2. Et, si je ne me trompe pas, la mort peut avoir été causée par un seul choc à la base du cou qui a sectionné la moelle épinière.

— Comme si on avait frappé avec la tige d'une canne à sucre, suggéra Santos.

— C'est vous qui le dites, pas moi. Ce qui est important, c'est qu'il n'y a eu qu'un seul coup.

— La mort a été instantanée ?

— Même la guillotine ne provoque pas de mort instantanée, répondit Doc. Dans l'histoire de la Révolution française, on trouve plein de récits de paupières qui clignent, de dents qui grincent et de joues qui rougissent après l'exécution. Mais la victime a immédiatement perdu connaissance et la mort est intervenue quelques secondes plus tard. Cela explique qu'il n'y ait aucune trace de blessures défensives ni aucun signe qu'elle se soit battue. C'est la grande différence avec les cas de Palm Beach.

Santos et moi échangeâmes un regard ; elle dit à voix haute ce que j'étais exactement en train de penser.

— Conclusion, dans ce cas précis, la technique semble... Enfin, ce n'est peut-être pas le mot qui convient mais... presque charitable si on compare avec les autres victimes.

Doc resta un instant silencieux, il choisissait ses mots.

— Nous pouvons émettre l'hypothèse, avec un certain degré de confiance, que cette victime n'a pas vu le coup venir et qu'elle a immédiatement perdu connaissance. On ne peut certainement pas dire la même chose en ce qui concerne les cas de Palm Beach. Quant à savoir si cela est « charitable », c'est du ressort d'un psychologue médico-légal.

Il éteignit le projecteur et ferma son ordinateur.

— Mais les blessures sont très différentes, dit Santos. Ce qui m'amène à la question suivante : sont-elles suffisamment différentes pour que vous pensiez qu'on a affaire à deux tueurs distincts ?

— Ou alors un tueur qui éprouve des sentiments variables selon la race de ses victimes ?

Doc me regarda, puis regarda Santos comme s'il allait jouer sa réponse à pile ou face.

— On a besoin de plus d'informations.

Je pensai aux recherches en cours pour retrouver la « signature » de Cutter, la partie manquante du corps qui était probablement perdue à tout jamais, dévorée par un alligator affamé.

— On continue de chercher les traces de cendre ? demandai-je alors.

— On n'a pas le choix, répondit Santos en jetant un dernier regard au cadavre. Mais je ne compte pas trop là-dessus.

6

Je retrouvai Angelina à midi, pour déjeuner. Après la nuit passée chez J.T., j'avais pas mal de choses à me faire pardonner.

On déjeunait rarement ensemble. Angelina était gestionnaire de crédit dans une banque du centre-ville, et travaillait de 9 heures à 17 heures au quatrième étage d'un de ces gratte-ciel du front de mer dont les trois premiers étages, d'après ce qu'on dit, finiront par baigner dans de l'eau chaude avant la fin de ce siècle. Le bureau du procureur général était beaucoup plus à l'ouest, de l'autre côté du fleuve Miami. Pas très loin à vol d'oiseau mais, lorsque les ponts à bascule étaient relevés, c'était comme si Angelina et moi nous étions trouvés de chaque côté du Grand Canyon. J'avais eu la chance que la circulation soit fluide et j'arrivai à l'heure au restaurant. Elle était déjà installée à une table, dehors. On aurait dit une star de cinéma sous son ombrelle, ses lunettes de soleil design relevées sur son front. Je me penchai pour l'embrasser et cette fois-ci elle me tendit les lèvres.

— J'ai commandé des conques grillées, dit-elle.

C'était très attentionné de sa part : un bon signe.

— Mon plat préféré. Tu t'en es souvenue.

Le restaurant Big Fish était juste au bord de la rivière, le coin parfait pour déjeuner, à mon avis. Pas trop chic. Un endroit où l'on pouvait se détendre et déguster du dauphin frais, du thon ou du ceviche de crevettes et se plonger dans l'ambiance du quartier historique de la ville. C'était là que les habitants des house-boats amarrés à l'ouest se mêlaient aux banquiers et aux avocats des tours de bureaux des quartiers est.

— Je suis désolée, j'ai vraiment été très conne hier soir.

Je ne m'attendais pas à des excuses et cela me fit sourire.

— Ne t'inquiète pas : je méritais une bonne tape derrière les oreilles.

— C'est juste que, des fois, J.T. me fait peur.

— Je sais. Mais son psychiatre m'a assuré qu'il n'y avait aucun problème, qu'il peut vivre seul et qu'il n'est pas violent.

— Il a frappé un conducteur de bus.

— Non, ce n'est pas ce qui s'est passé. Mais je préférerais qu'on parle d'autre chose, d'accord ?

La serveuse nous apporta le plat de conques grillées.

— Vous voulez boire quelque chose ?

— J'ai une idée, me dit Angelina avec un sourire. Et si on commandait un pichet de sangria et qu'on se faisait porter malades cet après-midi ?

On faisait ce genre de choses avant qu'on soit mariés — il y a longtemps, à l'époque où je n'avais pas encore rencontré Samantha.

— Ça me tente vraiment, répondis-je.

— C'est vrai ? Tu veux bien ?

J'étais obligé de dire non. L'affaire Cutter n'était qu'une petite partie de tout le travail qui m'attendait et, au train où allaient les choses, ce serait déjà une chance si je pouvais rentrer à temps pour le dîner.

— Je voudrais bien. Mais je suis désolé, ce n'est pas possible. Pas aujourd'hui.

— Pas grave. Moi non plus, je ne peux pas. Mais on peut toujours rêver, non ? Ce sera un *ice tea*, dit-elle à la serveuse.

— La même chose.

La serveuse posa les menus sur la table et disparut à l'intérieur du restaurant.

— Tu m'as manqué la nuit dernière, reprit Angelina.

— Pardonne-moi.

— Je suis longtemps restée éveillée, je pensais à plein de choses. Et je me demandais… Et si on essayait de faire un bébé ?

Je ne m'attendais pas du tout à ça, et je n'ai probablement pas réagi comme il aurait fallu.

— Waouh. Un bébé.

— Ça veut dire quoi ?

Ça voulait dire que je ne savais vraiment pas quoi répondre. Je ne pus que répéter, cherchant en vain une réponse :

— Un bébé. Waouh.

— Waouh. Un bébé. Un bébé. Waouh. Soit on est sur Télé à la demande et sans faire attention j'ai appuyé sur la touche *replay*, soit ce n'est pas vraiment le genre d'idée qui t'enthousiasme.

— Mais non, ce n'est pas ça. Pas ça du tout. C'est simplement que… Un bébé…

— Par pitié, ne dis pas « waouh ».

La serveuse revint avec nos deux verres d'*ice tea*. J'ouvris rapidement le menu et commandai un ceviche.

— Tu veux quelque chose ? demandai-je à Angelina.

— Tu veux dire : un bébé, par exemple ?

— Ça, c'est votre boulot, monsieur, déclara la serveuse en reprenant mon menu. Le mien, c'est d'aller chercher le poisson…

Angelina attendit qu'elle s'en aille pour me saisir la main par-dessus la table.

— Je veux qu'on fonde une famille, Abe. *Notre* famille.

Sa main serra la mienne, comme pour donner plus de poids à ce qu'elle me disait, et j'ai compris que cette discussion ne venait pas sans raison. Angelina parlait de *notre* famille… par opposition à celle de Samantha.

— Tu penses que je suis prêt à avoir un enfant ?

— Je pense que tu ferais un super papa.

Elle me tenait toujours la main serrée, je ne voyais plus que ses yeux, aussi grands et bleus que l'océan.

— D'accord. On va faire un bébé.

Elle poussa un cri de joie et se leva pour m'embrasser. C'est alors que j'entendis mon portable sonner. Je ne répondis pas.

— Je suis si heureuse, dit-elle en retournant s'asseoir.

— Moi aussi.

De nouveau, la sonnerie du portable. C'était l'agent Santos. Je m'excusai auprès d'Angelina et lui promis de faire vite.

— Est-ce que vous êtes à côté d'une télé ? me demanda Santos.

Il y en avait une dans le bar, à l'intérieur du restaurant.

— Oui, pas loin.

— Regardez Action News. On a identifié la victime.

— Qui est-ce ?

— Une avocate de Miami âgée de trente-cinq ans. Elle s'appelle Tyla Tomkins.

Ma main se crispa sur le téléphone.

— Pardon ? Vous pouvez répéter ?

— Tyla Tomkins. Vous la connaissez ?

— Non, non, un problème de connexion. Je vous avais perdue pendant une seconde.

— Allumez la télévision. C'est important de savoir ce qui se dit dans les médias. Ensuite, il faudra qu'on se parle. Est-ce que vous êtes libre pour une conférence téléphonique à 14 heures ?

— Non, je suis en audience à partir de 13 h 30.

— Appelez-moi quand vous avez fini.

Puis elle raccrocha.

— Qu'est-ce qu'il se passe ? me demanda Angelina.

Je lui racontai brièvement, lui promis de revenir à la table tout de suite après le flash d'informations et me précipitai au bar pour allumer la télévision.

Tyla Tomkins.

Tout le monde à Miami regardait son écran de télé sans

en croire ses yeux et tous pensaient la même chose : ce n'est pas elle, ça ne peut pas être elle. Tous — mais pas moi. Je n'étais plus dans l'état de choc et de déni initial.

C'était bien elle.

7

Seule dans sa voiture de service, l'agent Victoria Santos traversait le pont MacArthur. L'image un peu floue du port se dessinait derrière la vitre, côté passager. Les immenses navires qui font de Miami la capitale mondiale de la croisière étaient tous au large, mais de nombreux porte-conteneurs étaient amarrés au port et des remorqueurs en tiraient d'autres à travers le chenal du Government Cut. Pressée d'arriver à South Beach, Victoria slalomait entre les trois files de voitures, roulant à cent dix kilomètres-heure au lieu de quatre-vingts.

Cela ne faisait pas longtemps qu'elle travaillait à l'antenne du FBI de Miami, mais elle connaissait bien la ville. Durant sa première année à Quantico, elle avait traqué un tueur en série extrêmement mobile qui comptait à son actif une douzaine de victimes connues. Elle ne disposait que d'une seule piste : un informateur anonyme qui avait l'étrange pouvoir de prévenir les journaux de l'heure, du lieu et du nom de la victime avant chaque meurtre. Peut-être le meurtrier lui-même. Au bout de la chaîne, celui qui recevait les informations s'appelait Mike Posten, le chroniqueur judiciaire du *Miami Tribune*. La chasse au tueur avait fini par s'étendre à tout le territoire national, parfait exemple de la coordination parfaite, bien qu'inhabituelle, entre la police et les journalistes. Victoria et Mike avaient eu de nombreuses réunions et de longues conversations qui avaient duré jusque tard le soir. Cela dit, sur un plan intime, Mike étant marié, toute velléité de « coordination » avait été réduite à néant.

De l'eau a coulé depuis sous le pont Tamiami.

Victoria dépassa un camion qui se traînait sur la route et poursuivit vers South Beach. Mais elle pensait toujours à Mike. A l'époque, les bureaux du *Tribune* surplombaient la côte de Biscayne Bay et, depuis la salle de rédaction, on avait une vue imprenable sur Miami Beach. Elle se souvenait particulièrement de cette nuit, lorsqu'ils s'étaient retrouvés seuls tous les deux, face à face, soudain silencieux, si près l'un de l'autre. C'est Mike qui avait brisé la magie de l'instant. Il s'était brusquement éloigné d'un pas nerveux jusqu'à la baie vitrée et, pour se donner une contenance, il avait joué au guide pour touristes.

— Est-ce que vous saviez que Miami Beach est en fait une île artificielle ? C'est le corps des ingénieurs de l'armée qui l'a construite en draguant le sable de la mer. A l'origine, elle devait simplement servir de protection contre les ouragans.

Elle ne se souvenait plus si c'était Mike qui avait parlé du « banc de sable d'un milliard de dollars » ou si quelqu'un d'autre lui avait dit que cette étroite bande de sable récupérée sur la mer avait attiré des millions de personnes qui voulaient y travailler, s'y s'amuser ou y vivre.

Tyla Tomkins avait été l'une d'entre elles, et désormais son appartement de South Beach était officiellement devenu la plus récente scène de crime de tout le pays.

Victoria Santos chassa ses souvenirs et jeta un coup d'œil dans son rétroviseur à la tour de cinquante-cinq étages qui se dressait au centre de Miami, là où Tyla avait travaillé dans l'un des plus importants cabinets d'avocats d'affaires de la ville. Plus loin dans les terres, à l'ouest des gratte-ciel, se trouvait l'endroit où la journée de Santos avait commencé : la salle d'examen du légiste, là où reposait le corps de Tyla.

Elle coupa à travers un ancien quartier résidentiel situé quelques rues au sud du légendaire Ocean Drive, faste et glamour, et de la non moins prestigieuse Washington Avenue. L'immeuble de Tyla était construit dans le style South Beach des années quatre-vingt, et, même si ce n'était pas l'architecture Arts déco du Miami originel, on pouvait trouver beaucoup d'avantages à ces appartements avec leur vue imprenable sur le front de mer, tous équipés de climatiseurs et de plomberie qui fonctionnaient vraiment.

De chaque côté de la rue, toutes les places de stationnement étaient occupées, ce qui était normal. En revanche, il y avait des voitures de police garées en double file — et ça, c'était inhabituel, surtout en plein milieu de l'après-midi. Victoria s'arrêta derrière une des voitures blanc et vert de la police de Miami-Dade, posa son gyrophare sur le tableau de bord et se dirigea vers l'immeuble. Elle montra sa plaque au policier en faction.

— Je veux voir le détective Riddel, dit-elle.

Riddel faisait partie de la brigade criminelle.

— Septième étage. Vous devrez prendre l'escalier. L'expert n'a pas fini d'examiner les ascenseurs.

— Pas de problème.

Elle se glissa sous les rubans de plastique jaune et s'engouffra dans l'escalier, laissant le policier aux prises avec un groupe de résidents furieux qui, eux, n'avaient même pas le droit d'entrer dans leur propre immeuble.

Victoria pouvait aisément imaginer Tyla Tomkins en train de grimper ces marches plutôt que de prendre l'ascenseur, histoire de faire un peu d'exercice après une interminable journée assise à son bureau. Tout le monde savait qu'elle fréquentait assidûment les salles de fitness et qu'en plus d'un cerveau hors pair la veinarde possédait un corps de rêve. Son absence à un cours de *home trainer* : voilà ce qui avait donné le premier signal de sa disparition.

— Peu importe ce qu'elle a bien pu faire pendant la nuit, Tyla n'a jamais manqué une seule séance à 6 heures du matin, avait déclaré son coach à la police.

Un autre policier en faction sur le palier du septième étage escorta Victoria jusqu'à l'appartement. La porte était ouverte. A l'intérieur, une équipe de la police scientifique était à l'œuvre. Armée de lampes LED, elle fouillait tous les recoins, cherchait le moindre détail ; chaque élément qui pouvait paraître important était mis sous scellés, étiqueté, photographié. Victoria fut tout de suite attirée vers le balcon, par la vue sur l'Atlantique, alors que les membres du CSI, sans doute déjà blasés, restaient concentrés sur leur tâche. Le lieutenant Riddel était dans le salon.

— Tout est propre, annonça-t-il. Pas une seule goutte de sang.

Victoria avait déjà travaillé avec Riddel, ils s'étaient croisés trois ans plus tôt lorsque la police de Miami-Dade avait fait appel à l'unité 2 d'analyse comportementale pour une assistance sur un kidnapping qui s'était tragiquement terminé. Elle savait qu'il était consciencieux et rigoureux. Tellement consciencieux que, selon la rumeur, il s'était rasé la tête de peur de contaminer une scène de crime avec ses propres cheveux. Et il ne détestait probablement pas l'idée que cela lui donnait un faux air de Taye Diggs.

— Même chose que pour les autres victimes, remarqua Victoria. Aucune n'a été attaquée à l'endroit où elle vivait. On ne sait toujours pas où les crimes ont été commis.

— D'après ce que j'ai vu sur les photos, je dirais que ce n'est pas ici qu'il a joué de la machette. Mais il est quand même possible qu'il soit venu. On ne peut pas non plus exclure qu'il l'ait tuée ici et ensuite transportée ailleurs.

— Des signes de lutte ?

— Rien encore.

Victoria examina le séjour. Le mobilier était moderne, du genre cher mais pas particulièrement confortable. Les chaises étaient faites de lanières de cuir épais tendues sur des cadres en acier chromé, des petits coussins leur donnaient un côté un peu plus douillet. Le sofa n'était ni assez grand ni assez moelleux pour qu'on puisse se jeter dessus après une journée de travail et, de toute façon, il n'y avait même pas de télévision. La peur de tacher le tapis tibétain de soie aurait probablement pétrifié n'importe quel invité à qui on aurait offert un verre de vin. Bref, l'appartement d'une jeune avocate qui vivait seule, passait plus de temps à son bureau que chez elle, et qui gagnait largement assez pour faire appel à un décorateur et pour dévaliser un magasin entier de chez Roche Bobois.

— Venez voir la chambre, dit Riddel.

Il y avait deux chambres, la plus petite avait été transformée en bureau. Victoria suivit Riddel dans la chambre principale, qui était assez spacieuse, pour un immeuble de South Beach, mais certainement pas suffisamment vaste pour accueillir le lit *king size*. Il y avait à peine la place de passer entre le pied du lit et la commode sur laquelle on avait posé un miroir, lui aussi bien trop grand pour la pièce.

— On dirait qu'elle aimait bien se regarder dormir, remarqua Riddel.

Victoria comprenait. Quand on faisait partie de la brigade criminelle, l'humour « flic » était une manière de se protéger. Néanmoins, elle lança à Riddel un regard qui lui signifia qu'elle ne tolérait aucune blague concernant les victimes.

— Désolé.

Victoria fit le tour du lit. On avait enlevé les draps, il ne restait plus que le matelas.

— Des traces de sang, de fluides corporels ?

— On n'a rien vu. Peut-être que le laboratoire va trouver quelque chose, mais j'en doute. Le lit était fait au carré à notre arrivée. Je n'ai pas l'impression qu'on ait dormi dedans ni qu'on l'ait utilisé pour autre chose.

— Donc, si elle a été tuée samedi soir comme le pense le légiste, ça veut dire qu'elle n'est pas rentrée chez elle.

— C'est ce que je dirais. J'ai interrogé Mme Elias, la voisine un peu concierge qui habite au bout du couloir. D'après elle, Tyla dormait rarement chez elle le week-end.

— Elle avait un petit ami ?

— On est en train de vérifier. Pour l'instant, on n'a identifié personne en particulier. Mais on a trouvé quelque chose d'intéressant.

Riddel lui montra la boîte à bijoux sur la commode. Elle était ouverte, et on pouvait voir un tiroir recouvert d'un tissu de velours marron. Il y avait tout un assortiment de jolies boucles d'oreilles et de chaînes en or, mais ce furent surtout les diamants qui attirèrent l'attention de Victoria. Il y en avait deux, chacun était serti dans un anneau d'or.

— Des bagues de fiançailles ? dit-elle, perplexe.

— Ça y ressemble.

Victoria les regarda de plus près, sans y toucher. Les diamants étaient taillés en coupe ronde classique sur une monture style Tiffany.

— Celui de gauche est d'à peu près un demi-carat. Celui de droite, plus proche de deux.

— Une sacrée bague, dit Riddel. Si elle est vraie.

— Tyla portait une bague avec un diamant d'un carat quand son corps a été retrouvé. Et c'était un vrai.

— D'après ce que je sais, elle n'a jamais été mariée. Vous avez la même info ?

— Oui. Jamais mariée.

— Alors, une belle femme célibataire qui sort un samedi soir en portant une bague de fiançailles ? Et qui en possède deux autres dans sa boîte à bijoux, chez elle ?

— On dirait.

— Et c'est quoi, son truc ? Elle drague des mecs, ils lui achètent des bagues de fiançailles et après elle les largue ?

— C'est possible. Ou bien elle se les achète elle-même.

— En tout cas, c'est intéressant, vous ne trouvez pas ?

Victoria contempla l'énorme lit, l'immense miroir puis les bagues.

— Ouais, c'est intéressant.

8

Il était près de 22 heures lorsque ma journée de travail prit fin.

J'avais dû rester au tribunal jusqu'au soir, ensuite, j'avais eu deux heures de préparation de témoin dans mon bureau. Et je devais y retourner le lendemain de bonne heure. L'immeuble abritant le bureau de la procureure générale s'appelait officiellement le Graham Building, mais moi je l'avais surnommé le « Boomerang ». Pas tant à cause de sa forme à deux ailes que parce que j'avais l'impression de ne pouvoir jamais le quitter sans y revenir aussitôt.

J'appelai l'agent Santos depuis ma voiture et lui laissai un court message : « Rien de nouveau ? »

Depuis notre conversation durant le déjeuner, je n'avais aucune nouvelle ni de Santos ni de la brigade criminelle du MDPD[1]. La procédure classique aurait été de perquisitionner l'appartement de Tyla et d'interroger toute personne susceptible de l'avoir connue, et normalement j'aurais dû avoir un retour. Je profitai d'un arrêt à un feu rouge pour vérifier sur mon smartphone. Aucun message de la part de Santos. Plusieurs de J.T.

Le feu passa au vert, mais je ne démarrai pas tout de suite, hésitant sur la marche à suivre. Angelina aurait probablement préféré que j'évite d'aller voir J.T., mais elle était à une *baby shower* chez une amie — ce qui expliquait

1. Miami-Dade Police Department.

en partie notre conversation du midi — et je ne voyais pas l'intérêt de me dépêcher de rentrer dans une maison vide. Je trouvais que trente jours d'assignation à domicile sans recevoir aucune visite était tout de même une punition trop cruelle. Je pris la première rue à droite et me rendis à l'appartement de J.T. Il fut tellement content de me voir qu'il m'étreignit et me serra de toutes ses forces.

— Merci, Abe. Merci de venir me voir.

Il était en short et en T-shirt, prêt à se mettre au lit. La bouche pleine de dentifrice, il tenait une brosse à dents.

— Je viens de prendre mes médicaments, alors je vais bientôt m'endormir.

— Ça ne fait rien.

— Je reviens tout de suite. Fais comme chez toi.

Il monta à la salle de bains tout en continuant de se brosser les dents.

Fais comme chez toi. Essayait-il d'être drôle… ou avait-il simplement oublié que j'avais habité ici avec sa sœur ? J'allai dans le salon, allumai la télé et regardai les infos locales. Le meurtre sauvage de l'avocate de Miami, Tyla Tomkins, faisait la « une ». Ses voisins disaient d'elle qu'elle était « la plus gentille personne qu'on ait jamais rencontrée », mais le reportage soulignait aussi qu'elle était « la deuxième Afro-Américaine à être devenue une associée du plus ancien et plus gros cabinet d'avocats de Miami : Belter, Benning & Lang ». Un homme grisonnant, Brian Belter, l'un des principaux actionnaires du cabinet, parlait d'« une brillante avocate diplômée de Harvard, décidée à faire honneur à sa communauté ».

Je restai scotché à l'écran. La photo de Tyla apparut une nouvelle fois.

— Abe, tu as entendu ce que je disais ? demanda J.T.

— Quoi ?

— Dis, Abe, tu pourrais pas faire au moins semblant d'écouter ? Je suis en train d'user ma salive pour rien.

— Désolé. Je regardais la télé.

Il s'affala sur le sofa à côté de moi. Il se brossait énergiquement les dents, mais sans dentifrice.

— Tu n'utilises pas de dentifrice ?

— Non, rien qu'avec de l'eau. Je me brosse les dents pour enlever le dentifrice.

— Et pourquoi ?

— Tout le monde se brosse les dents pour enlever le dentifrice.

— Non, personne ne fait ça. Et arrête de brosser si fort, tu vas t'abîmer les gencives.

Il continua tout en regardant la télé.

— C'est le meurtre sur lequel tu travailles ?

— Oui.

— Tu la connaissais ?

— Qui ?

— La victime.

— Pourquoi tu me demandes ça ?

— Sinon pourquoi tu travailles toute la journée et tu restes le cul sur une chaise à regarder la télé pour en entendre encore plus sur elle ? J'ai aussi la chaîne sports, tu sais ?

J'attrapai la télécommande et changeai de chaîne.

— Tu n'as toujours pas répondu à ma première question.

— Laquelle ? Celle que je n'ai pas entendue ?

— D'accord. Je repose la question : quand on était au tribunal, hier, pourquoi tu as dit à la juge que j'étais bipolaire ?

— Je n'ai rien dit

— Tu aurais dû lui dire la vérité, que j'étais atteint de syndrome post-traumatique.

— J.T., tu n'es pas atteint de syndrome post traumatique.

— Donc, il fallait que tu dises au monde entier que je suis bipolaire, c'est ça ?

— Je n'ai dit à personne que tu étais bipolaire.

— Faut arrêter de prendre les gens pour des idiots. Tous les médicaments que je prends, c'est pour les troubles bipolaires.

— Je n'ai donné aucun nom de médicament.

— Si.

— Mais non, je t'assure.

— Je t'ai entendu !

Il se mit à frapper le sofa avec sa brosse à dents.

— Tu leur as dit !

J'étais sûr que ce n'était pas vrai, mais je savais à quel point il était inutile de contredire J.T. lorsqu'il « savait » qu'il avait raison. Il allait camper sur ses positions, ne voudrait rien entendre, deviendrait agressif, agité. Ensuite, il lui prendrait une envie compulsive de marcher, de marcher et de marcher. De s'asseoir, de se lever, de marcher encore. Peut-être même qu'il se mettrait à sauter dans la pièce, tout en se brossant les dents et en continuant d'insister. Il n'en dormirait pas de la nuit, ni même de la suivante. Il prendrait un bus, ferait un tour pendant deux, trois heures, se mettrait à bondir entre les sièges.

Et ça finirait mal.

— Je suis désolé, J.T. Je n'aurais pas dû.

— Ça ne suffit pas, d'être désolé, Abe. On en a déjà parlé.

C'était vrai, on en avait déjà parlé. Des milliers de fois, la même conversation, encore et encore. « Rumination mentale », disaient les médecins…

— Je ferai plus attention la prochaine fois.

Il recommença à se brosser les dents, toujours obsédé par son idée d'enlever jusqu'à la moindre particule de dentifrice, puis il s'arrêta net.

— Je suis fatigué. Je vais me coucher. Tu dors ici ?

— Non, je rentre ; je vais retrouver Angelina.

— Et demain ?

— Je ne crois pas.

— Et après-demain ?

— Ecoute, J.T., il faudrait que tu…

J'étais à deux doigts de lui dire le fond de ma pensée, mais je réussis à me retenir à temps. Tout ça, ce n'était pas vraiment sa faute. Mais Dieu que c'était épuisant.

— On s'appelle demain, d'accord ?

— D'accord. Oh ! une dernière chose.

— Quoi ?

Il s'approcha et posa la tête sur mon épaule en m'étreignant maladroitement.

— Merci, Abe.

— De rien, J.T.

— J'imagine que ça ne doit pas être facile pour une personne d'intelligence moyenne comme toi d'avoir un génie pour beau-frère.

Difficile de savoir quand J.T. blaguait ou pas. Il éclata de rire.

— Je t'ai eu, hein ?

— Bonne nuit, J.T.

J'attendis qu'il monte, puis je zappai sur la chaîne d'infos locales. Toujours à la recherche de faits divers sanglants pour faire de l'audience, les journalistes avaient trouvé un autre sujet : un vol à main armée dans une épicerie de Hialeah. Je me calai dans le sofa et envoyai un texto à Angelina pour lui demander à quelle heure elle rentrerait.

« Bientôt, répondit-elle, vers 23 heures. »

Je ne lui avais pas dit où j'étais. En fait, je ne savais pas ce qui l'aurait rendue le plus furieuse : découvrir que j'étais avec J.T., ou bien que je me trouvais dans l'appartement où j'avais vécu avec Samantha. On ne parlait pas souvent de Samantha, ou alors uniquement lorsqu'on se disputait à propos de J.T. Je ne dis pas que le principal sujet de conversation d'alcôve entre deux époux devrait être l'ex-femme du mari, mais j'aurais tout de même aimé qu'une fois au moins Angelina et moi en discutions sérieusement. *Quand a-t-on diagnostiqué le cancer ? A quel moment as-tu compris qu'elle allait mourir ? Est-ce que vous avez parlé de ce que tu ferais après sa mort ? Est-ce que tu penses que rien n'arrive par hasard ?*

Angelina ne m'a jamais posé qu'une seule question sur elle. C'était un soir, il était tard, nous étions couchés, nous venions de faire l'amour et je commençais à m'assoupir.

Elle a posé la main sur ma poitrine et m'a murmuré au creux de l'oreille :

— Est-ce que Samantha a été la seule femme noire avec qui tu as couché ?

J'ai ouvert des yeux ronds.

— Quoi ?

— Tu as très bien entendu.

— Mais ça n'a aucune importance !

— Si, c'est important puisque je veux savoir.

J'ignore pourquoi Angelina m'avait demandé cela. Il est possible qu'elle-même ne l'ait pas su. Mais cette malheureuse question avait suffi pour me rappeler à quel point tout était confus dans ma tête. De toute façon, les réponses ne sont jamais simples. Lorsque j'étais au lycée, je lisais la rubrique des sports du *Miami Tribune* chaque matin avant de quitter la maison. Pendant le procès de O.J. Simpson, mon journaliste préféré avait écrit un article sur le racisme. Il appelait ça « les subtilités du racisme ». D'après lui, pour la plupart des Blancs, il était plus facile d'imaginer un Noir en train de faire l'amour que de se le représenter attendant timidement au bord d'une piste de danse, nerveux, les mains moites… Ce n'est que bien plus tard, lorsque je suis devenu adulte, que j'ai vraiment compris ce qu'il voulait dire. Mais, quand j'étais en classe de seconde, tout ce que je savais, c'était que j'avais vraiment envie de faire l'amour à Shawna Jones quand je la regardais assise à côté de moi. Les mains moites, la piste de danse, tout ça n'est venu que bien plus tard. Durant toutes ces nuits où, seul dans mon lit, je pensais à Shawna, je me sentais doublement fautif, d'abord parce que je me réveillais avec des draps mouillés, ensuite parce que cela prouvait que j'étais, d'après mon chroniqueur préféré, un abominable raciste.

Mon portable se mit à sonner. Ma chef. En fait, la chef de mon chef, Carmen Jimenez. Elle en était à son quatrième mandat de procureure générale. Elle m'avait engagé à la sortie de l'école de droit et, depuis, elle avait ratifié chacune de mes promotions. Carmen m'appelait rarement après 10 heures du soir. La dernière fois qu'elle m'avait téléphoné aussi tard, c'était pour cause d'émeute.

— Qu'est-ce qui se passe, Carmen ?

— Vous êtes seul ?

— Oui, pourquoi ?

— Abe, normalement, ça ne me regarde pas, mais je pense que vous savez pourquoi je suis obligée de vous poser la question : est-ce que vous aviez une liaison ?

Je fus complètement déstabilisé par sa question, mais c'était tout à fait dans le style de Carmen. Lorsqu'un témoin venait à la barre, la plupart des avocats commençaient par l'interroger sur son métier, son histoire. Carmen, elle, en son temps, attaquait directement à la gorge dès la première question.

— Une liaison, moi ?

— Oui, c'est bien ce que je vous demande. Alors ?

En tant que procureur, j'étais bien placé pour savoir qu'une réponse directe est la seule manière de répondre à une question directe. Le nombre de fois où, devant un jury, j'avais fait passer un témoin pour un menteur quand pour éviter de répondre à une question il en posait une autre.

— Pourquoi cette question ?

— J'ai compris, conclut Carmen.

— Attendez ! Je n'ai jamais dit que j'avais une liaison. Je n'en ai pas !

— Est-ce que vous connaissiez Tyla Tomkins ?

— Oui, je l'ai connue, mais c'était il y a longtemps.

— Bon, vous arrêtez tout de suite, parce que je sais que vous venez de me mentir au moins une fois. Et, quand vous me mentez, je prends ça comme une affaire personnelle.

— Je n'ai pas menti !

— Abe, vous vous calmez, d'accord ? Personne n'a encore tiré sur vous à boulets rouges. Seulement, on va bientôt vous poser un tas de questions pas faciles, et vous aurez intérêt à répondre mieux que vous ne venez de le faire. Victoria Santos a demandé à nous voir demain matin.

— Santos ? Pourquoi se mêle-t-elle de cette histoire ?

— C'est son droit. Et, lorsque le FBI fourre son nez dans mes affaires, je suis obligée de faire strictement selon les règles.

— Je ne vois pas où est le problème. De toute façon, demain, j'avais l'intention de vous parler de Tyla.

— Parfait. On en reste là. Vous passez une bonne nuit, vous mettez tout en ordre dans votre tête et demain matin tout ira bien. Evitez de dire des choses qui risquent de vous enfoncer davantage.

— Comment ça, « m'enfoncer » ?

— Abe, je ne suis pas payée pour vous coacher. Je n'en dirai pas plus au téléphone. Santos est loin d'être une idiote. Ne lui mentez pas. On se voit demain. Dans mon bureau, 8 heures.

— OK. A demain.

Je raccrochai et je repensai à ce que j'avais dit. *Pourquoi cette question ?*

Je ne saurai jamais ce qui avait motivé ma réponse. Carmen était de mon côté et, si j'avais seulement répondu « non », elle aurait peut-être envoyé Santos se faire voir. Mais je ne lui avais pas laissé d'autre choix que d'accepter le rendez-vous et de « faire strictement selon les règles ». Faire quoi, elle n'avait pas précisé, mais je m'en doutais un peu.

Je venais de passer une journée étrange. D'abord, le cadavre sans tête sur la table d'examen du légiste, puis ma femme qui me demande de lui faire un bébé et ensuite l'identification officielle de ce qui semblait être la cinquième victime de Cutter. J'évoluais dans un contexte bizarre, les frontières entre ma vie professionnelle et ma vie privée étaient de plus en plus floues. Mais je savais aussi que Carmen n'était pas en train de fourrer son nez dans mes affaires. Il était normal que j'explique quelles étaient mes relations avec la victime d'un meurtre, et la procureure générale avait le droit de savoir si c'était de l'histoire ancienne ou bien un scoop qui, demain, ferait l'effet d'une bombe dans tous les journaux. En quelque sorte, Carmen m'avait posé la même question qu'Angelina, un soir, dans notre lit, mais je ne savais pas encore comment j'allais y répondre.

Non, Samantha Vine n'avait pas été la seule femme noire avec qui j'avais couché.

Je notai sur l'agenda de mon smartphone le rendez-vous de 8 heures. Bureau de la procureure générale. Dernier étage du Graham Building.

L'immeuble « Boomerang ».

9

Je mis un point d'honneur à arriver quelques minutes en avance au rendez-vous. Carmen détestait que l'on soit en retard, ce qui était plutôt paradoxal car, dans toute ma carrière, je n'ai jamais participé à une seule réunion sans qu'elle fasse attendre tout le monde parce qu'il fallait absolument qu'elle réponde à un coup de fil urgent.

— Vous ne me passez aucun appel, annonça Carmen à son assistante.

Ce matin-là, il semblait que les choses en iraient autrement.

Comme il se doit, Carmen occupait le plus vaste bureau de l'immeuble. Au fond de la pièce, derrière son grand fauteuil en cuir, une large baie vitrée ouvrait sur la Miami River et le palais de justice. Carmen avait convoqué le directeur des ressources humaines, ce qui montrait que, conformément à ce qu'elle avait annoncé, elle agirait « strictement selon les règles ». Il y avait aussi dans la pièce un autre homme que je ne m'attendais pas à voir : le lieutenant Riddel, que j'appelais « Rid ». On avait travaillé ensemble sur plusieurs affaires d'homicides et je l'aimais bien. Il fut un temps où Rid, sa femme, Samantha et moi sortions souvent ensemble. On était restés amis, et je prenais bien garde de ne jamais l'appeler par son prénom, DeWitt, qu'il trouvait vraiment ridicule et qu'un petit rigolo de la brigade avait transformé en « Pauv'type ».

L'agent Santos me faisait face, assise à côté de Carmen. Il y avait dans la pièce un immense drapeau des Etats-Unis et elle s'était débrouillée pour s'asseoir juste devant, afin de bien montrer qu'elle avait l'intention de mener les débats.

— Eh bien, je ne pensais pas qu'on serait si nombreux ! dis-je en saluant tout le monde d'un sourire forcé.

Carmen prit la parole en premier.

— Asseyez-vous, Abe. Avant que je ne laisse la parole à l'agent Santos, y a-t-il quelque chose que vous souhaiteriez nous dire à propos de Tyla Tomkins ?

Une façon amicale de me tendre la perche.

— Oui. Je dois vous informer que j'ai eu des relations avec elle.

— Vous confirmez donc que vous la connaissiez.

— Je l'ai connue il y a longtemps.

Carmen prit un crayon et une feuille de papier.

— Et si vous commenciez par le commencement ?

— Je l'ai rencontrée à un forum pour l'emploi à Miami, répondis-je en regardant Carmen. Je venais juste de commencer à travailler ici. Tyla était étudiante en première année. Elle n'était pas vraiment tentée par une carrière au bureau du procureur général, mais nous avons quand même discuté. Nous sommes allés dîner ensemble. Le courant est passé entre nous.

— Et ?

— Rien. Elle est retournée à Cambridge. Tyla étudiait le droit à Harvard. Elle était très intelligente. Très attirante aussi.

— Qu'est-ce que vous entendez par : « le courant est passé » ?

Je commençai à m'agiter sur mon siège.

— Je pense que cela relève de ma vie privée, non ?

— Je viens d'apprendre que mon premier substitut, qui enquête sur des meurtres en série, a eu des relations avec l'une des victimes. Alors, avant même d'envisager de vous garder ou non sur cette affaire, je veux tout savoir.

Je connaissais bien Carmen, et je savais lire entre les lignes. Soit c'était elle qui allait me poser des questions embarrassantes, soit c'était Santos. Je préférais que ce soit Carmen.

— Bon, d'accord, je vais vous donner les détails. J'avais vingt-sept ans, j'étais célibataire, je travaillais comme un dingue et je ne rencontrais pas beaucoup de femmes. Je ne suis pas fier de ce qui s'est passé, mais je ne vais pas m'en excuser pour autant. Une aventure d'une nuit, ce n'était pas vraiment dans mes habitudes, et j'ai l'impression que ce n'était pas dans les siennes non plus. Mais on n'est pas allés plus loin. Elle est retournée à Harvard et je ne l'ai plus jamais revue. Ça s'est terminé aussi vite que ça a commencé.

— C'est tout ? demanda Carmen.

— C'est tout.

— Il ne s'est rien passé récemment ?

— Non.

Carmen soupira, comme si elle avait souhaité que je donne une autre réponse.

— Agent Santos, s'il vous plaît, veuillez produire les relevés téléphoniques.

Je regardai tour à tour Santos et Carmen.

— Des relevés téléphoniques ?

— Le lieutenant Riddel a trouvé un téléphone portable à carte prépayée dans l'appartement de Tyla Tomkins.

Je croisai le regard de Rid. Nous venions juste de travailler sur une affaire impliquant des téléphones prépayés. Les criminels de toutes sortes, en particulier les trafiquants de drogue, adorent le côté anonyme des téléphones prépayés. On ne demande rien, pas de nom, pas de pièce d'identité, pas d'adresse de facturation, aucune question. Avec 30 dollars, on peut acheter un portable en parfait état de marche et virtuellement intraçable.

— Pourquoi Tyla aurait-elle eu un téléphone prépayé ?

— Vous pouvez peut-être nous le dire, répondit Santos. Voilà les relevés des appels passés à partir de ce téléphone ces deux derniers mois. Il y a cinq numéros intéressants. Ceux qui sont surlignés.

J'examinai les relevés et sursautai.
— Mais c'est mon numéro.
— Oui, et c'est là tout le problème.
— Ce n'est pas possible. Je ne l'ai jamais eue au téléphone.
Je dévisageai Carmen, mais elle détourna les yeux, comme si elle était gênée de me voir me débattre dans une telle situation.
— C'est bien votre numéro, Abe.
Je regardai de nouveau le relevé.
— Je ne comprends pas. Vraiment, je ne comprends pas.
Carmen jeta un coup d'œil en direction de Santos comme pour indiquer que, puisqu'elle ne pouvait plus m'aider, c'était au FBI de prendre désormais l'initiative.
— Nos techniciens ont déjà vérifié, déclara Santos. Cinq appels ont été passés à votre numéro. Les quatre premiers ont été des messages laissés sur votre répondeur.
— Eh bien, je ne les ai pas reçus.
— Le rapport affirme le contraire. A la différence d'un texto ou d'un mail, un message laissé sur un répondeur ne se balade pas dans le cyberespace pour l'éternité. Lorsqu'il est effacé, il est supprimé pour de bon. Mais nos techniciens peuvent savoir à quel moment il a été reçu et à quel moment il a été effacé. Ces quatre messages ont été effacés le jour même où ils ont été reçus.
— Alors, j'ai dû les supprimer avant de les écouter. Je n'ai jamais reçu de message de la part de Tyla Tomkins.
Santos avait l'air sceptique.
— Avez vous l'habitude d'effacer vos messages avant même de les avoir écoutés ?
— Bien sûr que non.
— C'est votre assistante qui gère votre messagerie ?
— Non. C'est moi et personne d'autre.
— Est-ce que le code de votre portable est protégé ?
— Cela fait partie de la politique de notre bureau, déclara Carmen. Nos avocats ne peuvent utiliser de téléphones mobiles que s'ils ont été certifiés par nos services techniques et qu'ils sont protégés par un mot de passe. On

n'a pas le droit d'utiliser une formule trop simple, comme un-deux-trois-quatre, et il est formellement interdit de communiquer son mot de passe à quiconque, même à un autre avocat du bureau.

— Mon mot de passe est sécurisé, affirmai-je.

— Vous avez donc supprimé accidentellement quatre messages reçus en quatre jours différents ? Et il se trouve que tous ces messages venaient de Tyla Tomkins ?

J'hésitai, sachant que, vu la manière dont Santos avait posé la question, je ne pourrais donner aucune réponse crédible.

— Tout ce que je peux vous dire, c'est que je n'ai jamais reçu ces messages. Peut-être est-ce à cause de la manière dont le téléphone prépayé fonctionne.

— Les gens se servent tous les jours de téléphones prépayés. Et ils marchent très bien. Et il y a eu ce dernier appel, ajouta Santos. Il a duré deux minutes et, d'après nos techniciens, il n'y a aucune trace de message. C'était donc une conversation.

— Ou alors on a raccroché : deux minutes, c'est court.

— Vous trouvez ? C'est le temps qu'a duré le discours de Lincoln à Gettysburg[1].

— Je n'ai jamais eu Tyla au téléphone.

— Et comment expliquez-vous les relevés téléphoniques ?

— Il s'agit sans doute d'une erreur.

— Donc, quatre messages effacés accidentellement et une erreur de deux minutes dans la facturation ? C'est ça, votre histoire ?

— Je comprends que ça puisse paraître bizarre.

Santos hocha la tête ; pour la première fois depuis le début de la réunion, elle semblait d'accord avec moi.

— Etant donné que vous admettez avoir eu des relations intimes dans le passé, je dirais même plus que bizarre.

1. Discours qu'adressa Abraham Lincoln à la mémoire des 51 000 soldats de l'Union tombés sur le champ de bataille de Gettysburg en 1863 lors de la guerre de Sécession.

— Qu'est-ce que vous voulez dire ?

Carmen intervint, avec tout le tact possible.

— C'est la question que je vous ai posée hier au téléphone, Abe.

Est-ce que vous aviez une liaison ?

— Je ne couchais pas avec Tyla Tomkins, si c'est là que vous voulez en venir.

— C'est exactement là qu'on voulait en venir, insista Santos.

— Encore une fois, votre vie privée ne nous regarde pas, affirma Carmen. Sauf que, là, nous parlons de la victime d'un tueur en série que vous pourrez être amené à poursuivre, et vous ne nous avez rien dit.

— Carmen, je ne couchais pas avec elle.

Santos reprit le contrôle de la discussion, s'adressant autant à Carmen qu'à moi.

— En fait, cela va plus loin que de simplement savoir si Abe peut poursuivre l'affaire ou non.

— Comment ça, plus loin ?

— Je suis d'accord : on enquête sur un tueur en série. Cela dit, tout le monde sait que, dans une affaire criminelle, on s'intéresse toujours de près à l'homme marié qui couche avec la victime. Surtout quand l'homme en question n'hésite pas à mentir.

— Je n'ai pas menti et je ne couchais pas avec Tyla.

Carmen s'interposa.

— Attendez, dit-elle. Avant que tout ceci ne parte en vrille, on va faire quelques petits réglages. Abe, je vous adore, mais j'ai beaucoup d'autres procureurs pleins de talent à ma disposition. Je vous dessaisis de l'affaire Cutter.

— J'allais justement le suggérer, répondis-je.

— C'est la meilleure solution. Ensuite, agent Santos, en ce qui concerne cet homme marié dont vous avez parlé, je comprends parfaitement votre point de vue. Mais Abe n'a pas tué Tyla Tomkins. Donc, si vous vous sentez obligée d'enquêter sur lui, je vous recommande la plus grande discrétion. Il n'y a pas que la réputation d'un homme de valeur qui est en jeu, il s'agit également de son couple.

— La discrétion est toujours une bonne chose, répondit Santos.

— Merci, dit Carmen. Je crois qu'on en a terminé, non ?

Carmen se leva, nous remercia et nous accompagna jusqu'à la porte.

Rid partit de son côté car il devait voir un autre procureur. Santos, elle, se dirigea vers les ascenseurs.

Cela m'ennuyait que les relations entre elle et moi soient soudainement devenues tendues. Je ne m'occupais plus de Cutter, il n'était donc plus vraiment nécessaire que nous nous entendions, mais je détestais l'idée que j'avais perdu l'estime d'un officier de police. Je la rattrapai dans le couloir.

— Agent Santos ?

Elle s'arrêta et se tourna vers moi.

— J'ai l'impression qu'il y a comme un froid entre nous.

— Vous croyez ?

— Je veux que vous sachiez que je ne couchais pas avec Tyla Tomkins.

Elle ne répondit rien, et se contenta de me lancer un regard accusateur, celui qu'on réserve à un homme qui trompe sa femme. L'ascenseur arriva à l'étage.

— A bientôt, monsieur Beckham.

J'étais désormais devenu « monsieur Beckham ».

Les portes se refermèrent sur elle.

10

A la fin de la journée, je décidai d'aller jusqu'à Coconut Drive. Il fallait que je voie Rid.

La George Washington Carver Middle School est l'un des collèges d'éducation prioritaire les plus cotés de ce qu'on appelait autrefois le Grove Ghetto. Aujourd'hui, Grand Avenue et ses environs ne sont plus une zone de non-droit comme c'était le cas dans les années quatre-vingt, du temps de la procureure générale Janet Reno. A cette époque, juste à côté de l'endroit le plus chic de Miami, il y avait un ghetto où tout le monde trafiquait comme il voulait, depuis les gangs qui mettaient le quartier à feu et à sang jusqu'aux médecins et avocats toxicomanes qui venaient le soir acheter leur dose. C'était là que Samantha avait vécu. Carver Middle School avait été sa première étape pour s'en sortir. J.T. n'avait pas eu cette chance, il avait trop souvent et trop longtemps erré dans les rues, tard la nuit.

Le coin était devenu pas trop mal, mais il n'était pas non plus recommandé de s'y promener seul la nuit. Une chose n'avait pas changé : le basket était toujours roi. Je savais que je trouverais Rid au gymnase du collège Carver, en plein entraînement avec ses gamins de troisième.

— Je suis à toi dans une minute, Abe, me cria-t-il depuis l'autre côté du terrain.

Les joueurs de son équipe étaient en train de courir, le genre de sprint que les entraîneurs les plus durs imposent à leurs meilleurs éléments. Assis sur les gradins, je les regardais s'épuiser, prêt à toute éventualité : appeler le 18 ou aller leur pratiquer moi-même la respiration artificielle.

— On n'est pas en train de faire une balade de santé, hurlait Rid. Je veux que tout le monde soit au-dessous des trente secondes !

Mon amitié avec Rid allait bien au-delà des affaires qu'on avait traitées ensemble ou des sorties en couple avec Samantha et sa femme. Il avait autrefois réussi à me convaincre de l'aider à entraîner son équipe pendant une saison. Et ça m'avait tellement plu que, par la suite, j'ai décidé de m'occuper de ma propre équipe. Mais, comme il n'était pas facile d'obtenir un poste de coach à l'école, j'avais créé une « équipe itinérante » qui évoluait dans un championnat en dehors du système scolaire. Je réussis à tenir le coup une année. Nous nous faisions régulièrement étriller, on nous mettait cinquante points ou plus dans la vue. Je n'avais pas de grands gabarits. Je me demandais comment se débrouillaient les autres entraîneurs pour dégoter des gamins de quatorze ans qui mesuraient un mètre quatre-vingt-dix, qui pouvaient smasher de la main droite comme de la main gauche, dribbler derrière leur dos et marquer des tirs à trois points les yeux fermés. Et comment pouvais-je persuader des familles entières de déménager d'Orlando ou de Jacksonville pour que leur talentueux rejeton vienne jouer dans une équipe itinérante de Floride du Sud, coachée par un parfait inconnu ?

Et puis un jour, à Pompano Beach, j'ai enfin déniché la pépite, le joueur dont j'avais toujours rêvé. Et c'est alors que j'ai tout compris. Ça a commencé juste après une superbe victoire. La mère du gamin est venue me voir avant même que j'aie terminé de remplir ma feuille de match. « Dites, coach, la compagnie du téléphone m'a coupé la ligne. Vous pouvez pas me prêter 200 dollars ? » Et après la victoire suivante : « Dites, coach, heuh… Ma voiture… J'ai deux paiements de retard. » Ou encore : « J'ai des problèmes pour payer le loyer ce mois-ci. » « Dites, coach, mon nouveau petit copain m'a dit que j'avais besoin d'aller voir une esthéticienne pour me faire épiler. »

— Tu es revenu faire l'assistant ? demanda Rid.

— J'aimerais bien.

Son équipe était rentrée au vestiaire et il n'y avait plus que lui et moi sur le terrain.

— Tu me donnes un coup de main pour ranger le matériel ?

— Pas de problème.

Je passai une douzaine de cordes à sauter autour de mon cou, ramassai autant de ballons que je pouvais porter et le suivis dans le local de stockage.

— Tu as été très silencieux pendant la réunion, ce matin, dis-je.

Il rangea une pile de plots sur une étagère.

— Peut-être que toi aussi tu aurais dû l'être.

— J'ai trop parlé ?

— Tu as surtout raconté n'importe quoi.

— Tu veux parler des messages sur mon répondeur ?

— Arrête tes conneries, Abe ! Tu penses un instant qu'on va croire que Tyla Tomkins a composé ton numéro de téléphone sans aucune raison, que tu n'as jamais écouté ses messages et que tu les as supprimés par erreur ? Et même si tout ça est vrai, ça n'explique pas la conversation de deux minutes.

Nous sortîmes du local de stockage et Rid verrouilla la porte derrière nous.

— Attends ! Est-ce que tu crois vraiment que j'ai quelque chose à voir dans la mort de Tyla ?

— Et merde, Abe ! Bien sûr que non ! Je crois simplement que tu as couché avec elle et que tu nous as balancé les bobards habituels que sortent tous les hommes mariés.

Je le suivis dans le gymnase, à travers le terrain et jusqu'à la porte.

— Ce n'est pas ça du tout !

— Peut-être, mais ça y ressemble.

— Mais non, je t'assure.

Il s'arrêta devant la porte.

— Ecoute-moi bien, Abe. Tu as violé la règle numéro un du type qui se fait interroger : toujours garder à l'esprit que ceux qui te posent les questions en savent beaucoup plus que tu ne crois.

— D'accord. Alors, est-ce que tu vas me dire ce que Santos sait, ou il va falloir que je te supplie ?

— Tu as le droit à une question, une seule.

— Tyla ?

— Ouais. Tyla. Elle est jeune, magnifique, un corps de rêve, intelligente en plus, mais elle ne pense qu'à sa carrière. Elle n'a pas le temps d'avoir une relation suivie et elle ne s'est jamais mariée. Pourtant, elle a trois bagues de fiançailles en diamant et des alliances. Des diamants de différentes tailles qui pèsent entre un demi et trois carats. Qu'est-ce que tu en penses ?

— Je ne sais pas. Elle collectionne les bagues ?

— Elle en portait une quand elle a été tuée. Elle ne faisait pas que les collectionner.

— Alors elle veut faire croire aux gens qu'elle est mariée.

— Pas aux *gens*, Abe. Aux hommes. Elle veut que les hommes mariés pensent qu'elle est mariée.

— Pourquoi ?

Rid secoua la tête et ouvrit la porte.

— Putain, Abe. Ne joue pas au con avec moi.

Je le suivis à l'extérieur. Le soleil se couchait et le reflet de ses derniers rayons sur les vitres de l'école était la seule lumière qui éclairait le parking.

— Je ne joue pas au con. Vraiment. Pourquoi faisait-elle ça ?

— Tu n'as toujours rien compris au film, hein ? Elle n'avait pas le temps pour une relation suivie. Les seuls hommes qui l'intéressaient étaient ceux qui ne risquaient pas de lui compliquer la vie en demandant à emménager chez elle. Des hommes qui avaient trop peur de laisser des traces et ne risquaient pas de lui envoyer des textos à longueur de journée et de la gêner dans son travail. Des hommes qui ne lui auraient pas demandé de les accompagner à des galas chic où elle n'avait pas le temps d'aller parce qu'elle était trop occupée à développer sa propre clientèle. Des hommes qui ne l'auraient jamais invitée chez eux pour lui présenter papa et maman. Tu piges ?

— Ça se tient. Mais ses amis, ses collègues de bureau, toutes les personnes qu'elle connaissait ? Ils devaient tous penser qu'elle était folle. Ils savaient bien qu'elle n'était pas mariée.

— Elle ne portait pas de bagues en présence des gens qu'elle connaissait. Tyla travaillait pour un grand cabinet d'avocats. Un jour à Londres, un autre à San Francisco, ensuite Hong Kong. Au lieu de prendre son repas seule le soir dans sa chambre, elle ramassait un homme d'affaires, un de ceux qui passent les trois quarts de leur vie loin de leur femme et qui recherchent un peu de compagnie.

— Mais, pour faire ça, elle n'était pas obligée de dire qu'elle était mariée !

Rid s'arrêta devant sa voiture.

— Tu es vraiment bête à ce point-là ?

— Apparemment, oui.

— Abe, tu devrais t'acheter un exemplaire de « Tromper son conjoint pour les nuls ». Chapitre un : Ne jamais avoir une liaison avec quelqu'un qui a moins à perdre que toi. Si je suis marié et que je couche avec une femme célibataire, c'est elle qui a le pouvoir. Je vis dans la peur qu'elle en veuille plus pour « nous », qu'elle téléphone à ma femme et que je me fasse pincer. Mais si je couche avec une femme qui elle aussi est mariée — et donc qui a quelque chose à perdre —, on est sur un pied d'égalité.

— Donc, si Tyla porte ses bagues…

— Le monde entier lui est ouvert. Des célibataires, des hommes mariés, et même ceux qui ont quelque chose à perdre. Un homme marié qui est trop malin pour tout risquer avec la première chercheuse d'or venue couchera avec une femme mariée. Il joue le même jeu et veut la même chose que sa partenaire. S'amuser et surtout ne pas s'attacher.

— Si c'est vrai, ça veut dire que c'était une sacrée calculatrice.

Rid déverrouilla sa voiture. La portière grinça quand il l'ouvrit.

— Qui a dit que Tyla Tomkins était stupide ?

— Personne.

Rid monta dans la voiture et fit démarrer le moteur.

— Au fait, Abe. Tu sais, la liste des appels depuis le téléphone prépayé…

— Oui ?

— Elle a appelé six numéros différents. Jusqu'à présent, on en a retrouvé cinq. Tous ont été passés à des hommes mariés. Toi inclus.

C'était comme si je venais de prendre un coup de poing en pleine figure. Ça expliquait le coup de fil de Carmen l'autre soir, et pourquoi elle était allée droit au but : « Est-ce que vous aviez une liaison ? »

— Je protège tes arrières, Abe. Mais je crois que tu ferais mieux d'avoir une discussion avec Angelina.

Il referma sa portière et sortit de sa place de parking.

Immobile, je regardai les feux arrière de la voiture s'éloigner et disparaître.

11

L'ascenseur express mena directement Victoria Santos au 55e étage de l'immeuble. Les portes lambrissées s'ouvrirent sur un plancher en marqueterie de palissandre du Brésil. Des tentures de soie et des tapis qui auraient eu leur place dans un musée donnaient un peu de chaleur au décor. Des chandeliers en cristal de Baccarat diffusaient une douce lumière. Le grand escalier se trouvait juste devant le hall central, une sorte d'atrium haut de trois étages et suffisamment vaste pour accueillir un terrain de basket-ball. Sur le mur est, l'immense baie vitrée en arc de cercle paraissait à Santos encore plus grande de près que lorsqu'on la voyait depuis le bas de l'immeuble. La jeune femme assise derrière le bureau de verre et de teck ressemblait à un top model sorti tout droit de *Cosmopolitan*. Derrière elle, accrochée au mur, une huile sur toile représentait trois hommes blancs âgés, peints plus grands que nature. Victoria supposa qu'il s'agissait de feu MM. Belter, Benning et Lang, et se dit qu'il était fort possible que l'un d'entre eux ait, un jour, serré la main de J. Edgar Hoover lui-même.

— Vous désirez ? demanda la réceptionniste.

Victoria s'approcha. Elle avait rendez-vous avec Brian Belter, associé, directeur et petit-fils du fondateur du cabinet. L'assistante de Belter avait bien spécifié que Victoria ne devait en aucun cas dire qu'elle était un agent du FBI, à moins qu'elle n'y soit obligée. Elle devait simplement donner son nom et l'heure de son rendez-vous avec Belter.

— Je vais vous demander de patienter juste un instant,

madame. Si vous voulez bien vous asseoir. Je vous appellerai dès que M. Belter sera prêt. M. Riddel est déjà arrivé.

— M. Riddel ?

La jeune femme vérifia sur son ordinateur.

— Oui, il participe à votre réunion. M. Belter vous recevra dans quelques minutes.

Victoria se dirigea vers le canapé en cuir où attendait Riddel. Celui-ci se leva pour la saluer.

— Je ne m'attendais pas à vous voir ici, dit Victoria.

— C'est parce que vous ne m'avez pas invité. Je voulais voir Belter, je l'ai appelé, et j'ai appris qu'il avait un rendez-vous avec le FBI. Je lui ai proposé qu'on se voie ensemble. J'espère que ça ne vous dérange pas.

— Eh bien, si, ça me dérange.

— Pourquoi ?

— Vous êtes un ami d'Abe Beckham.

— Et alors ?

— Je veux que le FBI passe au crible chaque e-mail, chaque message, chaque texto envoyé à Tyla Tomkins ou par Tyla Tomkins ces dix derniers mois. Et j'aimerais qu'aucune conversation entre elle et votre ami ne puisse, d'une manière ou d'une autre, passer à travers les mailles du filet.

— Rien ne passera entre les mailles du filet.

— Je suis peut-être paranoïaque, mais je pense que, dans toute l'histoire de l'humanité, on pourrait probablement trouver un ou deux exemples d'un homme qui en couvrait un autre lorsqu'il trompait sa femme.

— Abe dit qu'il ne couchait pas avec Tyla Tomkins.

— Super ! Vous répétez ça encore deux fois et le coq va chanter.

Riddel esquissa un sourire : il appréciait le franc-parler de Santos.

— D'accord. Moi aussi, j'ai un doute. Mais, même si Abe avait commis une petite imprudence, ça n'a aucun rapport avec la mort de Tyla.

— Rien ne me ferait plus plaisir que d'examiner d'abord

tous les e-mails, tous les éléments de preuve et d'arriver ensuite à la même conclusion. Mais je dis bien *tous*.

La réceptionniste s'approcha.

— M. Belter vous attend.

Rid s'effaça devant Victoria.

— Après vous.

Il était clair qu'il n'avait aucune intention de quitter les lieux et qu'il ne lâcherait pas Santos d'un pouce.

La réceptionniste les guida jusqu'à la porte à double battant de la salle de conférences. Elle était si lourde que la jeune femme faillit casser ses talons aiguilles en l'ouvrant.

— N'hésitez à m'appeler si vous avez besoin de quoi que ce soit, dit-elle alors que Victoria et Riddel entraient dans la salle.

Belter vint à leur rencontre pour les accueillir. C'était un bel homme, la quarantaine, beaucoup plus beau que son grand-père sur le portrait. Il présenta les deux personnes qui l'accompagnaient. L'un était un jeune avocat, qui ne dirait probablement pas un mot pendant toute la réunion, mais passerait la nuit entière à rédiger un rapport de quarante pages pour résumer ce qui s'était dit, mettre en exergue les points qui pourraient induire d'éventuelles controverses et chercher dans l'histoire du droit toute jurisprudence pouvant donner à son cabinet un avantage quelconque. L'autre personne, Maggie Green, avait été autrefois procureure fédérale et avait été recrutée tout récemment par BB & L comme avocate associée, ce qui lui avait permis de multiplier son salaire par dix en assurant désormais la défense des criminels à col blanc.

— Enchantée, dit Victoria, ne laissant rien paraître de ce qu'elle pensait des procureurs dont la seule ambition était de gagner toujours plus.

La partie allait débuter et les joueurs prirent place : d'un côté, les représentants de la loi, de l'autre, les avocats de BB & L. Victoria commença par un bref résumé de l'enquête en cours. Maggie Green l'interrompit plusieurs fois en posant des questions auxquelles Santos ne pouvait pas toujours répondre.

— Question. Vous dites que, dans les meurtres de Palm Beach, le tueur a laissé sa signature sur les victimes. Quelle est cette signature ?

L'information concernant les cendres sur le visage des jeunes femmes n'avait pas encore été rendue publique.

— Désolée, je ne peux rien dire, déclara Victoria.

Ce fut au tour de Belter de prendre la parole.

— Agent Santos, je comprends fort bien que, dans les circonstances actuelles, la police se doive de rester discrète. Mais, comme vous le savez, notre cabinet représente la société Cortinas Sugar depuis plus de cinquante ans. Deux des victimes de Palm Beach ont été retrouvées dans des plantations qui appartiennent à notre client. La société Cortinas, suivant nos conseils, s'est montrée extrêmement coopérative. De plus, une de nos associées est morte, et elle est peut-être la cinquième victime de ce monstre. Je pense qu'il est grand temps que vous nous mettiez au courant de tous les éléments de l'enquête.

Victoria secoua la tête.

— Désolée, on ne m'en a pas donné l'autorisation.

— Vous pouvez la demander, insista Belter, vous avez un téléphone devant vous.

— Tout ce que je peux vous dire, c'est que, pour le meurtre de Tyla Tomkins, nous attendons encore la confirmation de la signature du tueur.

Victoria pouvait lire dans les pensées de Green à livre ouvert.

— Sans vouloir paraître trop macabre, est-ce parce que vous n'avez pas retrouvé la tête de la victime ? demanda cette dernière.

Pas question de discuter plus en détail de ce qui différenciait ce cas de tous les autres.

— C'est exact. Et c'est plus que je ne devrais normalement vous dire. Mais je partage cet esprit de collaboration dont vous venez de parler, monsieur Belter. Il y a quelques points que j'aimerais discuter avec vous et vos collaborateurs.

— Allez-y.

— Il est essentiel que le FBI puisse avoir accès à l'ordinateur de Tyla et à toutes ses boîtes mail.

Belter jeta un coup d'œil vers son associée.

— Je m'attendais à une telle question. Cela ressort des compétences de Maggie.

Victoria esquissa un sourire, essayant de détendre l'atmosphère.

— Donc, quelle est la réponse de l'expert ?

— Non, répondit Green, impassible.

— Nous pouvons obtenir une assignation à comparaître.

— Nous pouvons la combattre en nullité.

— Ce serait vraiment malheureux.

— Et probablement pas une bonne publicité pour vous non plus, fit remarquer Riddel. Un respectable cabinet d'avocats de Miami qui a pignon sur rue bloque l'enquête sur la mort de sa jeune associée afro-américaine.

— Afro-américaine ou pas, ce n'est pas là le problème.

— Je disais ça comme ça.

Green se pencha en avant, les deux mains posées bien à plat sur la table.

— Laissez-moi vous expliquer. Nous sommes un cabinet d'avocats. Nous avons des clients. Tyla s'occupait d'un grand nombre de ces clients. Nous ne pouvons pas simplement vous laisser fouiller dans son ordinateur et ses e-mails. Nous avons un devoir de secret professionnel.

— Quels étaient ses clients ?

— Tyla était très demandée, répondit Belter. Elle avait énormément de talent.

— Alors, qui étaient ses principaux clients ?

— Difficile à dire.

— Est-ce qu'elle a travaillé pour Cortinas Sugar ?

Belter échangea un regard rapide avec ses collaborateurs.

— Oui.

— Est-ce qu'au moment de sa mort elle travaillait pour eux ?

— Probablement. Ce qui n'a rien d'anormal. Cortinas est notre plus gros client en Floride.

— Sur quoi travaillait-elle ?

— Holà, holà, s'exclama Green. Vous voyez à quelle vitesse on arrive aux sujets délicats. Il nous faut impérativement régler ce problème de secret professionnel une bonne fois pour toutes.

— Qu'est-ce que vous nous proposez ?

— Tout d'abord, vous me soumettez vos questions par écrit.

— C'est complètement ridicule.

Greene poursuivit, imperturbable :

— Pendant que vous rédigez ces questions, nous examinerons le disque dur et les e-mails de Tyla. Nous vous donnerons ensuite l'adresse d'un lien privilégié sur lequel vous trouverez la liste de tous les documents que nous ne pouvons pas vous transmettre pour cause de secret professionnel.

— On n'est pas en train de régler un litige commercial, madame Green, on essaye de stopper un tueur en série. On ne peut pas se payer le luxe de perdre du temps.

— Nous ferons aussi vite que nous le pourrons. Je suis désolée, mais c'est une obligation que nous avons vis-à-vis de nos clients. Vous ne trouverez aucun cabinet d'avocats dans toute l'Amérique qui serait prêt à se coucher devant un représentant de la loi et à lui livrer tous les dossiers et mails d'un de ses collaborateurs.

Belter croisa les mains, cherchant de toute évidence à clore la discussion.

— Rien d'autre ?

— Dites-moi simplement à qui je dois envoyer l'assignation, poursuivit Victoria, car je pense que ce sera la prochaine étape.

— Faites ce que vous voulez. Vous pouvez vous adresser à Maggie.

Victoria était sur le point de se lever, mais Riddel la retint.

— J'ai encore une petite chose, monsieur Belter.

— Certainement, de quoi s'agit-il ?

Riddel fouilla dans sa poche, en sortit une copie du relevé téléphonique de Tyla qu'il posa sur la table.

— Mlle Tomkins avait un téléphone prépayé. Elle l'utilisait uniquement pour appeler quatre ou cinq numéros. Je me demandais si vous pourriez reconnaître celui-ci.

Belter se pencha, examina longuement les chiffres imprimés sur la feuille.

— Je crois que c'est le numéro de mon portable.

Victoria ne montra aucune réaction ; elle se délectait en silence du coup bas porté à Belter. Elle aurait adoré poursuivre l'interrogatoire, mais Riddel avait largement mérité de le mener jusqu'au bout.

— Est-ce que vous savez pourquoi elle vous a appelé depuis un téléphone prépayé ?

— On discutait beaucoup. Je n'ai pas gardé de compte précis de tous les téléphones qu'elle utilisait. C'était peut-être pendant un voyage à l'étranger.

Riddel reprit la feuille de papier, la plia soigneusement et la rangea dans la poche de sa veste.

— Etes-vous marié, monsieur Belter ?

Visiblement, Belter ne s'attendait pas à cette question.

— Oui. Depuis bientôt vingt-deux ans et très heureux dans mon mariage. J'ai deux enfants. Un fils étudiant en art à Amherst, une fille en deuxième année à l'université de Duke.

— Est-ce que vos enfants utilisent des téléphones prépayés ?

— Pas que je sache.

— Les parents apprécient ce genre de téléphone parce que ça évite aux enfants de trop utiliser leurs portables. Lorsque les minutes ont été épuisées, ils ne peuvent plus appeler. Mais les policiers les détestent parce qu'il est quasiment impossible de les localiser. En fait, je n'aurais jamais imaginé qu'une personne comme Tyla s'en serve…

jusqu'à ce que je trouve ce portable dans son appartement. Les dealers les aiment bien aussi, et les terroristes. Les hommes infidèles. Et leurs maîtresses.

— Je vous demande pardon ?

Riddel jeta un coup d'œil à Victoria.

— Pouvez-vous lui dire ce qu'on a découvert à propos de la liste des numéros de téléphone ou voulez-vous que ce soit moi ?

Victoria préférait laisser les choses en l'état.

— Je crois que M. Belter a parfaitement compris.

Belter semblait prêt à montrer toute son indignation, mais un bref regard de son associée le mit sur ses gardes : *Ne dites plus rien*. Il s'éclaircit la voix et se leva.

— Je suis désolé, j'ai une visioconférence à 10 heures et je suis malheureusement obligé de mettre fin à notre discussion. Agent Santos, y a-t-il autre chose ?

— Non, j'ai tout ce qu'il me faut. Et vous, détective ?

— Moi aussi.

Ils échangèrent des poignées de main par pure formalité, et Belter demanda au jeune avocat d'escorter Santos et Riddel directement jusqu'aux ascenseurs, comme s'il craignait que, laissés sans surveillance, ils se précipitent immédiatement dans le bureau de Tyla et repartent avec son ordinateur. Les portes de l'ascenseur s'ouvrirent, ils étaient les seuls à le prendre. Tous deux restèrent un instant silencieux, perdus dans leurs pensées.

— Alors ? demanda Riddel.

L'ascenseur descendait si vite que Santos en avait les oreilles bouchées.

— Alors quoi ?

— Je suis sûr qu'il la baisait.

Ce n'est pas exactement la manière dont Santos se serait exprimée, mais malgré cela elle commençait à penser que Riddel était le genre de type avec qui elle pourrait travailler. Elle attendit que les portes de l'ascenseur s'ouvrent pour répondre.

— Moi aussi.

12

Ma journée au tribunal prit fin à 16 heures. A 16 h 15, j'étais convoqué par la procureure générale elle-même et retournais au Graham Building.

Le Boomerang.

Il pouvait se passer des semaines sans que je mette les pieds dans le bureau de Carmen, alors inutile de dire qu'avec deux visites en deux jours, dans des conditions aussi inconfortables, j'étais en train de battre tous les records. Mais je n'étais pas vraiment surpris qu'elle m'ait convoqué. Le *Tribune* avait publié tout un article sur Cutter et sur l'enquête menée par les polices de différents comtés. Une « source anonyme » avait révélé que j'étais dessaisi de l'affaire « à cause d'un conflit d'intérêts ». Tout cela soulevait beaucoup de questions. Je n'avais aucune idée de l'identité de cette source mais, en matière de secret de l'instruction, le bureau de la procureure générale et n'importe quel poste de police avaient ceci en commun : c'étaient de vraies passoires.

— On a un problème, Abe.

Cette fois-ci, il n'y avait que nous deux dans la pièce, Carmen, derrière son bureau, et moi, assis dans le fauteuil face à elle. Les ressources humaines n'avaient pas été convoquées, et je pensais que c'était un bon présage.

— Je sais, j'ai lu l'article dans le *Tribune*.

— Ce n'est pas ça, le problème.

Elle fit glisser son iPad vers moi. Sur l'écran, il y avait six cadres et, dans chacun d'eux, une photo. Des clichés en noir et blanc, un peu granuleux. Une date et une heure étaient inscrites sous chacun d'eux. Il s'agissait probablement de photos prises par une caméra vidéo. Je sentis que ma main tremblait alors que je tapais sur l'écran pour agrandir chaque photo et passer à la suivante. Je les voyais pour la première fois, mais il n'y avait aucun doute possible : c'étaient des photos de Tyla Tomkins et moi.

Très mal l'aise, je regardai Carmen.

— On a dîné ensemble, avouai-je.

— Je vois ça.

Elle reprit son iPad, fit défiler les photos, s'arrêta sur l'une d'elles et me la montra.

— Il y a même une bouteille de vin sur la table.

— C'était après le travail.

— Vous aviez l'air de bien vous amuser tous les deux.

— Il ne s'est rien passé. Je l'ai rencontrée par hasard dans un bar à Orlando. Elle m'a invité à dîner, elle voulait que je rencontre un de ses amis qui envisageait de travailler au Bureau. Quand je suis arrivé au restaurant, elle était seule. On a dîné ensemble, on a pris un ou deux verres de vin, et c'est tout.

— Parfait, Abe. Puisque vous le dites. Mais il y a un problème. Vous m'avez affirmé dans ce bureau que vous n'aviez pas revu Tyla depuis au moins dix ans. Ces photos ont été prises par une caméra de surveillance, et il y a une date sous chacune d'elles. Est-ce que vous allez me dire que ces photos ont été prises il y a dix ans ?

— Non. C'était en septembre dernier.

— Donc, vous m'avez menti.

J'étais de plus en plus mal et ne voyais vraiment pas comment m'en sortir.

— J'ai eu tort.

— Pourquoi m'avez-vous menti ?

Pourquoi ? Comme toujours, cela avait commencé par un petit mensonge. Lorsque l'agent Santos m'avait demandé si j'avais vu Tyla récemment, j'avais répondu non. Un seul mot, une seule syllabe, et j'étais coincé. A partir de là, je ne pouvais faire autrement que de continuer à mentir.

— J'ai vu que Santos était convaincue qu'il y avait quelque chose entre Tyla et moi. Je savais que je serais dessaisi de l'affaire à cause de ce qui s'était passé il y a dix ans. Mais je ne voulais pas qu'on raconte partout que j'avais été débarqué parce que j'avais eu une liaison, que j'avais trompé Angelina. Je n'ai pas couché avec elle, Carmen. Mais vous savez ce que sont les rumeurs et à quel point il est difficile de les arrêter. C'est pour ça que je n'ai pas parlé de ce dîner. Je n'aurais jamais pensé qu'on avait été pris en photo.

— Ou que des relevés téléphoniques montreraient qu'elle vous avait appelé sur votre portable ?

— Carmen, je vous le jure : je n'ai jamais reçu de message de Tyla, et je ne l'ai jamais eue au téléphone. Hier soir, j'ai passé au moins deux heures avec mon opérateur pour essayer de comprendre. Personne n'a pu me donner une explication valable ; je suis sûr que c'est à cause de son téléphone prépayé.

Carmen se cala dans son fauteuil et regarda par la baie vitrée.

— Vous n'auriez pas dû mentir, Abe.

— Je sais. Je suis désolé.

— Un vrai merdier, cette histoire.

Je ne pouvais qu'être d'accord avec elle.

— Je peux vous poser une question ?

— Allez y.

— Comment vous avez eu ces photos ?

— Je les ai reçues par e-mail. Envoyées de façon anonyme depuis un cybercafé. Mais j'ai ma petite idée.

— Je peux savoir ?

— Hier, le lieutenant Riddel et l'agent Santos ont rendu visite à Brian Belter et Maggie Green dans les bureaux de BB & L. Le numéro du portable de Belter était dans la liste des appels émis depuis le téléphone prépayé de Tyla Tomkins. Riddel en a parlé, simplement pour voir la réaction de Belter et pour savoir s'il avait eu une relation extraprofessionnelle avec elle.

— Vraiment ? Et ça a donné quoi ?

— Il y a anguille sous roche, si vous me permettez l'expression, répondit Carmen. Comme dit le détective Riddel, lorsque vous demandez à un homme s'il est marié, et qu'il ne répond pas par un simple « oui » mais en disant « oui, et très heureux dans mon mariage », tous les clignotants passent au rouge.

— Et vous pensez que c'est Belter qui vous a envoyé ce mail ?

— Vu le timing, on est en droit de s'interroger, vous ne croyez pas ? On fait un tir de sommation, ils ripostent immédiatement. Ils ont accès à tous les mails et au carnet de rendez-vous de Tyla. Ils ont peut-être trouvé quelque chose à propos d'un dîner avec Abe Beckham. BB & L a les moyens de se payer un détective privé pour récupérer les enregistrements de la vidéosurveillance.

— Ce serait donc la réponse du berger à la bergère : la procureure générale met le souk chez BB & L, BB & L met le souk chez la procureure générale.

— Je crois que c'est ça, affirma Carmen.

Je restai un instant silencieux, mesurant l'ampleur du pétrin dans lequel je m'étais fourré.

— Vous savez que je dois vous suspendre de vos fonctions, n'est-ce pas ? Vous m'avez menti.

— Combien de temps ?

— Deux jours. Sans salaire.

Je m'en sortais plutôt bien.

— Merci.

— Vous avez de la chance, Abe, je me sens d'humeur clémente. D'habitude, je fais toujours les choses selon les règles, hier, j'ai même fait venir le responsable des ressources humaines. Mais cette fois-ci on n'est plus dans les règles et je laisse le DRH en dehors de toute cette histoire. Je ne vais pas vous suspendre.

Je ne m'attendais pas à ça.

— Je vous remercie.

— Mais je voulais vous dire que vous m'inquiétez.

— Mais non, il n'y a aucune raison.

Elle regardait le cadre posé sur son bureau. La photo de son mari. Un cancer fulgurant du pancréas l'avait emporté en quelques mois.

— Après la mort de Sebastian, les gens m'ont laissé un peu de temps pour que je récupère. Mais très vite ils se sont mis à me demander : « Alors, Carmen, est-ce que tu vas bientôt commencer à sortir, essayer de te trouver un nouveau petit ami ? »

— On m'a posé la même question après Samantha.

— J'en suis sûre. Et il n'y a pas de réponse à ça, à part peut-être : ne pas commencer à chercher avant d'être prêt.

— C'est un bon conseil.

Elle se pencha vers moi et me regarda avec insistance.

— J'aurais dû vous dire ça il y a un an. Seulement, je suis votre boss et je ne voulais pas me mêler de ce qui ne me regardait pas. Alors, je n'ai rien dit. Excusez-moi de vous en parler aujourd'hui, j'ai toujours pensé que vous avez commencé trop tôt. Je sais qu'Angelina et vous sortiez ensemble avant Samantha et que vous avez un passé en commun. Il n'empêche que les blessures mettent du temps à cicatriser. Ce n'est pas votre boss qui vous parle, c'est votre amie. Je pense que Tyla n'est que le symptôme de la souffrance d'un homme à la dérive.

— Je n'ai pas trompé Angelina.

— Je ne suis pas aveugle, Abe. Tyla est une belle femme. Et elle ressemble comme deux gouttes d'eau à Samantha.

C'était vrai. J'y avais moi-même pensé, mais pour la première fois j'entendais quelqu'un d'autre le dire.

— Carmen, il ne s'est rien passé.

— Ecoutez-moi. Vous êtes quelqu'un de bien. Vous avez vécu un enfer après la mort de Samantha, et maintenant vous devez vous occuper de votre nouvelle épouse, sans parler de votre beau-frère assigné à résidence. Si vous avez commis une erreur, c'est vous que ça regarde, pas moi, je n'ai rien à voir là-dedans. C'est une affaire entre vous et Angelina.

Je ne répondis pas, je comprenais ce qu'elle voulait dire.

— Bon. Maman a fini de parler, dit-elle avec un sourire. Allez faire un tour, Abe.

Je me levai.

— Merci.

— Ne me remerciez pas. Mais ne me mentez jamais plus.

— Jamais plus.

Et je le pensais vraiment.

13

Je sentis l'odeur d'osso-buco en ouvrant la porte.

Angelina était une cuisinière hors pair, et son osso-buco au risotto à la truffe était mon plat préféré. Je refermai la porte et entrai dans la salle à manger. Les lumières tamisées. Des bougies. Le couvert était mis pour deux personnes, une bouteille de vin était posée sur la table. Je l'attrapai. Elle était vide. Il manquait un verre.

— Angelina ?

J'entendis un bruit dans le salon. Elle était assise sur le sofa. Les lumières étaient si faibles que j'aurais pu passer près d'elle sans la voir. Je m'approchai.

— C'est pourquoi, tout ça ?

Elle leva la tête et me lança un regard noir. Son visage était rouge, et ses yeux, gonflés. Elle avait pleuré.

— Je croyais qu'on allait faire un bébé.

Croyais ?

Je m'assis près d'elle. Elle s'éloigna de quelques centimètres et me repoussa lorsque je voulus mettre la main sur son épaule.

— Qu'est-ce qu'il se passe ?

Elle attrapa une grande enveloppe posée sur la table basse devant nous. Elle me la tendit, sans un mot, sans un regard. Je n'avais pas besoin de l'ouvrir, je savais ce qu'il y avait dedans.

— Ce n'est pas ce que tu crois.

Elle fixait un point dans le vide.

— Il y a des dates sur les photos. C'était après notre mariage. C'est *moi* qui étais ta femme.

Si elle insistait ainsi sur « moi », cela voulait dire que, d'une façon ou d'une autre, cela finirait par être la faute de Samantha.

— Angelina, je te promets qu'il ne s'est rien passé.

Elle vida son verre, essaya de le poser sur la table basse, mais elle rata son coup et il se fracassa sur le sol.

— Merde !

Elle essaya de se lever, retomba sur le canapé. Elle avait bu une bouteille entière, bien plus que ce qu'elle pouvait supporter.

— Laisse, je vais ramasser.

— Je t'interdis de faire quoi que ce soit pour moi !

Elle essaya de nouveau de se lever. Je voulus l'aider, ou du moins l'empêcher de tomber et de se cogner à la table, mais elle me repoussa.

— Angelina, s'il te plaît.

— Je ne veux plus rien savoir, Abe.

Elle traversa la pièce, alla vers le couloir en titubant un peu. Je voulus la suivre ; elle se retourna et me lança un regard meurtrier qui m'arrêta net.

— Je vais me coucher. Ton dîner est prêt.

— Qui t'a envoyé ces photos ?

— Je n'en sais rien. Elles étaient dans la boîte aux lettres. Pas de timbre, pas d'adresse. Juste une enveloppe sans rien dessus. Certainement quelqu'un qui voulait que je sois mise au courant.

Je pensai tout de suite au cabinet d'avocats, à ce que Carmen m'avait dit à propos de la façon dont BB & L pouvait riposter. Mais, comme me le rappela Angelina, le problème le plus urgent n'était pas de savoir qui avait pu envoyer l'enveloppe.

— Et puis qu'est-ce que ça peut faire, Abe ? C'est bien toi et Tyla sur les photos, non ?

— On était en train de dîner, pas de coucher ensemble.

— Mais c'est tout comme. Regarde les photos ! Regarde

comme vous êtes tous les deux, les yeux dans les yeux. Cette femme est à deux doigts de passer sous la table et de te…

— Arrête, Angelina !

Nous avions tous deux élevé la voix, mais Angelina criait plus fort que moi. Elle me tourna soudain le dos et se précipita dans le couloir. J'hésitai à la retenir pour essayer d'arranger les choses et finalement je la laissai partir. J'entendis une porte claquer puis plus rien, le silence… Je ramassai les morceaux de verre sur la moquette et les posai sur la table, à côté du verre cassé. L'enveloppe était là, tout près, elle semblait me faire signe.

Si BB & L essayait de me jouer un mauvais tour, je voulais que les empreintes puissent le prouver. J'utilisai une serviette, attrapai l'enveloppe par un coin et fis glisser les photos sur la table sans les toucher. La première était la même que celle que j'avais vue dans le bureau de Carmen, une image provenant de la vidéosurveillance dans le restaurant d'Orlando. Toujours à l'aide de la serviette, j'examinai chaque photo. Elles semblaient toutes provenir du même lot. La photo numéro six était légèrement différente. On y voyait comme une tache. Je regardai de plus près. C'était une tache noire. Sur le visage de Tyla. Je levai un coin de la photo, et des petits grains se mirent à glisser sur le papier, un peu comme du sable. Je restai un instant figé.

De la cendre. De la cendre noire étalée sur le visage de Tyla.

J'eus soudain du mal à respirer. Je reposai la photo à plat sur la table, très doucement, pour ne pas faire tomber la cendre. Puis je pris mon téléphone et appelai Carmen chez elle.

— Allô, c'est Abe. C'est à propos de ces photos de Tyla et moi.

— On n'en parle plus, Abe. Vous ne devriez pas vous préoccuper de ce genre de choses quand vous êtes chez vous.

— Non, c'est important, dis-je reprenant mon souffle. Elles ne viennent pas de chez BB & L.

14

Avant même que l'osso-buco ait eu le temps de refroidir, notre maison s'était transformée en scène de crime.

J'étais convaincu que les photos provenaient de l'assassin de Tyla, ce qui signifiait qu'un tueur en série était venu devant notre porte, jusqu'à notre boîte aux lettres. Les photographies et l'enveloppe avaient été mises sous scellés et envoyées au laboratoire. On cherchait des empreintes sur la boîte aux lettres, des marques de pneus dans l'allée menant au garage, des traces de pas sur le trottoir, dans le jardin. Un policier en uniforme garé dans notre rue surveillait la maison et il resterait en faction toute la nuit. Il m'arrivait le pire cauchemar que puisse vivre un procureur : j'étais en train de mettre ma famille en danger à cause de mon travail. Il était hors de question que je prenne le moindre risque.

Angelina ne quitta pas notre chambre. Elle ne répondit pas quand je frappai à la porte, mais elle laissa entrer Rid, qui put prendre sa déposition. Lorsque l'agent Santos arriva chez nous, tout était grand ouvert et les membres des équipes scientifiques allaient et venaient dans toute la maison. Elle remarqua immédiatement le verre brisé sur la table du salon. J'avais enquêté sur suffisamment de cas de violences conjugales pour imaginer ce qu'elle pouvait penser et décidai de prendre les devants.

— Un petit incident.

— Je vois.

— On a tout simplement renversé un peu de vin.

Elle ne répondit pas. Je commençais à penser que décidément les astres étaient contre moi, et que jamais je n'arriverais à regagner sa confiance.

Rid vint nous rejoindre dans le salon. Il avait transcrit la déposition d'Angelina sur son bloc-notes.

— Pas grand-chose à ajouter. L'enveloppe était dans la boîte aux lettres avec le reste du courrier. Elle est sûre qu'hier il n'y avait rien, on peut donc concentrer l'enquête de voisinage sur les dernières vingt-quatre heures.

Santos prit le bloc-notes et lut rapidement la déposition.

— Il y avait de la cendre uniquement sur la dernière photo, remarqua-t-elle. Est-ce qu'elle a essuyé les autres ?

— Non. En fait, elle n'avait pas l'air de comprendre, quand je lui ai posé des questions sur la cendre. Elle n'est pas allée jusqu'à la dernière photo. Après la troisième, elle s'est précipitée dans la salle de bains pour vomir.

Ça faisait mal. Comme si j'avais eu besoin de cela pour me sentir encore plus coupable. Un photographe du labo entra en s'excusant de nous déranger. Je conduisis tout le monde dans la cuisine en me débrouillant pour que Santos entre la première afin de pouvoir échanger deux mots en particulier avec Rid.

— Comment va-t-elle ?

— Elle est complètement soûle.

— Tu crois qu'elle acceptera de me parler ce soir ?

— Si j'étais toi, j'attendrais plutôt demain matin.

Je me rangeai à son avis et me demandai si nous allions devoir travailler toute la nuit. Officiellement, je ne faisais plus partie du groupe de travail Cutter, mais à cause de ces photos je me retrouvais de nouveau au beau milieu de l'enquête, du moins pour le moment. Nous prîmes place autour de la table.

J'allais poursuivre la discussion quand Rid me coupa la parole.

— Dis donc, ça sent rudement bon ici. C'est de la queue de bœuf ?

— Du jarret de veau. Angelina est une véritable chef trois étoiles.

— Vous en avez, de la chance, Abe, fit remarquer Santos.

— Je sais. Je ne la mérite peut-être pas, mais je crois que je suis un bon mari.

— J'espère que ça va s'arranger entre vous. Vraiment, je l'espère.

— Merci.

Elle semblait sincère et je me dis que peut-être les astres s'étaient finalement alignés favorablement. Ou alors Santos jouait à elle seule les rôles du gentil et du méchant flic.

— Alors, la cendre ? C'est quoi ? demanda Rid.

— Je suis sûre que le labo nous confirmera que c'est de la cendre de canne à sucre, répondit Santos.

— Si c'est le cas et en purs termes de profilage, est-ce qu'on peut considérer la cendre de la photo comme la signature du tueur du comté de Palm Beach ?

Santos réfléchit un instant avant de répondre.

— Premièrement, je peux affirmer qu'on ne saura jamais si de la cendre a été étalée sur le visage de Tyla.

— Vous pensez qu'on ne retrouvera pas le reste de son corps ? demandai-je.

— Non, ce n'est pas ce que je veux dire, mais cela fait quand même six jours. Avec tous les prédateurs, les parasites et l'accélération du processus de décomposition, il est peu probable qu'il reste encore de la peau et encore moins des traces de cendre.

— Je vais poser ma question d'une autre façon. Est-ce que, d'après vous, cette photo est suffisante pour pouvoir affirmer que Tyla est la cinquième victime de Cutter ?

— Je répondrais oui si Tyla était blanche et qu'elle sortait avec un Noir.

Rid se leva pour jeter un coup d'œil au plat d'osso-buco posé sur le bar.

— N'empêche qu'il y a toujours le côté interracial. Tyla est une Noire qui sortait avec des Blancs, remarqua-t-il.

Je préférai ne rien dire de ce que Carmen m'avait appris sur les relations entre Tyla et Brian Belter.

— Tu veux parler de la relation qu'elle a eue avec moi, il y a dix ans ?

— Oui, c'est ça. Excuse-moi.

— Peu importe qui et peu importe quand, déclara Santos. Le fait est qu'on se trouve devant la première victime noire et qu'on n'a aucun moyen de savoir si de la cendre a été étalée sur son visage ou non.

— Je peux y goûter ? demanda Rid en saisissant une fourchette.

— Je t'en prie.

Je concentrai mon attention sur Santos, je la trouvais un peu trop prudente.

— Si j'étais toujours chargé de l'affaire, je n'aurais aucun mal à convaincre un jury que c'est l'œuvre du même tueur.

— Et son avocat dirait que cette photo est apparue plus de cinq jours après la mort de Tyla. Comme si l'idée ne lui était venue qu'après coup.

— Qu'est-ce que vous voulez dire par là ?

— On ne peut pas écarter l'idée d'un plagiaire. Vous avez entendu le légiste lorsqu'il a expliqué à quel point les blessures de Tyla étaient différentes de celles des victimes de Palm Beach. Alors, imaginons que nous avons un tueur qui regarde les infos et qui se dit : « Si on attaque une femme avec une machette, tout le monde va penser que c'est la signature de Cutter. » Alors il frappe sa victime au cou et se débarrasse du corps dans les Everglades. Ensuite, on ne sait pas comment, il apprend que la signature de Cutter n'est pas la machette, mais de la cendre étalée sur le visage de la victime. Alors, que peut faire notre homme ? Eh bien, une des possibilités, c'est d'envoyer au procureur chargé de l'affaire des photos avec de la cendre sur le visage de Tyla.

— Comment aurait-il pu savoir pour la cendre ? C'est un élément qu'on a gardé secret.

— Notre groupe de travail s'est considérablement élargi,

il y a de plus en plus de gens au courant, les médias sont sur notre dos… Difficile d'éviter les fuites.

— D'accord, je vous suis. Mais une autre question se pose. Que ce soit Cutter ou le plagiaire, comment le tueur a-t-il fait pour se procurer ces photos de Tyla et moi qui ont été prises par une caméra de télésurveillance ?

— Je travaille là-dessus avec le Département de police de Floride et le bureau du shérif du comté d'Orange. Mais il n'y a qu'une explication au fait que le tueur ait pu savoir que Tyla dînait avec un Blanc ce soir-là au restaurant : il la suivait.

— Depuis le mois de septembre ? demanda Rid.

— Et pourquoi pas ? Il m'est arrivé de fouiller dans les ordinateurs de tueurs en série et d'y trouver des photos qu'ils avaient prises de leurs victimes des années auparavant.

— En tant que procureur, je me suis occupé de certains de ces cas.

En disant cela, je sentis que mon inquiétude pour Angelina montait d'un cran.

— Je ne veux pas donner l'impression de changer de sujet, mais je sais que, cette nuit, il y aura une voiture de police qui surveillera notre rue. Quelles mesures doit-on prendre à long terme ? Est-ce que le message qu'on m'a envoyé signifie que ma femme est la prochaine sur la liste ?

Santos secoua la tête.

— Le profil d'Angelina ne correspond pas à ceux des victimes. Ce n'est pas une Noire sortant avec des Blancs, ni une Blanche sortant avec des Noirs.

— Je ne peux pas dire que ça me rassure.

Rid était accoudé au bar, la bouche pleine d'osso-buco.

— On peut renforcer les patrouilles, Abe. Il n'y a pas de problème.

— Merci.

— Il est super, ce riz gluant.

— C'est du risotto aux truffes.

Le téléphone fixe se mit à sonner. Il était sur le bar, juste à côté de Rid.

— Tu veux que je réponde ?

— Qui est-ce ?

Rid regarda le numéro qui s'affichait.

— C'est toi.

— Laisse tomber.

— Tu as raison, moi, je fais pareil : je ne réponds jamais quand c'est toi qui appelles.

La sonnerie s'arrêta.

— C'est J.T. Il habite dans l'appartement où on vivait, Samantha et moi. Il n'a pas de compte en banque. Toutes les factures sont à mon nom.

Le téléphone se remit à sonner.

— C'est encore toi.

— Laisse.

— D'accord. Mais, si tu appelles encore une fois, je t'arrête pour harcèlement envers toi-même.

— Très drôle.

Seulement, la blague de Rid me fit soudain envisager les choses sous un autre angle. Cette enveloppe, ces photos de Tyla et moi prises en septembre dernier, la soirée que l'on avait passée ensemble, cela faisait partie d'un tout. Tyla avait essayé de me joindre sur mon portable. Les relevés montraient qu'elle avait appelé cinq fois depuis son téléphone prépayé. Ce n'était pas suffisant pour qu'on puisse parler de harcèlement, mais je me dis qu'il y avait peut-être eu d'autres appels. Tyla était du genre tenace. Cela ne lui ressemblait pas d'essayer de joindre quelqu'un et de simplement laisser tomber parce qu'on ne répondait pas. Je me demandai si elle n'avait pas tenté de m'appeler sur un autre numéro. Et le seul qu'elle pouvait avoir obtenu, si elle avait demandé Abraham Beckham aux renseignements téléphoniques, était celui de mon ancienne adresse, là où j'avais habité avec Samantha.

Le téléphone sonna pour la troisième fois.

— Ça suffit, annonça Rid : je t'arrête.

Je pris le téléphone et m'éloignai de quelques pas. Pour une fois, J.T. semblait relativement calme.

— Salut, Abe. La juge a dit que je pourrais rendre visite au vieux pendant ma résidence surveillée. On peut y aller demain ?

Le « vieux », c'était mon beau-père, Luther Vine.

— Bien sûr. On peut y aller. J'arrive tout de suite.

— Non, pas tout de suite. Demain, ça ira.

Peut-être un coup d'épée dans l'eau, mais j'étais pressé d'aller là-bas et d'écouter le répondeur de J.T., *mon* ancien répondeur.

— Oui, je sais, mais je serai là dans une minute.

Je raccrochai et m'excusai auprès de Santos et Rid.

— Vous pouvez rester autant que vous voulez, moi, je dois m'absenter.

Santos me regarda partir en silence. Rid, quant à lui, se servit une autre assiette de risotto.

15

L'appartement de J.T. était tout proche de chez nous. Je me disais que mon coup de fil l'avait certainement déstabilisé, je décidai donc de l'appeler depuis ma voiture pour lui expliquer pourquoi je venais.

— Quel répondeur ?

J.T. tombait des nues, il n'avait aucune idée de ce dont je parlais. Il venait à peine de maîtriser le maniement de la cafetière et je ne parle même pas de l'ordinateur. Alors, un répondeur, vous pensez bien…

— Je me sers pas de ces trucs-là, je leur fais pas confiance, me dit J.T. sans même que je lui demande.

La machine était couplée au téléphone fixe qui était sur le comptoir de la cuisine. C'était une sorte de monstre antédiluvien, mais j'avais changé très peu de choses dans l'appartement. La mémoire était complètement saturée. « Vous avez quatre-vingt-sept nouveaux messages », annonça la voix métallique.

J.T. n'avait vraiment jamais écouté le répondeur. Le plus vieux « nouveau message » avait été enregistré plus d'un an auparavant, le premier jour où on l'avait acheté. J'aurais dû commencer par écouter le plus récent et remonter dans le passé. Au lieu de cela, je m'engageai sur un chemin dangereux : je passai les anciens messages que Samantha et moi avions échangés et que j'aurais dû effacer il y a bien longtemps. Certains étaient précieux, simplement parce que j'entendais le son de sa voix : « Abe, pourquoi tu ne réponds pas ? Appelle-moi ! » D'autres me faisaient sourire : « Il est 23 heures, et tu sais où elle est, ta femme ? *Au travail !* Désolée, mon chéri, ne m'attends pas. » Un autre encore, si émouvant : « Hé, mon amour ! Tu es là ? C'est moi ! Réponds si tu m'entends… »

Et puis il y eut celui qui fut comme un coup de poignard…

« Abe, je suis désolée, mais est-ce qu'on peut reporter notre dîner à demain ? Le Dr Bench veut que j'aille à Jackson pour un ou deux examens, et le labo ne peut me prendre qu'à 7 heures ce soir. Je suis sûre que ce n'est rien, Bench est tellement tatillon que même moi il me rend nerveuse. Je me ferai pardonner, je te le promets. Je t'aime. Joyeux anniversaire de mariage. »

Et voilà. Un médecin casse-pieds qui demandait toute une série d'examens de contrôle, et commençait une longue route qui se transforma vite en un calvaire à l'issue fatale. Le pire, c'est que, lorsque j'avais écouté le message de Samantha, moi aussi, j'avais pensé comme elle que ce n'était probablement « rien ». Une semaine plus tard, j'étais scotché sur tous les sites web qui parlaient du cancer, qui disaient que les mammographies ne parvenaient pas à tout détecter chez les femmes possédant des tissus plus fermes. Je priais pour que Samantha ne soit pas un numéro de plus dans ces sombres statistiques affirmant que les femmes de couleur sont deux fois plus susceptibles de développer des cancers du sein triple négatifs que les autres et risquent deux fois plus d'en mourir avant quarante ans. Et maintenant, sachant comment toute cette histoire se terminerait, je pouvais déceler de l'inquiétude dans la voix de Samantha en réécoutant son message sur le répondeur. Samantha avait su dès le début que quelque chose n'allait pas. Au point d'en annuler notre anniversaire de mariage.

— C'est encore moi, Abe.

Je tressaillis. C'était la voix de Tyla Tomkins.

— De toute évidence, tu as décidé d'ignorer mes messages, mais sache que ceci n'est pas un prétexte pour essayer de te draguer. C'est très sérieux. J'ai déjà trop parlé dans mon dernier message. Je fais du tort à mon cabinet et à mon client. J'ai confiance en toi, je sais que tu es discret, alors, s'il te plaît, supprime ce message et tous ceux que j'ai laissés sur ton portable. Ce n'est pas un problème si tu ne veux pas me parler. Mais, au moins, sois assez intelligent pour t'occuper de ce vieux coupeur de cannes dont je t'ai parlé sur mon dernier message. Il est au courant de tout.

Il y eut un silence, puis vint la suite. Tyla avait une dernière chose à dire.

— Angelina, nous ne nous connaissons pas, mais, si c'est vous qui écoutez ceci, sachez que je ne suis pas une ex de votre mari qui tente de renouer. S'il vous plaît, assurez-vous qu'Abe a bien reçu ce message. C'est important.

« Fin du message », dit la machine. Je rembobinai pour connaître la date et l'heure : 12 décembre, 20 h 31.

J'appuyai sur la touche stop et pris un papier et un stylo pour dresser un tableau chronologique. Je ne me souvenais pas de toutes les dates, mais je savais d'après le relevé du téléphone prépayé que le dernier des quatre messages supprimés sur mon portable avait été émis dans la première semaine de décembre. Celui-ci me demandait d'effacer les autres, ce qui avait été fait, et je me doutais que j'aurais beaucoup de mal à convaincre tout le monde que ce n'était pas moi qui les avais supprimés.

Je repassai l'enregistrement et le recopiai mot pour mot, en prenant des notes. Beaucoup de questions se bousculaient dans ma tête et j'espérais trouver les réponses en écoutant un message de Tyla plus récent. Cela me prit une bonne demi-heure de tout écouter. La mémoire du répondeur avait fini par être saturée le 29 décembre. Après le 12 décembre, il n'y avait eu que de la pub, aucun appel de Tyla.

J.T. entra dans la cuisine et ouvrit le réfrigérateur.

— J'ai plus rien, grogna-t-il en laissant la porte ouverte. Tu peux aller me faire des courses pour demain ?

— Oui, bien sûr. Dis donc, J.T., ce soir, je vais demander à des gens de venir ici et de prendre cette machine.

— Je vais me coucher.

— Pas de problème.

— Tu as trouvé ce que tu cherchais ?

Le bloc-notes était sur le plan de travail, et je jetai un œil sur le message de Tyla que j'avais retranscrit.

— Franchement, je ne sais pas ce que j'ai trouvé.

La réponse eut l'air de lui suffire, il alla se coucher. J'appelai Rid, et j'avais tellement envie de lui parler que j'en comptais même les sonneries. Mais je raccrochai à la dernière minute. Cela m'ennuyait que les relations entre le FBI et moi soient au plus bas, et cela ne semblait vraiment pas s'arranger très vite. Je décidai qu'après cette découverte mon premier appel devait être passé à la personne qui convenait.

J'appelai l'agent Santos.

Je me passai la bande plusieurs fois en l'attendant. Soudain, une image épouvantable me vint à l'esprit : le moment où, comme dans *Mission impossible*, le répondeur allait grésiller, s'autodétruire et faire disparaître le message de Tyla. J'étais tellement terrifié que j'en fis immédiatement une copie, ce qui eut au moins l'avantage d'éviter que ce soit moi qui m'autodétruise.

J'étais en train d'enregistrer le message sur mon smartphone lorsque Santos frappa à la porte. Rid l'accompagnait.

J'étais content que Rid soit venu avec elle. Il mit immédiatement le répondeur sous scellés et l'étiqueta comme un indice de plus dans l'affaire Cutter, tandis que Santos et moi écoutions en boucle l'enregistrement du message sur mon smartphone.

— Encore une fois, demanda Santos.

Rid vint nous rejoindre alors que nous repassions la bande pour la cinquième fois. En l'espace de deux heures, nous avions quitté la cuisine d'Angelina pour nous installer dans celle de Samantha, nous nous étions en quelque sorte transportés de mon présent dans mon passé. Quand on eut fini d'écouter, j'avais vraiment hâte de connaître l'opinion de Santos.

— Alors, qu'est-ce que vous en pensez ?

— Commençons par le plus évident. Il semble que Tyla essayait de vous dire quelque chose à propos des clients de BB & L, probablement quelque chose qui va à l'encontre des intérêts du cabinet et de ses clients. Lorsqu'elle parle du « vieux coupeur de cannes » qui « est au courant de tout », cela pourrait signifier qu'il s'agit de Cortinas Sugar Company.

— Jusque-là, je suis d'accord.

— Voilà qui est intéressant, ajouta Rid, parce que Brian Belter nous a dit que Tyla travaillait pour Cortinas avant sa mort.

— Et elle n'appelait pas Abe à propos d'une affaire sur laquelle elle avait travaillé récemment.

— Et pourquoi pas ? demandai-je.

Santos relit ses notes.

— Ses mots exacts sont que le vieux coupeur de cannes « est au courant de tout ». Cela fait bientôt vingt ans que les compagnies sucrières ont remplacé leurs ouvriers par des machines. Donc Tyla devait parler de quelque chose qui s'est passé il y a au moins vingt ans. Ou peut-être plus.

— En tant qu'avocate, Tyla savait pertinemment qu'après une certaine période, pour la plupart des cas, il y a prescription. Si elle essayait de me donner des infos sur un crime, il y en a très peu qui ne sont pas prescrits après vingt ans ou plus.

— Les meurtres, précisa Rid.

— C'est donc un meurtre. On parle d'un délit qui aurait causé un décès et qui entraînerait une peine d'emprisonnement à vie ou la peine de mort.

— Un délit qui est la cause d'un décès peut être n'importe quel type de négligence criminelle, objecta Santos. Il ne faut pas trop vite sauter à la conclusion que Tyla parlait d'un meurtre commis de sang-froid.

— Mais il ne faut pas non plus sauter trop loin en arrière, dit Rid. Elle parlait peut-être d'un meurtrier *âgé*.

— Je vois ce que vous voulez dire, rétorqua Santos, mais je pense que c'est tiré par les cheveux.

— Je n'affirme rien, je pose des questions. Quand Tyla parle d'un coupeur de cannes, est-ce qu'elle veut dire Cutter ? *Notre* Cutter ?

Santos secoua la tête.

— Un tueur en série âgé ne correspond pas à notre profil. En fait, ça ne correspond à aucun profil dont j'ai entendu parler.

— On ne nage pas en pleine gériatrie, objecta Rid. Certains titulaires de visas H-2 avaient dix-huit ou vingt ans à l'époque. Un « vieux » coupeur pourrait très bien avoir la petite quarantaine.

— A quand remonte le premier meurtre de Palm Beach ? demandai-je.

— Au 29 novembre. Presque deux semaines avant que Tyla ne laisse ce message.

— Alors peut-être que je n'ai pas tort, remarqua Rid. Il pourrait s'agir de Cutter.

— Ça ne colle pas. Pourquoi Tyla hésiterait-elle à me transmettre des infos sur quelqu'un qui pourrait être un tueur en série ? Elle m'a demandé d'être discret parce que ce qu'elle m'avait dit pouvait créer du tort à son cabinet et à son client. Dénoncer un meurtrier, c'est tout à fait différent.

— Il y a une autre possibilité, suggéra Santos en me regardant. Peut-être voulait-elle simplement que vous la rappeliez ?

— Oui, c'est sûr. Elle voulait certainement que je la rappelle. C'est comme ça que fonctionnent les informateurs.

— Ce que je veux dire, c'est qu'elle voulait seulement que vous la rappeliez. Elle n'avait peut-être aucune autre raison pour vous laisser un message.

— Attendez : elle m'aurait fait croire qu'elle avait des infos sur un meurtre uniquement pour que je la rappelle ?

— Ça a l'air dingue comme ça, reconnut Rid, mais

je me souviens que, du temps où j'étais en uniforme, j'ai collé un PV à une bonne femme : elle avait emplafonné un type qui conduisait une Porsche rien que parce qu'elle voulait le rencontrer.

— Ce n'est certainement pas une des principales associées du plus grand cabinet d'avocats de Miami qui ferait une chose pareille, répondis-je.

— N'en soyez pas si sûr. Dans ce message, Tyla fait tout ce qu'elle peut pour vous convaincre qu'elle ne vous tend pas un piège. Elle interpelle même votre femme par son prénom au cas où, et elle essaie de la rassurer.

— Santos n'a pas tout à fait tort. Quand une femme avec un palmarès comme celui de Tyla tente par tous les moyens de convaincre un homme qu'elle n'essaie pas de le mettre dans son lit, alors moi je dis que le mec il a intérêt à se cramponner à son slip.

Je haussai les épaules.

— Ce n'est pas possible. Il aurait fallu que Tyla soit devenue une sorte de sociopathe.

Santos se sentit obligée de me sortir un vieux proverbe du style « Méfiez-vous de l'eau qui dort ».

— On parle d'une femme qui possédait trois bagues de fiançailles, qui appelait des hommes mariés depuis un téléphone prépayé et qui, semblait-il, couchait avec son patron. Abe, vous la connaissiez mieux que moi, mais pour le moment ce que j'ai appris sur Tyla ne me permet pas d'exclure qu'elle ait développé des tendances sociopathes.

— Eh bien, moi, je ne la connaissais pas beaucoup plus. Ce qui s'est passé entre nous, c'était il y a dix ans. Nous nous sommes revus pour dîner ensemble en septembre dernier. Il n'y a rien eu d'autre.

— C'est vrai ? demanda Santos.

— Oui. C'est vrai.

— Peut-être voulait-elle un peu plus que simplement dîner avec vous ?

— Qu'est-ce que ça change ?

Et voilà : je répondais de nouveau à une question par une autre question.

— Pour quelqu'un qui possède ce type de profil psychologique, ça change beaucoup de choses. Si elle a essuyé un refus, ça veut dire que vous êtes celui qui l'a rejetée. Vous devenez un défi qu'il faut relever, un sommet à vaincre, un marché à conquérir.

— C'est bon, j'ai compris, dis-je, essayant de mettre fin à la série de métaphores.

Santos avait changé de ton et me dévisageait avec insistance, comme si elle menait un interrogatoire.

— Et c'est même encore pire si vous avez fait croire à Tyla que vous la désiriez, mais qu'en réalité vous ne faisiez que vous amuser d'elle. Vous avez recraché l'hameçon, en quelque sorte. Vous êtes retourné dans votre chambre d'hôtel, et elle, dans la sienne. Ou alors les choses sont allées encore plus loin. Vous étiez en train de monter dans sa chambre. Et, toujours sous l'effet du vin, peut-être que vous étiez collés l'un à l'autre, que vous avez eu des gestes intimes dans l'ascenseur. Mais, lorsqu'elle a ouvert la porte et que vous avez senti que tout son corps vous invitait à entrer, quelque chose vous en a empêché. Quelque chose qui a fait que vous lui avez dit bonne nuit et que vous êtes allé vous coucher.

— Où voulez-vous en venir ?

— Simplement à comprendre ce qu'elle voulait. Est-ce qu'elle vous a appelé uniquement pour vous donner des tuyaux sur des crimes, ou est-ce qu'elle avait autre chose en tête ? Ça, je n'ai aucun moyen de le savoir, n'est-ce pas, Abe ? Vous seul pouvez nous le dire.

Je réfléchis à tout ce que Santos venait de dire, à toutes ses insinuations, et je devais bien admettre que je ne savais pas ce que Tyla voulait vraiment lorsque nous nous étions rencontrés à Orlando. En revanche, j'avais remarqué la manière dont Santos posait ses questions, comme si connaître les intentions de Tyla l'intéressait davantage que de cerner les miennes. Bien qu'elle n'ait pas été présente et n'ait jamais rencontré Tyla, Santos semblait savoir mieux que moi ce qui s'était réellement passé.

Ou peut-être voulait-elle tout simplement me piéger en mettant en avant mon ego de mâle.

— Il n'y a aucun doute, répondis-je. Tyla avait quelque chose derrière la tête.

16

Il était presque minuit quand j'ai pu enfin rentrer chez moi. Comme prévu, une voiture de police était garée devant la maison. Quant à savoir si le policier montait vraiment la garde, c'était une autre question, car, au moment où je passai devant lui, il était en train de taper des textos sur son portable.

La porte d'entrée était fermée à clé. J'essayai de ne pas trop faire de bruit en ouvrant et croisai les doigts pour que l'alarme ne se déclenche pas. J'entrai sur la pointe des pieds et fis tout mon possible pour ne pas réveiller Angelina, qui devait dormir profondément. De plus, je savais que, si jamais je la réveillais, nous allions avoir une conversation à propos de Tyla qui durerait probablement toute la nuit et je n'en avais pas vraiment envie. Mais il était dit que je ne m'en sortirais pas à si bon compte. Angelina était assise sur le divan, bien éveillée, elle regardait la télévision. Je verrouillai la porte derrière moi.

— Je pensais que tu dormirais.

Elle portait les vêtements qu'elle mettait avant d'aller se coucher : un peignoir en éponge et des pantoufles. Elle ne bougeait pas d'un cil, son regard était rivé sur l'écran.

— Moi aussi.

— Est-ce que… tu m'attendais ?

La façon dont elle tourna lentement son visage vers moi en disait largement assez.

— Je suis désolé, dis-je.

Je suspendis mes clés au crochet près de la porte et m'assis dans le fauteuil.

— C'est quoi, cette voiture de police devant chez nous ?

— Simple précaution. Il se peut que ce soit Cutter qui t'ait envoyé ces photos.

Elle se tourna de nouveau vers moi.

— C'est une blague ? Tu ne veux quand même pas dire qu'un tueur en série est venu jusqu'à notre porte pour y déposer ces photos de toi et Tyla ?

— C'est possible.

— Génial. Il y a des femmes qui ont George Clooney qui les attend devant chez elles, moi, c'est Jack l'Eventreur.

— Personne ne t'attend.

— Personne, sauf le type qui a apporté les photos.

Elle détourna le regard, visiblement gênée.

— Je suis désolée.

De toute évidence, elle ressentait toujours les effets du vin qu'elle avait bu toute seule et, sans être soûle, n'était pas encore tout à fait dégrisée.

— Tu n'as pas à t'excuser, je le mérite.

— On parlera plus tard de ce que tu mérites, déclara-t-elle calmement. Mais sérieusement, si personne ne me guette, pourquoi y a-t-il une voiture de police dans la rue ?

— C'est juste une mesure de sécurité. L'agent Santos ne croit pas que tu sois vraiment en danger.

Elle me regarda, cette fois-ci bien en face.

— Et toi, Abe, tu penses quoi ? Tu crois qu'il y a un danger ?

J'étais à peu près sûr qu'elle ne parlait pas du tueur en série. Que lui répondre ?

— Je te parle de nous. Tu penses que notre couple est en danger ?

Cette fois-ci, c'était clair, n'empêche que je ne savais toujours pas ce que je devais dire.

— J'espère que non.

Elle poussa un profond soupir et ricana.

— Abe, tu es vraiment impayable.

Depuis mon fauteuil, je me penchai vers elle.

— Tu veux que je te dise ce qui s'est passé cette nuit-là ? lui demandai-je doucement.

Angelina éteignit la télévision puis me regarda droit dans les yeux.

— Je sais ce qui s'est passé.

— Non, je crois que tu ne sais pas.

— Les photos ne mentent pas, Abe. Vous preniez du bon temps.

— C'était un simple dîner. Agréable.

Elle aurait dû m'arracher les yeux pour avoir dit une chose pareille. Mais elle ne réagit pas.

— Je sais ce qu'est un dîner agréable, répondit-elle d'une voix calme. Mais, là, c'est autre chose. J'ai vu ton sourire. J'ai vu la façon dont tu la regardais.

— Angelina, je te jure que je n'ai pas couché avec elle.

— J'aurais préféré, ça aurait été plus simple.

— Comment ça ? Tu es sérieuse ? Tu penses que j'aimais Tyla ?

Elle secoua la tête. Décidément, je ne comprenais rien.

— Non, Abe. Je n'ai jamais pensé une seconde que tu aimais Tyla. Tu aimes Samantha. Et durant deux heures, pendant ce repas, Tyla était ta femme, celle qui est morte.

Angelina se leva, resta un instant immobile, perdue dans ses pensées, puis elle noua ses longs cheveux et les attacha avec une barrette.

— Je suis sûre que tu n'as pas couché avec Tyla, Abe, seulement nous savons tous les deux que ce n'est pas à cause de ce que tu ressens pour moi.

J'aurais voulu me lever, aller vers elle, mais j'étais cloué dans mon fauteuil, incapable de faire un seul geste. Elle quitta la pièce et alla se coucher. Seule.

17

Vendredi, je traitai mes dossiers au plus vite et fis en sorte de les regrouper tous en une seule audience au tribunal. Je terminai à midi. J'avais réservé mon après-midi pour un rendez-vous avec un véritable héros de l'aide juridique dans le comté de Palm Beach. Ou, tout du moins, quelqu'un qui se considérait comme tel.

Ed Brumbel était un idéologue rescapé des années soixante. Sorti major de l'école de droit de Harvard, il avait refusé de travailler pour Wall Street et consacré toute sa carrière à aider les fermiers qui menaient d'épiques batailles contre les multinationales agricoles. Lorsqu'il était encore tout jeune avocat, une de ses premières affaires était allée jusque devant la Cour suprême des Etats-Unis où, par chance, il réussit à dénicher quelques survivants de l'époque libérale du juge Warren qui déterrèrent une vieille jurisprudence. Jurisprudence affirmant que les enfants d'origine mexicaine devaient être autorisés à s'inscrire dans des écoles.

Il passa également une dizaine d'années au bureau d'aide légale du Texas à défendre les travailleurs immigrés qui traversaient à la nage le rio Grande pour aller ramasser du coton à Hereford, Texas. Il s'en prit à l'industrie aviaire en Arkansas, où les usines de transformation de poulets utilisaient des méthodes féodales à l'encontre des fermiers locaux. Il s'était battu pour les producteurs de pommes dans le Maryland et les cultivateurs de laitues en Californie. Il connut un certain succès, bien qu'éphémère, après sa victoire auprès de la Cour suprême. Il passa d'un service d'aide juridique à un autre.

Lorsqu'il était jeune, les femmes étaient attirées par l'aura d'incorruptibilité et de droiture que dégageait cet ancien étudiant BCBG, qui jouait Mozart au piano et escaladait les montagnes du Tibet en été. Mais ses succès féminins étaient généralement de courte durée, surtout lorsque ses petites amies finissaient par découvrir qu'il n'avait pas d'appartement et qu'il dormait sur les canapés des bureaux d'aide juridique.

Puis Ed décida de s'attaquer à Big Sugar et c'est alors que sa vie tourna au cauchemar. Il m'accueillit en me serrant affectueusement dans ses bras.

— Monsieur Lincoln, comment vous portez-vous ?

Ed était l'un des rares avocats qui savaient que mon beau-père me prenait pour Abraham Lincoln. Il connaissait tous les détails de la vie de Luther lorsque celui-ci avait été coupeur de cannes.

— J'ai connu mieux, dis-je.

Le bureau d'Ed était aussi charmant et luxueux qu'un vieil entrepôt désaffecté. Le Centre d'aide juridique de Floride se trouvait à Belle Glade, un quartier particulièrement déshérité, autrefois le point de chute de tous les coupeurs de cannes qui, la nuit, cherchaient à se donner un peu de bon temps. Même vingt ans après l'abandon du programme de visas H-2, Belle Glade avait réussi à conserver le taux le plus élevé d'infection par le VIH dans toute l'Amérique. Le bureau d'aide juridique se trouvait à quelques kilomètres à l'est de la bruyante université de la Coopérative de producteurs de canne à sucre, dont Cortinas Sugar était l'un des principaux propriétaires. Il était également situé à quelques dizaines de mètres d'un mobile home infesté de rats qui hébergeait une douzaine de sans-papiers faisant partie des quelque quarante-cinq mille travailleurs immigrés qui continuaient de venir chaque année dans le comté de Palm Beach pour récolter n'importe quoi, même si ce n'était plus de la canne à sucre.

Le bureau d'Ed servait également d'annexe aux salles d'archives de l'aide juridique. Des cartons s'empilaient du sol au plafond le long de tous les murs. Je supposais qu'il devait bien y avoir une fenêtre, quelque part, mais personne ne l'avait jamais trouvée.

— Assieds-toi.

Il n'y avait qu'une seule chaise, et je dus la débarrasser des dossiers qui l'encombraient pour pouvoir m'asseoir. Ed s'installa dans le fauteuil branlant derrière son bureau, le cuir des accoudoirs avait été remplacé par du ruban adhésif. Je remarquai des traînées de rouille sur son bureau et, à voir la peinture cloquée, le toit et le plafond n'étaient probablement pas étanches.

J'avais rencontré Ed du temps où Samantha et moi étions fiancés. Il voulait absolument que Big Sugar soit condamné ; c'était son idée fixe. Il connaissait les démêlés de mon beau-père avec la National Sugar Company dans les années quarante, et s'était mis en tête de me convaincre qu'il y avait enfin une chance d'obtenir une mise en examen. L'enquête n'avait jamais pu s'ouvrir, finalement ; néanmoins, Ed avait trouvé une dernière cartouche pour éviter que les efforts déployés ne soient pas entièrement vains. D'après lui, Big Sugar avait escroqué toute une génération de Jamaïcains en les payant non pas à l'heure, mais au nombre de rangées de cannes qu'ils avaient coupées, soit soixante pour cent de moins que le salaire minimal légal. Après plus de dix procédures, le jury déclara la demande irrecevable. De toute façon, Big Sugar n'utilisait plus que des machines. Ils en avaient eu assez que tous les journaux, depuis *Vanity Fair* jusqu'à *60 minutes*, les accusent d'utiliser des méthodes moyenâgeuses et d'exploiter l'humanité tout entière. Les clients d'Ed ne touchèrent pas un centime. De plus, ils se retrouvèrent définitivement privés d'emploi. Le monde entier se mit à haïr Ed. Sauf Ed lui-même. « C'était pour le principe », avait-il déclaré aux médias, les larmes aux yeux, sur les marches du tribunal.

— Alors, comme ça, tu veux tout savoir sur les procès concernant la canne à sucre, me demanda-t-il en souriant.

Je jetai un coup œil aux cartons.

— Eh bien, pas vraiment tout. En fait, ce n'est pas l'affaire en elle-même qui m'intéresse. Ce sont surtout tes clients.

Ed perdit quelque peu son sourire.

— De braves gens. Tous, sans exception.

— Il y en a un à qui j'aimerais bien parler.

— Qui ?

— Je ne connais pas son nom.

— Il faisait partie de quelle année du programme H-2 ?

— Je ne sais pas.

— Il venait d'où ?

— De Jamaïque, je crois. Mais je n'en suis pas certain.

— Il travaillait pour quelle société ?

— Cortinas.

— Bon, ben, c'est un début. Il n'y a plus que quarante mille possibilités.

— Tant que ça ?

Ed montra les piles de boîtes pleines de poussière empilées derrière lui.

— Le recours collectif en justice a été déposé pour le compte de chaque coupeur de cannes qui faisait partie du programme H-2 à partir de 1980. Dix mille travailleurs sont venus chaque année, la plupart jamaïcains. Quelques-uns revenaient l'année suivante, ce qui nous fait un total de plus de cent mille ouvriers. Quarante pour cent d'entre eux travaillaient pour Cortinas Sugar.

— Je cherche quelqu'un qui a pu être témoin d'un délit.

— Ils en voyaient tous les jours, répliqua Ed. Le programme H-2 en entier était un crime.

C'était le sujet de discussion favori d'Ed et je ne voulais pas m'engager là-dedans.

— Ce n'est pas ce que je voulais dire. Ce serait le genre de délit que l'on pourrait instruire vingt ans ou plus après qu'il a été commis.

— Il y en a très peu qui ne sont pas couverts par la prescription. Tu veux parler d'un homicide ?

— Peut-être. Ou au moins une négligence criminelle qui a provoqué la mort de quelqu'un.

Il réfléchissait en se grattant la tête.

— Une négligence criminelle, ça peut être beaucoup de choses, en agriculture. Mais la seule dont je me souvienne et qui impliquait des coupeurs de cannes s'est produite dans le milieu des années quatre-vingt-dix.

— Raconte…

— Des ouvriers qui à l'époque habitaient dans des baraquements. Ils étaient à peine plus confortables que ceux de Dachau, si tu veux mon avis. Quand tu empiles des centaines d'adultes les uns sur les autres, que tu les fais trimer toute la journée et que tu ne leur laisses aucune intimité la nuit, il peut quelquefois y avoir des disputes. Et, si tu balances une machette un peu aiguisée dans le tas, tu peux être sûr que quelqu'un va se faire buter.

— Qu'est-ce qui s'est passé ?

— Un type a pété un plomb et a donné un coup de machette à un autre. Il lui a coupé la tête. C'était horrible. La victime avait une femme et un gosse qui l'attendaient en Jamaïque.

— Et le type qui a fait ça ?

— Il est allé en taule. Je suppose qu'il y est toujours, mais je n'en suis pas sûr.

Certes, c'était intéressant, mais j'étais sûr que, dans le cadre de l'enquête sur Cutter, l'agent Santos avait probablement déjà épluché l'histoire de cet ouvrier condamné pour avoir décapité l'un de ses collègues.

— Ce qui m'intéresse, ce n'est pas un crime aussi flagrant et qui a été résolu. Je recherche un coupeur de cannes qui serait au courant d'un délit très grave qui aurait été commis, peut-être même quelque chose d'aussi grave qu'un homicide. Un crime qui jusqu'ici a été gardé secret, et bien sûr jamais élucidé par la police.

— Waouh ! Ce n'est même plus une aiguille dans une botte de foin. C'est une aiguille dans une botte d'aiguilles.

— J'avais peur que tu dises ça.

— Attends. Réfléchissons un peu. Est-ce que tu as de bonnes raisons de penser que ce type est encore vivant ?

Je repensai aux paroles de Tyla.

— Oui. Il n'y a pas longtemps, on m'a dit qu'il fallait que je parle à un vieux coupeur de cannes et qu'il était au courant de tout.

— D'accord. Mais, s'il a des infos à propos d'un délit très grave, pourquoi n'a-t-il rien dit ? A condition toutefois qu'il ne soit pas mort.

— Il a peur ?

— Ça peut être une explication. Mais moi, j'en ai une autre. Souviens-toi : on parle de Big Sugar.

Je compris ce qu'il voulait dire.

— Il a été acheté.

— Bingo !

Ed et moi restâmes un instant silencieux, essayant de trouver un moyen de raccourcir cette liste de quarante mille noms. Soudain, Ed eut un sourire : il avait une idée.

— Ceux qui ont fait une demande de retrait.

Il se pencha en avant, s'accouda sur son bureau rouillé.

— Mon recours collectif était comme tous les autres. La cour exigeait que nous envoyions des courriers à chaque travailleur qui faisait partie du programme H-2, et que nous les informions qu'ils apparaîtraient nominativement dans le recours. Tu ne peux pas savoir à quel point je me suis emmerdé. Il a fallu que je demande cent mille adresses au ministère du Travail. Mais voilà le plus intéressant : le formulaire que j'ai envoyé donnait à chaque membre du recours collectif la possibilité de se retirer et de dire qu'il ne se sentait pas concerné par le procès.

— Il y en a eu combien ?

— Soixante-quinze.

— J'aime mieux ça que quarante mille.

— Attends, ne t'excite pas. Il y avait pas mal d'adresses

qui étaient trop vieilles, des lettres qui n'ont pas été distribuées, et que sais-je encore. Mais je me suis toujours posé des questions sur ces soixante-quinze types qui ont pris soin de remplir le questionnaire, de mettre une croix dans la case où il était indiqué qu'ils se retiraient, et qui m'ont renvoyé la lettre.

— C'est bizarre.

— C'est plus que bizarre. Moi, je ne vois qu'une explication : Big Sugar avait mis ces gars dans sa poche. Si j'avais eu assez de sous, ou un trésor de guerre, j'aurais attaqué chacun de ces types. J'étais persuadé qu'ils s'étaient retirés du recours collectif parce qu'ils savaient comment faisait Big Sugar pour escroquer les ouvriers, et ils étaient payés pour ne rien dire. Ou bien autre chose... Peut-être qu'ils ont vu qu'on balançait des produits chimiques dans les Everglades et qu'on les a achetés pour qu'ils ferment les yeux. Ou alors ils ont été témoins de graves manquements à la sécurité et à la santé au travail, et on leur a donné du fric. Ou alors... Il suffit de faire travailler son imagination. Ça pourrait être n'importe quoi.

— Oui, n'importe quoi.

Je ne savais toujours pas si j'étais sur une piste, si Tyla m'avait vraiment appelé à propos d'activités criminelles qui, une fois dévoilées, pouvaient causer de graves ennuis à son cabinet et à son client. Mais je ne croyais pas un seul instant que Tyla avait inventé tout ceci rien que pour me recontacter ni qu'elle avait le même profil psychologique que la bonne femme qui emplafonnait une Porsche uniquement pour faire connaissance avec son conducteur.

— Où est-ce que je peux trouver la liste de tous ceux qui se sont retirés ?

Ed se leva, fit le tour de son bureau et se dirigea vers la pile de cartons qui se trouvait derrière moi, légèrement penchée sur la gauche, les cartons du bureau d'aide juridique version tour de Pise.

— Peut-être dans cette pile. Ou celle-ci, dit-il en en montrant une autre.

Il était clair qu'il n'en avait aucune idée.
— Tu peux chercher sur ton ordinateur ?
Ed éclata de rire.
— Mon ordinateur ? Elle est très bonne, celle-là !
J'acquiesçai, désabusé.
— Oui. Qu'est-ce qu'on rigole.

18

Je fis des courses en revenant de Belle Glade et les déposai chez J.T. Ce fut presque la fin du monde lorsqu'il s'aperçut que j'avais acheté des cannettes de Coca au lieu de bouteilles, mais j'avais un moyen imparable de faire diversion : je lui dis que nous allions rendre visite à Luther.

Nous arrivâmes à 3 heures de l'après-midi, autrement dit au beau milieu des « happy hours » de l'institut gériatrique de Sunny Gardens, ce qui signifiait qu'un tas de vieilles personnes étaient assises en demi-cercle dans leurs fauteuils roulants au milieu de la cour, en train de regarder l'animateur du vendredi après-midi. Mon beau-père avait squatté le meilleur endroit, en plein milieu, près de la fontaine. Il était entièrement captivé par le magicien.

— Ne quittez pas des yeux la dame de carreau ! déclara celui-ci.

— Elle est dans ta poche de gauche ! lui cria Luther.

Il avait déjà vu le spectacle. A peu près cent fois. Mais j'étais content de voir qu'il était aussi attentif. Ce n'était pas toujours le cas. La nuit était en général plus difficile que le jour. Le coucher de soleil était le pire moment de la journée ; le syndrome du coucher de soleil, comme ils disaient. Heureusement, nous étions arrivés avant le dîner. Il avait l'air content de me voir.

— Abe !

— Ton fils est là aussi, déclara J.T.

— Devon ?

— Non, Devon est mort, p'pa. Moi, c'est J.T.

Une vieille dame nous ordonna de nous taire. Un homme encore plus vieux assis près d'elle lui fit une grimace et cria :

— Ferme-la toi-même, la vieille. Ce qui se passe à Vegas reste à Vegas.

Je n'avais aucune idée de ce que le pauvre homme voulait dire. Je poussai Luther dans son fauteuil roulant jusqu'à l'autre bout de la cour, là où nous pourrions parler.

— Vous avez l'air en pleine forme.

— Tu ne sais pas de quoi tu parles.

En vérité, j'avais du mal à le reconnaître. Il avait perdu dix kilos en un an, et ça se voyait sur son visage. Le coiffeur lui avait rasé le crâne pour éviter qu'il ne s'arrache les cheveux lorsqu'il avait des crises, mais cela lui donnait un air encore plus squelettique.

— Et comment va votre petite copine ? lui demandai-je.

— Oh ! c'est de l'histoire ancienne. J'en ai repéré une toute jeune de Carrol City. Elle est arrivée jeudi dernier.

— Eh bien, bonne chance !

— Et toi ? Comment tu vas ? Toi aussi, t'as une petite amie ? Tu sais, Samantha aurait voulu que tu te trouves quelqu'un.

Je lui avais dit à plusieurs reprises que je m'étais remarié. Soit il ne s'en souvenait pas, soit il n'avait jamais compris.

— La vie est belle, répondis-je, comme si de rien n'était.

— Bien. C'est très bien. La vie *est* belle.

— Abe a travaillé dans les champs de canne à sucre, annonça J.T.

Je lui fis signe que j'aurais préféré qu'il ne parle pas de ça. Luther eut soudain l'air inquiet.

— Oh, non, Abe. Ne fais pas ça. Ils vont te faire payer pour la couverture, ils vont te faire payer pour la machette, ils vont te faire payer pour l'eau que tu vas boire, pour le pot où tu vas pisser. Tu ne gagneras jamais un centime à couper des…

— Non, Luther, ce n'est pas ça. Je ne coupe pas de canne à sucre.

— Il essaie d'attraper un tueur en série, ajouta J.T.

Luther ouvrit grands les yeux.
— Un tueur ?
— Y a quelqu'un qui a tué sa petite amie.
— J.T., ça suffit.
— Une petite amie ? demanda Luther. Tu as une petite amie ?
— Non, il n'en a plus, répondit J.T. Quelqu'un l'a frappée avec une machette.
— Oh, mon Dieu, dit Luther.
— J.T., arrête ça.
— Ils pensent que c'est Abe qui l'a tuée.
J'attrapai J.T. par le poignet et demandai à Luther de nous excuser pour un instant. Luther n'entendait pas très bien, surtout de l'oreille droite, donc je n'eus pas à entraîner J.T. très loin pour lui mettre les points sur les *i*.
— Mais, nom de Dieu, J.T., qu'est-ce que tu fais ?
— Tu crois que j'entendais rien quand tu parlais avec l'agent du FBI et le flic la nuit dernière ? J'étais dans ma chambre, complètement réveillé. Dans cet appartement, c'est comme si les murs étaient en papier. J'entends tout.
— L'agent Santos n'a jamais dit que Tyla était ma petite amie, et, bon Dieu, elle n'a jamais dit non plus qu'elle pensait que je l'avais tuée.
— Non, c'est vrai. Mais je l'ai entendu au son de sa voix.
— Tu ne sais pas de quoi tu parles, J.T. Alors maintenant tu arrêtes. Tu n'étais même pas dans la pièce, et tu n'as certainement rien entendu de tel dans la voix de Santos.
— Bien sûr que si. J'entends très bien les voix. Tu t'en souviens ? J'ai entendu quand tu as dit au juge que j'étais bipolaire.
Je comprenais enfin. Il était toujours furieux de ce qui s'était passé durant l'audience au tribunal.
— J.T., ce n'est pas parce que tu es bipolaire que tu délires et que tu entends des voix. Ce n'est rien qu'un stéréotype.
— C'est pas parce que tu penses que je suis bipolaire que je suis forcément bipolaire.

— C'est ce que dit ton médecin.

— Mon médecin a tort, et c'était une raison de plus pour ne pas dire à la juge que j'étais bipolaire.

— Pour la dernière fois, J.T., je n'ai jamais dit à la juge que tu étais bipolaire.

— Est-ce que ça te plairait, à toi, qu'on t'accuse de pareilles conneries ? Hein ? C'est pas très cool, ça, tu crois pas ?

— Je ne t'ai jamais accusé de quoi que ce soit, J.T.

— Tu aurais dû dire la vérité à la juge. Tu aurais dû lui dire que je souffrais de syndrome post-traumatique.

— J.T., tu n'as pas de syndrome post-traumatique.

— Toutes ces années que j'ai passées à couper des cannes, ça m'a donné un syndrome post-traumatique.

— Ce n'est pas drôle, J.T. Et pas très cool non plus de raconter que tu es un coupeur de canne à sucre alors que mon bureau est en train d'enquêter sur un tueur en série.

— Et comment tu sais que je raconte des blagues ? Peut-être que je suis tout simplement en train de délirer.

— Je n'ai jamais dit que tu délirais.

— Eh bien, c'est ça. J'ai le syndrome post-traumatique de coupeur de canne à sucre.

— Tu n'as jamais travaillé dans les plantations. C'est ton père qui a coupé des cannes.

Il se tut, et j'espérai qu'il commençait à se lasser de ce jeu stupide, comme c'était souvent le cas lorsque je gardais mon calme. Mais soudain son regard se fit plus dur, et il se tourna vers Luther.

— Cet abruti de fils de pute n'est pas mon père.

— Ne dis jamais ça. C'est ton père et il t'aime.

— Si c'est lui mon père, comment ça se fait que ma moelle épinière n'était pas compatible avec celle de Samantha ?

Cela faisait plus de cent fois qu'on avait eu la même conversation. La chimiothérapie à forte dose et les rayons avaient été censés détruire les cellules cancéreuses de Samantha, mais ils avaient également endommagé sa moelle épinière, là où se fabriquaient les cellules sanguines. J.T. avait été notre dernier espoir.

— C'est ce qu'ont dit les médecins : on a plus de chances entre frère et sœur, mais ce n'est pas du cent pour cent.

— Si j'avais pu donner ma moelle épinière à Samantha, elle ne serait pas morte.

— Ce n'était pas ta faute : ça ne correspondait pas.

— Si on avait fait un autre test, ça aurait marché.

— On a fait tous les tests possibles, et même plus.

— Peut-être qu'ils se sont trompés. S'ils avaient fait un autre test, ils auraient vu qu'ils avaient fait une erreur. Tu n'as jamais pensé à ça ?

— Ils n'ont pas fait d'erreur.

— Tu vas pas me dire que les médecins ne se trompent jamais, rétorqua-t-il sèchement.

— Parle moins fort, s'il te plaît. Je n'ai pas dit que les médecins ne se trompaient jamais.

— Alors comment tu sais que mon médecin ne s'est pas trompé quand il a dit que j'étais bipolaire ?

Je sentais que j'étais en train de perdre le contrôle.

— Ecoute, J.T., toute cette conversation, c'est n'importe quoi.

— Retire ce que tu viens de dire, Abe. C'est pas parce que j'étais un coupeur de cannes que je suis complètement stupide.

— J.T., tu n'as jamais été coupeur de cannes.

— Tu es en train de dire que je suis complètement idiot ?

— Non, ce que je voulais dire…

Je laissai tomber. Je n'arrivais pas à croire que j'entrais dans son jeu, comme si cette conversation avait un sens. Mais, d'un autre côté, la seule manière d'être sûr d'éviter que les choses tournent mal, c'était d'abonder dans son sens, sans quoi J.T. se mettrait à sauter, ou bien il ne cesserait de marcher en rond pendant toute la nuit.

— J.T., la dernière fois qu'un Américain a coupé des cannes, c'était en 1941. Tu es un Afro-Américain, pas un Jamaïcain, et tu n'as jamais coupé de cannes.

Luther se pencha en avant dans son fauteuil roulant et se mit à crier.

— T'as fini de dire des conneries, fils de pute ?

Visiblement, le vieil homme entendait mieux qu'il ne le prétendait. Ou peut-être avions-nous parlé plus fort que je ne le pensais. J'échangeai un regard avec J.T. dans une dernière tentative pour le calmer.

— Respire profondément, J.T.

— Je t'en veux toujours, Abe.

— Je sais. Respire à fond, tu veux ?

Mon portable se mit à sonner. Je dis à J.T. de rester calme et m'éloignai de quelques pas pour répondre. C'était Ed. Il était toujours au bureau d'aide juridique.

— Tu ne rentres jamais chez toi ? lui demandai-je.

— C'est ici, chez moi.

J'avais oublié.

— Quoi de neuf ?

— J'ai fouillé dans les cartons.

— Ed, je t'en prie. Tu n'étais pas obligé de faire ça !

On avait décidé que je viendrais le week-end suivant et que je le ferais moi-même.

— Ce n'est pas un problème. S'il y a une chance pour qu'on puisse découvrir un crime commis par Big Sugar, je suis avec toi à cent pour cent. A part ça, j'ai le nom de ton coupeur de cannes.

— D'accord, mais, si tu me dis qu'il s'appelle J.T. et que tu entends une détonation à l'autre bout du fil, c'est juste que je viens de me faire sauter la cervelle.

— Hein ?

— Laisse tomber. Vas-y, dis-moi.

— Vernon Gallagher. Kingston, Jamaïque. Il a travaillé pour Cortinas de 1981 à 1986.

— Pourquoi lui ?

— J'ai vérifié les fiches de paye. Cortinas gardait des fiches journalières parce que les ouvriers étaient payés au nombre de rangées qu'ils coupaient. Il y a des types qui mettaient deux jours à couper une seule rangée. Gallagher pouvait couper deux rangées en une seule journée. Pendant six ans, il a coupé plus de cannes que n'importe qui dans les champs. Un champion, ce type, le Usain Bolt de la canne à sucre. Il se faisait plus de fric que n'importe qui.

— Et il a refusé de faire partie du recours collectif ? demandai-je, intrigué.

— Il s'est retiré. Tu t'en souviens ? Si un ouvrier ne faisait rien, ne remplissait pas le formulaire, il faisait automatiquement partie du recours collectif et pouvait avoir une part des dédommagements qu'on aurait pu obtenir. Mais Gallagher a pris le temps de lire le formulaire de désistement de huit pages écrit en petits caractères, de le signer, de mettre un timbre sur l'enveloppe et d'aller jusqu'au bureau de poste. Il voulait absolument rester à l'écart du procès contre la société Cortinas Sugar.

— C'est intéressant.

— Soit il était dans les petits papiers de la boîte, soit il en avait une peur bleue.

— Ça fait pas mal avancer les choses.

— Pour toi, peut-être, mais pas pour moi.

— Pourquoi pas toi ? lui demandai-je.

J'avais l'impression qu'il souriait à l'autre bout du téléphone.

— Tu ne connais pas l'histoire. Mais moi, je la connais. Figure-toi qu'il s'est passé une sacrée merde à Cortinas en 1986. Mais vraiment une sacrée merde.

19

D'après l'assignation à résidence, le carrosse de J.T. devait se transformer en citrouille à 18 heures précises, je me dépêchai donc de le ramener directement chez lui depuis la maison de retraite. Il était autorisé à rendre visite à Luther trois heures une fois par semaine, ce qui me laissait un peu de répit jusqu'au vendredi suivant. J'avais laissé des messages à Angelina toute la journée, et essayai encore une fois depuis ma voiture sur le parking de l'appartement de J.T. Cette fois-ci, j'eus plus de chance.

— Hé ! Comment ça va ? lui demandai-je, un peu surpris de ne pas être tombé sur sa messagerie.

— Super.

Super. De la façon dont elle venait de le dire, c'était comme si elle m'avait répondu par un autre mot, de cinq lettres lui aussi, mais un peu plus vulgaire.

— Je pensais qu'on pourrait peut-être se retrouver vers 19 heures et se faire un sushi.

— Je dîne avec ma mère.

Pas super.

— Ta mère est ici ?

— Je vais la chercher à l'aéroport dans une demi-heure. Ne t'inquiète pas, elle ne dort pas chez nous. Elle a insisté pour prendre une chambre d'hôtel.

— Je pourrais venir vous rejoindre au restaurant si…

— J'ai dit que je dînais avec ma mère. Juste elle et moi.

— D'accord. Tu lui diras bonjour de ma part. Peut-être que nous pourrons prendre un verre après, tous les deux ?

— Maman voudra probablement aller au cinéma ensuite.

C'était une excuse complètement bidon, je voyais mal sa mère aller au cinéma après un vol depuis New York et un dîner au restaurant !

— C'est une bonne idée. Vous allez voir quoi ?

— Franchement, Abe, je m'en fiche complètement. On se voit plus tard à la maison, d'accord ?

— D'accord.

Je ne voulais pas que notre conversation se termine comme ça, même si au bout de la ligne il n'y avait plus qu'un grand silence.

— Angelina ?

— Quoi ?

— Je suis désolé.

Un autre silence. Elle sembla hésiter un instant, puis elle raccrocha. Je posai mon téléphone sur le tableau de bord, démarrai et tournai la climatisation à fond ; j'avais vraiment besoin de respirer un peu d'air frais. Comme Angelina était restée sur sa messagerie toute la journée, je conclus que c'était un bon signe qu'elle ait enfin accepté me répondre et qu'elle ait l'intention de rentrer dormir chez nous. Mais je me doutais que j'aurais probablement droit à une séquence de *L'Age de glace*, ce qui n'aurait aucun rapport avec le film qu'elle aurait vu avec sa mère, mais plutôt avec la température qui régnait au sein de notre couple. J'avais donc ma soirée libre, ce qui me laissait face à un immense dilemme.

C'était ce vendredi soir qu'avait lieu la cérémonie à la mémoire de Tyla. Au départ, mon intention avait été de rester à l'écart de toute commémoration officielle. J'ai rendu les derniers devoirs à des dizaines de victimes d'homicide durant des années sans jamais manquer une seule cérémonie lorsque, en ma qualité de procureur, c'était moi qui étais chargé de l'affaire. Mais, là, j'avais été officiellement dessaisi. En revanche, à cause de la couverture médiatique dont les meurtres de Cutter faisaient l'objet, Carmen avait décidé de se rendre en personne aux obsèques de

Tyla, mais il est vrai que la charge de procureur général de Miami-Dade est une fonction élective. J'avais tout de même été surpris lorsque, plus tôt dans la journée, elle m'avait convoqué dans son bureau pour me demander de l'accompagner. Elle était persuadée que c'était vraiment dans mon intérêt.

— Il y a des rumeurs, Abe. Même si j'ai clairement expliqué que je vous retirais l'affaire parce qu'il y a plus de dix ans vous avez eu des relations personnelles avec la victime, les gens continuent de parler. Si vous assistez au service religieux avec moi ce soir, cela confirmera toutes nos déclarations officielles selon lesquelles, récemment, il ne s'est rien passé entre vous et Tyla.

— Je suis désolé, Carmen, mais je n'irai pas.

J'avais pris cette décision pour des motifs personnels aussi bien que professionnels, mais j'y avais réfléchi toute la journée et je commençais à avoir des doutes. Ce n'était pas seulement à cause de ce que Carmen m'avait dit, mais pour une autre raison, beaucoup plus impérieuse, presque obsédante. Je connaissais bien Carmen, et je compris enfin pourquoi elle voulait que je l'accompagne.

Je me regardai un instant dans mon rétroviseur, comme pour me donner du courage, puis j'appelai Carmen et lui dis que, finalement, je la retrouverais au funérarium.

— Vous avez raison de venir. Et on n'est pas obligé de rester des heures.

— C'est vrai. Ce ne sera pas long.

Elle raccrocha. J'étais sûr que Carmen avait très bien compris ce que signifiait « ce ne sera pas long ».

Il fallait que je voie Brian Belter, d'homme à homme, face à face. Je ne voulais pas laisser passer l'occasion de le rencontrer à un moment et à un endroit où je pourrais savoir quel genre d'homme il était.

Il fallait que je le fasse : pour moi.

20

Le service funéraire était prévu à 19 heures au funérarium de Seaver, près de Miami Avenue. J'arrivai sur le parking vers 18 h 30, un peu après le coucher du soleil. Je coupai le moteur. Il n'y avait rien qui pressait mais, si je voulais vraiment aller jusqu'au bout, il valait mieux que je ne reste pas là, planté derrière mon volant, pétrifié au point de ne même pas pouvoir ouvrir la portière de ma voiture. Il est vrai que j'avais pas mal de conflits à gérer. Angelina et Tyla étaient bien sûr au centre de mes inquiétudes, mais il y avait encore autre chose : les obsèques de Samantha avaient eu lieu au funérarium de Seaver.

Allez, maintenant, il faut y aller.

Tyla connaissait beaucoup de monde. Elle avait fait partie d'un immense cabinet juridique comptant plus de trois cents avocats rien qu'à Miami, à cela s'ajoutaient les cadres administratifs, le personnel, les époux, les épouses. La plupart assistaient au service funéraire de ce vendredi soir. Une autre cérémonie plus intime était prévue pour la famille et les amis proches le samedi matin à l'église baptiste Mission Hill à Coconut Grove. Le port de la cravate était de rigueur et, heureusement, celle que j'avais mise dans la matinée au tribunal était restée sur le siège arrière de la voiture avec ma veste. J'aurais bien eu besoin d'un rasage de près, mais tout ce que je pouvais faire, c'était me passer un coup de peigne. Je respirai un grand coup, attrapai mes clés et sortis de la voiture.

Tu dois le faire.

Le parking s'était rapidement rempli. Les gens arrivaient d'un peu partout et stationnaient où ils pouvaient, plus loin dans la rue ou bien sur le second parking, de l'autre côté du funérarium. Certains invités semblaient être sous le choc, incapables de dire un seul mot. Une femme sanglotait en se tamponnant les yeux avec son mouchoir. Un peu plus loin, le long du bâtiment, j'aperçus un corbillard noir garé sous une porte cochère. J'avais beaucoup de mal à accepter que Tyla allait être enterrée, et le pire, c'est que je savais qu'il lui faudrait attendre encore un long moment avant qu'elle ne puisse reposer en paix. Sa famille n'avait pas voulu retarder davantage le service funéraire, mais la mise en terre n'aurait lieu que plus tard, lorsque la police aurait confirmé de manière officielle qu'il n'y avait plus aucun espoir de retrouver le reste du corps. Les recherches se poursuivaient dans les Everglades et il semblait que tout le monde, sauf la famille proche de Tyla, avait fini par accepter qu'on ne retrouverait jamais sa tête.

— Abe, attendez-moi.

C'était Carmen. J'attendis qu'elle me rattrape pour entrer avec elle dans la salle.

— Ça va ? me demanda-t-elle.

Carmen savait que les obsèques de Samantha avaient eu lieu à Seaver.

— Mieux que je ne le pensais.

Il y avait un petit groupe de personnes rassemblées à l'entrée, devant le registre des condoléances. Je laissai Carmen signer la première et, dans un sens, je me sentis un peu moins mal à l'aise en voyant ma signature juste au-dessous de la sienne, cela donnait à ma présence un caractère officiel, ou tout du moins logique.

Dans la salle, on entendait des conversations à voix basse. Des bouquets de roses blanches et des chrysanthèmes étaient posés sur les tables. Une atmosphère feutrée, très conventionnelle, même, si ce n'était les photos de Tyla accrochées aux murs. Celles qui avaient été prises pendant son enfance étaient sur le côté droit. A gauche, sur la première image, on voyait Tyla, la championne de course au corps d'athlète, s'envolant vers la ligne d'arrivée des huit cents mètres. Ensuite Tyla vêtue d'une toge pourpre le jour de la remise de son diplôme à Harvard. Et d'autres photos encore, prises à chaque étape de sa vie.

— Vous êtes sûr que vous allez bien ? me demanda Carmen dans un souffle.

— J'en suis sûr.

A peine avais-je parlé que tout bascula, comme dans un mauvais rêve. Peut-être à cause des photos ou pour une autre raison, tout ce que Carmen m'avait dit dans son bureau me revint à l'esprit : Tyla était « le symptôme de la souffrance d'un homme à la dérive ». « Je ne suis pas aveugle, Abe. Tyla est une belle femme. Et elle ressemble comme deux gouttes d'eau à Samantha. »

Je ressentis comme un énorme poids dans l'estomac.

— Je vous remercie d'être venus, murmura un jeune homme derrière nous.

Je me tournai vers lui, mais c'était à Carmen qu'il s'adressait. Il se présenta : il était le frère de Tyla.

— Cela nous touche énormément que la procureure générale ait pris sur son temps pour venir.

Carmen lui fit part de ses condoléances et me présenta. Je lui serrai la main, me gardant de lui dire depuis combien de temps je connaissais Tyla.

— Tout ça est si difficile. On aurait voulu éviter d'avoir deux cérémonies, mais les témoignages de sympathie des collègues de Tyla étaient si nombreux. BB & L ont été si bons pour elle.

— Nous savons qu'ils l'appréciaient énormément.

C'est vrai, confirma-t-il en regardant la photo de Tyla le jour de la remise de son diplôme. J'ai eu une longue discussion avec elle, à Thanksgiving. Elle m'a annoncé qu'elle ne traitait plus les dossiers de la société Cortinas, comme le font la plupart de ses collègues à BB & L, mais qu'elle avait eu une promotion. Elle s'occupait désormais des affaires personnelles de la famille Cortinas, et c'était un peu comme si elle avait été invitée dans le « Saint des Saints ». Elle en était si fière. Vous savez, je travaille à Washington et la seule fois où j'ai vu quelqu'un aussi heureux d'une promotion, c'est lorsqu'un de mes amis journalistes a obtenu un laissez-passer pour la Maison-Blanche.

Il eut un petit sourire triste et je lui souris à mon tour, tout en notant que j'entendais dire pour la première fois que Tyla était entrée dans le « Saint des Saints » de la famille Cortinas. Cela donnait un éclairage nouveau au message qu'elle avait laissé sur mon répondeur.

— Je vous en prie, prenez place, nous allons bientôt commencer.

Il s'éloigna et je suivis Carmen dans l'allée latérale. Il y avait d'autres photos sur les murs, séparées les unes des autres par d'énormes compositions florales. En nous dirigeant vers nos sièges, nous passâmes devant une magnifique gerbe de roses. C'était de loin le plus gros bouquet de la salle et je regardai la carte qui l'accompagnait.

« Avec nos plus sincères condoléances. Famille Cortinas ».

Cela semblait confirmer ce que le frère de Tyla venait de nous dire.

Nous trouvâmes des sièges vides près de l'allée et je pris le programme posé sur la chaise. Il y avait une autre photo de Tyla sur la couverture, puis la liste des intervenants. Brian Belter serait le premier à parler. J'étais sur le point de le faire remarquer à Carmen, mais Maggie Green, en fin stratège, était parvenue à s'asseoir près d'elle et accaparait déjà son attention. Je ne connaissais pas très bien Maggie Green, mais l'agent Santos m'avait dit qu'elle avait participé à l'entretien qu'elle avait eu avec Rid au siège de BB & L.

Green ne lâchait pas Carmen.

— Il faut que je vous parle des perquisitions dans l'ordinateur au bureau de Tyla et dans ses mails. Je viens de recevoir ce jour même une assignation des fédéraux. Je sais que ce n'est vraiment pas le moment opportun pour en parler, mais j'aimerais étudier tout ça avec vous et avec l'avocat général.

— Maggie, vous avez mille fois raison, répondit Carmen, ce n'est vraiment pas le moment opportun. Mais je suis prête à en discuter avec vous, plus tard.

Un jeune avocat s'approcha, aussi obséquieux qu'on pouvait l'être, probablement un tout nouvel employé qui n'avait pas plus de deux ans d'ancienneté et dont le statut chez BB & L était à peine supérieur à celui d'un garçon de courses.

— Désolé de vous interrompre, madame Green.

— Qu'est-ce qu'il y a ? rétorqua Green, visiblement agacée.

— Il semble que vous allez devoir prendre la parole.

— Quoi ?

— M. Belter a eu un empêchement ce soir.

Carmen me jeta un regard. Ce soudain revirement la surprenait, mais elle n'en laissa rien paraître.

— Oh non, dit-elle. Brian serait-il souffrant ?

Le jeune avocat se fit rassurant.

— Il a dû s'absenter. Un imprévu.

— Je comprends. Ce sont des choses qui arrivent.

Green serra la main de Carmen et la remercia.

— On reste en contact.

— Appelez-moi quand vous voulez, répondit Carmen.

Elle attendit que Green et le jeune avocat disparaissent.

— Il a dû s'absenter, mon cul, oui, murmura-t-elle entre ses dents. Un vrai trouillard.

— Difficile de faire pire.

— Je suis quand même contente qu'on soit venus.

Je repensai à ce que le frère de Tyla nous avait dit et j'aurais aimé savoir ce que sa sœur avait découvert dans le « Saint des Saints ». Je me demandais aussi ce que le « Usain Bolt de la canne à sucre » pourrait bien me révéler lorsque je l'aurais retrouvé en suivant la piste d'Ed Brumbel.

— Moi aussi, je suis content d'être venu.

21

L'agent Santos participait elle aussi au service funéraire, mais personne n'en saurait jamais rien. Et c'était exactement ce qu'elle voulait.

Son déguisement n'était pas particulièrement extraordinaire, et n'avait rien à voir avec ce que tout agent aurait normalement utilisé pour une opération d'infiltration. Mais une perruque blonde, un chapeau de deuil et une attitude discrète lui suffisaient largement pour passer inaperçue. Même Abe Beckham était passé juste à côté d'elle sans la reconnaître. Flâner ainsi dans la salle sans que l'on sache qu'elle faisait partie du FBI était un excellent moyen de surprendre des propos que personne n'aurait osé tenir en présence d'un représentant de la loi. Un commentaire sans complaisance sur Tyla ou sur une personne qu'elle aurait connue pouvait aider à attraper le tueur. Ou alors quelqu'un qui exprimerait des soupçons sur un des anciens petits amis de Tyla. Ou bien encore un membre de la famille qui parlerait d'un cousin qui se serait montré un petit peu trop pressant.

Victoria estima qu'il n'y avait pas loin de sept cents invités. Il fallait s'y attendre après la mort tragique d'une femme si jeune et si pleine d'avenir, l'associée d'un cabinet de première importance, assassinée sans raison. Victoria scrutait tous les participants. La plupart venaient de chez BB & L ou d'autres grands cabinets d'avocats. Beaucoup semblaient tristes ou même accablés de douleur. Certains étaient venus par pure obligation professionnelle, signaient le registre, exprimaient de rapides condoléances à la famille et quittaient les lieux avant même d'entendre le premier éloge funéraire. D'autres n'avaient de toute évidence rien à voir avec les activités professionnelles de Tyla. Des personnes âgées tentaient de consoler les parents de Tyla et s'asseyaient de temps en temps dans les fauteuils pour soulager leurs pieds enflés. Quelques-uns étaient venus pour les frères de Tyla. Il y avait ceux qui ne connaissaient aucun des invités et ne parlaient à personne. Peut-être d'anciens camarades de lycée ou du quartier où Tyla avait grandi, qui l'avaient perdue de vue depuis longtemps mais qui, malgré tout, pleuraient sa disparition.

Victoria ne s'intéressait à aucun de ceux-là. Celui qu'elle cherchait, c'était le loup solitaire au milieu de la foule. Après toutes ses années d'expérience à Quantico et sur le terrain, elle savait que, lorsqu'il s'agit de tueurs en série, les stéréotypes sont souvent avérés. Leur excitation atteint son paroxysme lorsqu'ils peuvent retourner sur les lieux du crime, participer à la chasse au tueur, ou même assister aux funérailles et se rendre sur la tombe de la victime. Les services funéraires des autres femmes avaient eu lieu dans la stricte intimité, il aurait été bien trop risqué pour un étranger de s'y aventurer. Si cela faisait vraiment partie de son profil psychologique, c'est ici même que Cutter déciderait de venir.

Victoria s'éloigna de la foule, trouva un endroit au calme derrière un arrangement de chrysanthèmes et de marguerites blanches et contacta les policiers qui surveillaient les parkings. Elle n'avait pas de micro car, dans ce genre de situation, il était plus discret de communiquer par texto.

— Toujours rien ?

Une réponse lui arriva en moins d'une minute : « Homme en costume bleu bon marché et qui porte des Converse All Stars. Semble suspect. »

Victoria avait déjà vérifié. C'était un type un peu excentrique, le responsable du département des litiges commerciaux chez BB & L, un des meilleurs avocats des

Etats-Unis, connu pour se présenter au tribunal vêtu d'un costume fripé et chaussé de baskets. C'était sa façon à lui de se mettre un jury dans la poche.

— Connais. Laissez tomber, répondit-elle.

La famille proche prit place au premier rang. La plupart des participants avaient trouvé des sièges, les retardataires se mettaient là où ils pouvaient. Il n'y avait plus de places assises. Toujours à la recherche du tueur, Victoria traversa une dernière fois la salle, comme si elle voulait trouver une chaise près de quelqu'un qu'elle connaissait. Puis elle retourna sur ses pas sans avoir décelé aucun individu suspect. Elle sortit dans le hall pour vérifier ses messages. Rien. Les portes de la salle s'étaient refermées. Soudain, la voix solennelle du pasteur résonna dans un haut-parleur.

— Le Seigneur soit avec vous.

Bien que seule dans le hall, Victoria pria en même temps que les autres participants, mais elle sortit avant le premier éloge funéraire. La température avait baissé avec le coucher du soleil, l'air était frais et agréable. Le secteur autour du funérarium était plutôt résidentiel, les rares commerces qui s'y trouvaient étaient construits au milieu de larges parcelles autrefois occupées par des maisons de famille. La nuit était sans lune, le quartier se fondait dans une sombre forêt suburbaine, sous l'épais feuillage des chênes centenaires et des flamboyants. Des dizaines de voitures étaient garées le long des trottoirs et les policiers bloquaient le trafic à chaque extrémité de la rue. Tout était calme. Affreusement calme.

Victoria sortit sur le perron, scrutant l'obscurité. Un jeune couple en retard arriva en courant. Victoria leur ouvrit la porte et les laissa passer. Elle ne remarqua rien d'autre dehors qu'une voiture de service en train de patrouiller dans le parking principal. Le bruit du vent dans les feuilles. Le chant des criquets au loin. Et une toute petite lueur orange sur le second parking, de l'autre côté de la rue.

C'est quoi, ça ?

Elle plissa les yeux. La lueur orange était toujours là,

mais elle avait très légèrement bougé. Quelqu'un là-bas était en train de fumer.

Geffrey Dahlmer avait été un très gros fumeur, ainsi que beaucoup des tueurs en série dont elle avait étudié les dossiers et qu'elle avait quelquefois profilés.

Victoria commença à écrire un texto pour demander à l'un des policiers d'aller voir, mais la lueur orange disparut avant que le message ne puisse être envoyé.

— Et merde !

Elle descendit les marches quatre à quatre et courut vers le policier qui se trouvait sur le parking. Elle n'avait pas du tout envie de troubler le service funéraire de Tyla, mais elle se fiait à son instinct. Il y avait plusieurs voitures de police dans les environs pour gérer le trafic, et elle n'avait entendu aucun moteur démarrer après que la cigarette s'était éteinte. Elle se saisit de la radio du policier et envoya un message d'alerte aussi clair que possible.

— Interceptez un individu circulant à pied qui vient de quitter le second parking. Aucune identification jusqu'à présent. C'est un fumeur, il peut donc sentir la cigarette, ou en avoir un paquet sur lui.

— Un fumeur ? s'étonna le flic qui se tenait près d'elle. C'est tout ce que vous avez ?

— Et on n'aura jamais rien d'autre si vous restez planté là. Allez, remuez-vous.

Victoria garda la radio, sortit son arme et courut vers le parking. Le policier fit un mouvement sur la gauche, vers l'autre entrée. Un véhicule de patrouille arriva, tous gyrophares allumés. Deux hommes en uniforme sortirent de la voiture. L'un d'eux alluma un projecteur et balaya la zone, tandis que l'autre, son arme de service à la main, inspectait les rangées de voitures. Rien ni personne ne bougeait dans le parking.

Un des policiers revint vers Victoria.

— Qu'est-ce que vous avez vu exactement ?

— Quelqu'un qui fumait une cigarette. Il était là et il regardait.

L'officier avait suffisamment d'expérience pour comprendre ce que pouvait signifier la présence d'un homme dans la nuit, en train d'épier les obsèques d'une femme depuis l'autre côté d'une rue. Il sortit sa radio et répéta le message de Victoria.

Victoria reprit sa respiration. Elle appréciait les efforts du policier à suivre la piste, mais elle savait que le temps jouait contre eux. La lumière orange avait disparu. Le fumeur aussi. Il n'y avait plus grand-chose à faire. A moins que le type soit assez bête pour se faire prendre en train de courir, une cigarette à la main, il était clair que le bouclage du quartier ne donnerait plus rien.

— Regardez ça, s'exclama un autre policier.

Il était à genoux et braquait sa torche électrique sur un carré de goudron. Victoria s'accroupit. Les cendres d'une cigarette. On n'y trouverait probablement aucune trace ADN de salive ou autre, mais qui sait…

— Recherchez des mégots de cigarettes, partout sur le parking.

Elle se releva et observa le funérarium de l'autre côté de la rue.

— Il commet une erreur. Une seule. Et on se le chope, ce mec.

22

Brian Belter contemplait le paysage par le hublot de l'hélicoptère. Au-dessous, les eaux noires de l'Atlantique ; à l'ouest, la côte scintillante de la Floride du Sud, une ligne continue de lumières depuis Miami jusqu'à Palm Beach.

Il était assis à sa place habituelle, dans un fauteuil en cuir de l'Eurocopter EC225 Super Puma. C'était le plus rapide des trois hélicoptères qu'utilisaient les avocats de Cortinas Sugar, suffisamment grand pour transporter toute une équipe de conseillers à deux cent cinquante kilomètres-heure au-dessus des embouteillages de la Floride. Ce soir-là, il n'y avait que deux passagers : Belter et un de ses associés de toute confiance, les deux seuls avocats de BB & L qui ne participaient pas au service funéraire de Tyla. Mais Belter avait vraiment eu l'intention de prononcer le premier éloge. Il avait travaillé sur son texte pendant des heures, choisi les mots avec soin, réfléchi à l'intonation la plus juste, à la dose exacte d'émotion qu'il fallait glisser. Et, bien évidemment, il avait donné la primeur de son discours à Alberto Cortinas.

— C'est bien, avait déclaré celui-ci. Vous le ferez lire par quelqu'un d'autre.

— Pourquoi ?

— J'ai besoin de vous en République dominicaine ce soir. Vous prendrez l'hélicoptère jusqu'à Palm Beach. Le jet part pour La Romana à 19 heures.

Et le problème avait été résolu. Brian Belter ne participerait pas à la cérémonie en l'honneur de Tyla Tomkins, ce qui n'était pas vraiment un problème en soi. Pendant toutes les années précédentes, Belter avait manqué d'innombrables enterrements et mariages. Il avait raté la réception que sa femme avait organisée en son honneur pour son quarantième anniversaire, il n'avait pu être présent à la naissance d'aucun de ses deux enfants, ni pour ses adieux à sa mère sur son lit de mort, ni à l'enterrement de celle-ci.

Et chaque fois pour la même raison.

Alberto Cortinas avait eu besoin de lui.

L'appareil atterrit en douceur sur l'héliport de l'aéroport international de Palm Beach. L'associé de Belter lui tendit son téléphone. Le pilote baissait le régime des moteurs, le bruit allait decrescendo et on n'avait plus besoin de casques pour pouvoir s'entendre parler.

— Un appel de M. Cortinas.

Belter prit le téléphone et, rien qu'à la voix, il comprit immédiatement que « M. Cortinas » n'était pas content.

— Je viens de recevoir un e-mail de Maggie Green. C'est quoi, cette histoire d'assignation ?

Belter fit signe au jeune avocat de s'éloigner. L'homme se précipita hors de l'appareil aussi vite que s'il avait été assis sur un siège éjectable.

— L'assignation était inévitable.

— La mort aussi est inévitable. Et ça ne la rend pas plus agréable pour autant. Est-ce que le gouvernement a le droit de débarquer dans vos bureaux et d'examiner les mails de Tyla et ses dossiers professionnels ?

— Tyla a été victime d'un meurtre. C'est le FBI qui coordonne l'enquête. Ils suivent simplement chaque piste.

— Tout ça, c'est des conneries. Le FBI nous sort une assignation avant même que la procureure générale ne soit au courant, et je sais très bien pourquoi. C'est le ciel de traîne de l'administration Clinton. La même chose que lorsque cet avocat général de Miami a poursuivi l'Etat de Floride parce qu'il n'appliquait pas contre nous les réglementations environnementales. N'oubliez jamais ceci, Belter : l'histoire se répète ! Les fédéraux meurent d'envie de se payer les industries sucrières depuis 1941, quand ils ont été déboutés par les tribunaux dans cette affaire de prétendu esclavage. Ils utilisent la mort de Tyla comme une excuse, ils vont essayer de ressortir tout ce qu'ils pourront trouver. Et il y en a suffisamment dans les dossiers de Tyla pour les occuper pendant un bon moment. Vous voyez de quoi je parle, non ?

Belter voyait exactement ce dont il parlait.

— On va se débrouiller pour qu'ils ne puissent rien faire.

— Comment ?

— Maggie s'en occupe. Notre position est claire : tout ceci relève du secret professionnel. Le gouvernement ne pourra rien saisir.

— C'est complètement nul, rétorqua Cortinas d'un ton méprisant. Il ne suffit pas de dire qu'ils ne pourront rien saisir. Avant même de se battre contre eux, on doit savoir ce qu'il y a dans ces dossiers. Je ne veux pas d'autres surprises comme celle de votre numéro sur le téléphone prépayé de Tyla.

Belter en avait froid dans le dos rien que d'en entendre parler.

— J'ai compris.

— J'envoie deux de mes spécialistes high-tech fouiller dans l'ordinateur de Tyla.

— Quand ?

— Cette nuit.

Belter jeta un coup d'œil dehors, vers le jet privé qui l'attendait.

— L'hélicoptère vient juste d'atterrir. J'étais sur le point de prendre l'avion pour La Romana.

— Je sais. Il se trouve que, par malheur, vous avez été obligé de vous absenter pour affaires et vous êtes donc dans l'incapacité de surveiller cette opération. Ce serait vraiment dommage si quelques-uns des dossiers ou des mails de Tyla étaient effacés ou détruits par inadvertance, mais je suis sûr que mes spécialistes vont essayer de faire de leur mieux.

Le pilote avait coupé les moteurs de l'hélicoptère, on n'entendait plus le bruit des hélices. Belter se tortilla nerveusement dans son fauteuil, gardant le silence.

— Brian, vous avez entendu ce que j'ai dit ?

Belter s'éclaircit la gorge.

— Nous devons faire très attention, répondit-il d'un ton ferme. Selon la tournure que va prendre l'enquête, il se peut qu'un tribunal ordonne l'examen de notre système informatique afin de déterminer si des dossiers de Tyla ont été effacés après sa mort. N'importe quel technicien s'en rendrait tout de suite compte. Et on aurait beaucoup de mal à expliquer. Il ne faut pas oublier qu'un tribunal a remis une assignation à ma société. Nous pouvons encourir des sanctions pénales pour destruction de preuves.

— Je m'en fiche complètement.

— Vous ne devriez pas. On ne parle plus d'une amende et d'un coup de règle sur les doigts. Toute personne impliquée dans ce genre d'affaires risque une peine de prison.

— Compris. Mais justement je ne suis pas impliqué.

Belter ne répondit rien.

— N'est-ce pas, Brian ?

Belter gardait toujours le silence.

— Brian, je ne vous ai pas entendu.

— Oui, répondit-il d'une voix mal assurée.

— Oui quoi ?

— Oui, vous avez raison. Vous n'êtes pas impliqué.

— Je vais envoyer le chauffeur vous chercher lorsque vous arriverez à La Romana. On se voit tout à l'heure.

— C'est ça. A tout à l'heure.

23

Après le service funéraire, je dînai avec Carmen. Elle choisit le restaurant, un endroit chic au nord du centre-ville dans un quartier à la mode qui s'appelait — et ça ne s'invente pas — Sugarcane. Je n'avais rien avalé depuis le déjeuner et j'étais affamé, mais j'avais trop de choses en tête pour vraiment apprécier les plats façon tapas qu'on nous servait. En fait, je ne fis que boire tandis que Carmen dégustait une purée de pommes de terre croustillante aux cuisses de grenouille et à la *salsa verde*, qui n'avait d'égal sur le menu que le confit de canard sur canapé. Je grignotai mon *spare rib* au miel entre deux gorgées. Carmen me dit d'arrêter de boire après ma deuxième bouteille de bière de marque étrangère, bien plus alcoolisée que celles qu'on trouvait aux Etats-Unis. Il ne lui manquait plus que son premier substitut se fasse arrêter pour conduite en état d'ivresse !

Je rentrai à la maison avant 23 heures. Angelina n'était toujours pas là. J'étais fatigué et je serais bien allé me coucher, mais, auparavant, il me fallait vérifier si j'avais été rétabli ou non dans mes prérogatives à utiliser ma moitié de matelas de notre lit. Je pris une autre bière dans le réfrigérateur, m'écroulai devant la télévision et zappai pendant un moment. J'avais fini ma bouteille et m'étais assoupi lorsque la porte s'ouvrit. J'étais soulagé de voir qu'Angelina était seule. On avait suffisamment de problèmes comme ça sans que sa mère s'en mêle.

— Comment va ta mère ?

— Super, répondit-elle, toujours du même ton.

Elle posa ses clés sur un plateau, près de la porte, et passa derrière moi pour traverser le salon.

— On ne sera pas là demain, on va à un Spa, alors si tu as quelque chose à faire…

J'avais déjà prévu de me rendre à Belle Glade.

— Cool.

Elle s'arrêta net.

— Qu'est-ce que ça veut dire, « cool » ? C'est comme ça qu'on parle à sa femme ? Je ne suis pas un de tes copains ! Avec qui tu as passé la journée ? Avec J.T. ?

Il y a des jours où j'aurais juré qu'Angelina était équipée d'un micro ESP.

— Est-ce qu'on va encore parler de J.T., là ? Vraiment ?

Elle sembla tout d'abord surprise, puis elle prit l'air de quelqu'un qui savait tout depuis le début.

— C'est ça, hein ? Tu es allé chez J.T. !

— Je l'ai emmené rendre visite à Luther dans sa maison de retraite.

Elle jeta son sac à main sur la table du salon, se planta devant l'écran de télévision et me regarda droit dans les yeux.

— On ferait tout aussi bien de parler de ça maintenant. J'en ai discuté avec ma mère.

Oh non…

— Abe, ne lève pas les yeux au ciel.

— Mais je n'ai pas levé les yeux au ciel. Ou alors je ne l'ai pas fait exprès.

— Toute cette histoire avec J.T., il faut que ça s'arrête. J'en ai marre que tu t'occupes de lui. J'en ai marre que tu retournes là où tu habitais avant, marre que tu t'occupes de Luther, marre de toute cette stupide histoire de famille élargie.

— Je ne peux pas tout simplement les abandonner.

— Et pourquoi pas ?

— Parce que J.T. va retourner vivre sous les ponts !

— Ce n'est pas notre problème, Abe.

— C'est mon beau-frère.

— Il me fait peur, tu comprends ?

— Tu n'as pas à avoir peur.

— Abe, il m'a embrassée sur la bouche le jour de Thanksgiving dans notre propre maison.

— On en a déjà parlé, Angelina. J.T. ne t'a pas embrassée sur la bouche. J'ai tout vu. Il voulait t'embrasser sur la joue et, juste à ce moment-là, tu as tourné la tête.

— Ça ne s'est pas passé comme ça.

— Ça s'est passé exactement comme ça.

— Abe, c'est le genre de choses dont on ne discute pas en famille, on ne dit rien, on fait comme si tout allait bien. Jusqu'au jour où ça fait la une du journal de 20 heures, parce qu'un membre déséquilibré d'une famille est arrivé en plein milieu du repas de Noël armé d'un revolver et a descendu tout le monde.

— J'en ai parlé avec son psychiatre. J.T. n'est pas violent.

— Eh bien, moi, je ne veux pas prendre de risques, d'accord ? Il y a deux jours, on parlait de fonder notre propre famille — même si franchement, coucher avec toi en ce moment, ce n'est pas tout à fait ma priorité. Mais peu importe. Aucune mère digne de ce nom n'accepterait de voir J.T. rôder autour de son enfant. Il faut que tu lui dises qu'il ne doit plus remettre les pieds chez nous.

J'évitais son regard, mais je savais qu'elle n'avait pas tout à fait tort.

— D'accord. J.T. ne reviendra plus à la maison.

— Et je ne veux plus que tu ailles là-bas. Je ne veux plus que tu aies quoi que ce soit à voir avec lui.

— Ce n'est pas aussi simple.

— Débrouille-toi comme tu veux, Abe, mais ça a trop duré. J'ai essayé d'être compréhensive et, même si cela peut paraître étrange ou compliqué, je suis vraiment désolée que ta femme soit morte. Je sais que je peux donner l'impression d'être devenue une mégère, mais je ne peux pas supporter…

Ce n'était plus elle que je regardais, mais l'image sur

l'écran. Le son était très bas, mais ce qui faisait la couverture du journal de 23 heures, c'était le service funéraire à la mémoire d'« une des plus grandes avocates de Miami, Tyla Tomkins ». Angelina se rendit compte que je ne l'écoutais plus, mais que je regardais la télévision. Son exaspération se transforma en colère noire lorsqu'elle me vit sur l'écran entrer dans le funérarium aux côtés de la procureure générale. Elle me regarda, incrédule.

— Tu as assisté au service funéraire de cette femme ?

— Carmen m'a demandé de l'accompagner.

— Tu ne pouvais pas dire non ?

— C'est ma patronne.

— Et moi je suis ta femme ! Tu n'as donc aucun respect pour moi ?

— Tu prends tout ça trop à cœur.

Elle me regarda comme elle ne m'avait jamais regardé auparavant. Je ne savais pas si elle allait pleurer ou exploser de rage.

— Va-t'en, Abe.

— Quoi ?

Elle ne hurlait pas, mais elle n'en était pas loin. Elle m'attrapa par le bras et me tira du sofa.

— Va-t'en. Retourne chez J.T.

— Angelina, s'il te plaît.

— Dehors !

Des larmes commençaient à couler sur son visage.

— Ecoute, il ne faut pas…

Elle ne m'écoutait plus, elle me poussait vers la porte en hurlant.

— Va-t'en, Abe, fous-moi le camp.

Elle hurlait si fort que j'eus peur que les voisins ne l'entendent, ou même les policiers du district venus en renfort et qui patrouillaient dans notre quartier.

— Sors !

Elle me traîna à travers la pièce et ouvrit la porte. Je réussis à attraper mes clés au moment où elle me jeta dehors et claqua la porte sur moi.

Je restai instant immobile sur le perron, me demandant si je devais vraiment partir. Mais, lorsque j'entendis la bouteille de bière vide se fracasser contre la porte, je compris que je n'avais pas vraiment le choix.

Je traversai lentement la pelouse, montai dans ma voiture et démarrai. Je ne voulais pas vraiment partir, mais d'un autre côté je comprenais Angelina. J'étais furieux contre moi, et la seule chose sur laquelle je pouvais me défouler, c'était mon volant. Je lui assénai un coup de poing si violent que je crus m'être fracturé la main.

— Quel con ! criai-je.

Angelina éteignit la lumière du perron ainsi que celles des fenêtres du salon, pour bien montrer qu'elle mettait un point final à toute cette discussion. Je sortis en marche arrière du parking, sans vraiment savoir où aller.

24

Je finis par échouer dans l'appartement de J.T.

J.T. avait bien des défauts, mais il fallait lui rendre justice sur un point : si jamais on se pointait chez lui à minuit après s'être disputé avec sa femme, on pouvait être sûr que pas un mot de tout cela ne paraîtrait sur Facebook ou sur Twitter. J.T. n'était connecté à aucun réseau social. Je le rassurai, lui dis que tout allait bien, mais même quelqu'un d'aussi égocentrique que lui pouvait se rendre compte que j'étais soucieux.

— Tu t'es disputé avec Angelina ?

— Non.

— C'était à cause de moi ?

Tout le monde sauf moi semblait équipé d'un ESP ce soir-là, et ça commençait à sérieusement me fatiguer.

— J'ai seulement besoin d'un endroit pour dormir.

Il continua à me poser des questions et, finalement, ma seule porte de sortie fut de fermer les yeux et de faire semblant de m'endormir sur le sofa. Sachant qu'à cause de ses médicaments J.T. se levait tard le matin, je pris soin de partir le lendemain avant qu'il ne se réveille.

Belle Glade se trouvait dans le Nord, à une heure et demie de voiture, et je n'eus même pas besoin de passer chez moi pour me changer. Sans vouloir trop donner raison à Angelina, il est vrai que, vu le nombre de fois où je m'étais rendu de toute urgence en pleine nuit chez J.T. et où j'y avais passé la nuit, j'avais pris soin de toujours garder une brosse à dents de secours et des vêtements propres chez lui. J'arrivai au bureau du Centre d'aide juridique à 9 h 30. C'est Ed qui proposa de conduire. Après avoir passé une semaine aussi épouvantable, je devais avoir sacrément besoin de relâcher la pression et de rire un peu, car tout à coup j'ai trouvé du plus grand comique que la voiture d'Ed ne soit qu'un vieux Combi Volkswagen, et je fus pris d'un fou rire incontrôlable.

— Qu'est-ce qu'il y a de si drôle ?

— Rien, répondis-je, mais j'avais beau essayer, c'était plus fort que moi, je ne pouvais plus m'arrêter de rire.

Après avoir quitté Belle Glade, nous avons roulé vers l'ouest pendant une dizaine de minutes, jusqu'à ce que nous soyons arrêtés à un passage à niveau, au beau milieu d'un champ de canne à sucre. Devant nous défilait un ruban sans fin de wagons chargés jusqu'à la gueule de tiges qu'on expédiait aux usines pour les broyer.

— Six cent mille tonnes de cannes produites chaque année, commenta Ed. Rien que pour Cortinas.

— Ça fait combien de tonnes de sucre ?

— Un paquet. Et, grâce au soutien artificiel des cours par l'Oncle Sam, ils le vendent sur le marché de gros à un minimum garanti de 22 centimes la livre, alors que celui qui est produit dans les autres pays se négocie à peu près à 8 centimes. Big Sugar a beau te cracher à la figure et insulter ta mère si tu as le malheur de prononcer les mots « entreprises assistées », il n'empêche que, en faisant le total, on s'aperçoit que les subventions à l'industrie du sucre coûtent chaque année deux milliards et demi de dollars aux citoyens américains.

Ed avait en stock tout un assortiment de coups de gueule contre l'industrie sucrière, chacun enveloppé soigneusement et séparément. Il y en avait des roses, des bleus, des jaunes, un peu comme les sachets de sucre qu'on trouve sur les comptoirs des cafés.

— Tu pourrais leur faire un procès.

— Ne me tente pas.

Les derniers wagons finirent par passer et les lumières

rouges cessèrent de clignoter. Le vieux Combi franchit les rails en cahotant, et les vingt kilomètres que l'on parcourut après le passage à niveau ressemblaient exactement aux vingt kilomètres précédents. La famille Cortinas possédait douze pour cent de la superficie du comté de Palm Beach, soit environ soixante mille hectares, sans parler de la maison de style méditerranéen qu'Alberto s'était fait construire sur l'île de Palm Beach, et qui valait environ 20 millions de dollars. De belles rangées de canne à sucre poussaient sur la riche couche de terre noire que les Everglades avaient déposée pendant les cent mille années précédentes, principalement de la tourbe de laîche. Ici, sur les terres de Cortinas, les eaux ne s'écoulaient plus, sauf pendant la saison des pluies. Les phosphates et autres polluants provenant des anciens marécages se déversaient donc directement dans les cours d'eau et les canaux pour être ensuite entraînés ailleurs, une façon comme une autre de passer le problème à son voisin.

Ed ralentit et se gara sur l'accotement. Il n'y avait rien de spécial à cet endroit : au sud, des champs de cannes ; au nord, la même chose.

— On y est, annonça Ed.

— On est où ?

Ed ouvrit la boîte à gants, en extirpa un vieux journal jauni qu'il me tendit. C'était la première page du *Palm Beach Post*, en date du 17 janvier 1986.

UN DÉPUTÉ PERD LA VIE DANS UN ACCIDENT DE VOITURE, titrait le journal. Je compris à la lecture du premier paragraphe pourquoi Ed m'avait conduit précisément à cet endroit.

« Le député Marshall Conrad (de la circonscription de Sebring) a trouvé la mort dans un accident de la route où seul son véhicule était impliqué, à vingt kilomètres à l'ouest de Belle Glade. Les restes calcinés de sa voiture ont été retrouvés mercredi matin dans un champ de canne à sucre sur lequel on avait allumé un feu contrôlé mardi soir en préparation de la récolte.

Des ouvriers de la société Cortinas ont découvert la voiture le lendemain matin. La sécurité routière de Floride déclare qu'il n'y a eu aucun témoin de l'accident et que l'enquête suit son cours. »

Je lus rapidement le reste de l'article. Il traitait principalement des prises de position conservatrices en matière fiscale de la victime, et de son intention de briguer un nouveau mandat à l'automne suivant. Rien d'autre sur l'accident.

— Alors, qu'est-ce qui s'est passé ?

— Tu viens de le lire.

Je lui rendis le journal.

— Ils n'expliquent presque rien.

Ed sourit et secoua la tête.

— Bienvenue chez Cortinas, le royaume du secret, du pouvoir et de l'influence. Aucun autre détail n'a jamais été dévoilé au public.

— Il a bien dû y avoir un rapport de police…

— Sous scellés.

— Un rapport du légiste ?

— Sous scellés.

— Une enquête ?

— Sous scellés.

— Pourquoi ?

— C'est une bonne question. Ce type, Conrad, c'était une étoile montante de la politique en Floride. Ce n'était pas un grand défenseur des Everglades, mais il vouait une haine tenace au Big Sugar pour des raisons purement économiques. Dans sa campagne pour son élection au Congrès, il voulait prouver que l'actuel titulaire du siège n'était que le garçon de courses de l'industrie du sucre, une marionnette envoyée au Capitole pour remplir les poches de la famille Cortinas grâce au soutien artificiel des prix par le gouvernement fédéral.

Je comprenais mieux son coup de gueule à propos

des « entreprises assistées » lorsque le train était passé devant nous.

— Mais tu es sérieux ? Personne n'a jamais su comment c'était arrivé ?

— Non.

Je regardai la une du journal une nouvelle fois et notai l'année.

— 1986.

— L'année où Vernon Gallagher a mis un terme à sa carrière.

— Et tu en déduis quoi ?

— Moi ? Rien, fit Ed avec un petit sourire. Une étoile montante de la politique en Floride meurt dans l'incendie de sa voiture dans un champ appartenant à Cortinas avant même qu'il ne puisse défier le plus ardent supporter de l'industrie sucrière au Congrès. Et, quelques mois plus tard, l'Usain Bolt de la canne à sucre raccroche sa machette. Une simple coïncidence ? Ou pas.

Je voyais où il voulait en venir.

— On peut en déduire que Vernon Gallagher était dans le champ et qu'il a vu quelque chose.

— Ouais. Comme, par exemple, que l'accident n'en était pas un.

— Un homicide, et il n'y a pas prescription.

— Ce qui fait que Tyla Tomkins aurait eu de bonnes raisons d'attirer ton attention là-dessus, même après toutes ces années.

Je contemplai un instant l'épais champ de cannes à travers la vitre de la portière côté passager, puis me tournai vers Ed.

— On n'est pas en train d'aller un peu vite ?

— Ouais, je sais, répondit Ed en redémarrant son moteur.

— La bonne nouvelle, dans tout ça, c'est que le prochain voyage risque d'être nettement plus intéressant.

— Quel voyage ?

— En Jamaïque.

— Parfait ! Tu vas en Jamaïque ? demanda Ed.

— Non. *On* va en Jamaïque. Il est temps d'avoir une petite conversation avec Vernon Gallagher.

J'appelai Angelina en rentrant de Palm Beach. Elle ne répondit pas et je décidai de ne pas laisser de message. Il y avait un peu moins de douze heures qu'elle m'avait viré de la maison. Si elle n'était pas encore prête à me parler, ce n'était pas la peine que j'insiste.

En roulant, je pensais à la famille Cortinas. J'essayais de ne pas trop me laisser influencer par la théorie d'Ed à propos de ce qui s'était passé en 1986. Il ne fallait pas oublier qu'il était le Don Quichotte qui avait mené une guerre juridique de douze années contre les moulins du sucre, sans autre résultat qu'un bureau rempli de boîtes d'archives et dix mille Jamaïcains au chômage. Mais une journée à Kingston ne représentait pas pour moi un investissement majeur, et si on pouvait trouver Vernon Gallagher cela en vaudrait vraiment le coup, et pas seulement d'un point de vue purement légal. Si Tyla m'avait effectivement appelé pour me donner des infos sur un crime, cela pouvait apaiser quelque peu la colère d'Angelina. Bien sûr, il y avait toujours ces photos prises à Orlando. Et, là, il faudrait que je la supplie de me pardonner.

Des roses ? Oui, mais pas un bouquet entier. Je les lui enverrais une par une. La première fois que nous avions emménagé ensemble, j'avais demandé à Angelina de choisir la partie de la penderie et les tiroirs qu'elle allait utiliser, et quel côté de la salle de bains elle voulait que je lui réserve. Lorsqu'elle fut endormie, je me levai et plaçai une rose rouge dans chaque tiroir, chaque placard et à chaque endroit qu'elle avait choisi, pour qu'elle les trouve quand elle se réveillerait. On n'était pas allés travailler le lendemain matin. Cela pourrait lui rappeler de bons souvenirs. Ou peut-être pas.

Je réalisai que, de nouveau, je pensais à la relation entre

Angelina et moi lorsque nous vivions ensemble, avant que je ne rencontre Samantha.

Je reçus un appel sur mon Bluetooth. Je vérifiai le numéro sur mon tableau de bord, qui me signala premièrement que je roulais à cent quarante, et deuxièmement que l'indicatif était de New York. J'espérai que c'était Angelina qui m'appelait depuis le téléphone de sa mère. Je ralentis et pris la communication. C'était ma belle-mère.

— Abe, vous savez où est Angelina ?

C'était une question bizarre, non pas parce que je ne pouvais pas y répondre, mais surtout parce qu'elles étaient censées être ensemble au Spa. De plus, je sentis de l'inquiétude dans la voix de Margaret.

— Non. J'ai passé la journée à Palm Beach. Est-ce que tout va bien ?

— Oui. Non. Enfin, je veux dire… Je ne sais pas. Quand l'avez-vous vue pour la dernière fois ?

— Juste avant minuit. J'ai passé la nuit chez J.T. Margaret, qu'est-ce qu'il se passe ?

— On devait se retrouver à mon hôtel, il y a deux heures. Elle n'est pas venue. Je n'arrête pas de l'appeler sur son portable, elle ne répond pas.

— Moi aussi, j'ai essayé. Est-ce que quelqu'un est allé voir à la maison ?

— Je suis devant la porte. C'est pour ça que je suis inquiète. Sa voiture est là, je sonne et elle ne répond pas.

Si j'avais voulu agir dans les règles, je me serais dit qu'il était un peu tôt pour lancer une recherche officielle, mais ce qui changeait tout, c'étaient ces photos que j'avais reçues et qui venaient peut-être directement d'un tueur en série.

— Margaret, vous restez calme, d'accord ? Il y a plusieurs voitures de police qui patrouillent dans notre quartier depuis jeudi soir.

— Oh, mon Dieu, Abe. Qu'est-ce qu'il se passe ?

— Vous allez recevoir de l'aide dans très peu de temps. Je vais raccrocher et appeler la police, tout de suite.

25

En retournant chez moi, j'eus l'impression de ne plus être dans ma voiture mais dans une cabine téléphonique. Je ne lâchais pas mon portable une seconde, j'appelais, je répondais, je rappelais…

Mon premier coup de téléphone fut pour Carmen, qui réagit immédiatement, et le deuxième pour Rid. Deux minutes plus tard, Carmen me rappela pour me dire que des policiers avaient forcé la porte de la maison et qu'ils n'y avaient pas trouvé Angelina blessée, ou même pire.

— Personne ne sait où elle est.

— Et les policiers en renfort dans le quartier ? Est-ce que l'un d'eux l'a vue entrer ou sortir ?

— Non.

Je me souvins du jeudi soir précédent, lorsque j'étais rentré chez nous et que j'avais vu le policier assis dans sa voiture, occupé à envoyer des textos.

— Est-ce que la voiture d'Angelina est garée devant la maison ?

— Oui. Et ce n'est pas normal.

— Elle fait du jogging. Est-ce que quelqu'un l'a vue courir ce matin ?

— Personne pour l'instant, mais on est toujours en train d'interroger les voisins.

Nous étions tous deux convenus qu'il fallait immédiatement prévenir le FBI. Santos avait été l'une des toutes premières spécialistes de ce qui s'appelait, à l'époque, l'« unité spéciale des enlèvements d'enfants et des tueurs en série ». Malgré les désaccords que nous avions eus, je pensais sincèrement que c'était une chance inouïe que Santos soit à Miami. Je rappelai Rid et il me passa, pour une conférence à trois, le détective de la police de Miami-Dade qui dirigeait l'enquête depuis mon domicile. Je leur dis tout ce que je pouvais sur Angelina, ses habitudes, les endroits qu'elle fréquentait, ses amis. Je leur expliquai pourquoi je n'étais pas resté avec elle la nuit précédente, même si c'était plutôt gênant, car je ne voulais pas qu'ils perdent de temps avec cette histoire.

— Vous devriez continuer de voir avec les voisins, vérifier son portable, son iPad. Il doit bien y avoir quelque chose.

— C'est ce qu'on est en train de faire, répondit Rid.

J'aurais voulu être là-bas, m'en occuper moi-même, mais j'étais sûr que Rid faisait son boulot. Je savais que chaque voisin allait être interrogé, que tous les services d'urgence allaient être contactés et que tout ce qu'on pourrait trouver sur Angelina, depuis son portable jusqu'à sa page Facebook, serait examiné, contrôlé. Un mouvement quelconque sur ses cartes de crédit ferait immédiatement passer les voyants au rouge.

Malgré cela, j'avais besoin de faire quelque chose. Je n'avais en tête que les noms des amis et des collègues d'Angelina, mais il était facile d'obtenir leurs numéros depuis ma voiture et j'appelai tous ceux à qui je pouvais penser. Certains étaient de bons amis qui avaient toute ma confiance et qui, j'en étais sûr, réagiraient d'une manière responsable. Mais d'autres noms qui m'étaient venus à l'esprit n'étaient que des relations, d'anciens amis ou collègues d'Angelina que je n'avais jamais rencontrés. J'étais certain que ça allait déclencher des ragots, qu'on allait dire que ma femme était en train de s'envoyer en l'air avec un petit copain et qu'elle reviendrait quand elle aurait fini. Mais je me fichais de ce que les autres pouvaient penser. Enfin, jusqu'à un certain point. Avec les gens que je ne connaissais pas vraiment, j'adoucissais un peu le message, je leur faisais comprendre qu'il y avait urgence tout en essayant de ne pas trop alimenter de rumeurs scabreuses.

— Est-ce que vous avez eu Angelina au téléphone aujourd'hui ?

— Non, pourquoi ? Abe, il s'est passé quelque chose ?

— Je ne sais pas. On a peur qu'il lui soit arrivé un accident.

Je savais très bien qu'Angelina n'avait pas eu d'accident, et cela avant même d'avoir vu sa voiture devant le garage quand je déboulai dans notre rue à toute allure. J'avais brûlé trois stops et deux feux rouges depuis que j'avais quitté l'autoroute. Plusieurs véhicules de police étaient garés près de la maison ainsi qu'un van blanc de l'unité de recherche de la police de Miami-Dade. Je me garai au frein, la voiture dérapa et s'arrêta juste derrière les gyrophares. La porte de la maison était grande ouverte, mais il n'y avait pas d'ambulance, et le van du légiste n'était pas là non plus, ce qui me rassura un peu car cela confirmait le rapport de Santos : les policiers n'avaient rien trouvé à l'intérieur. En revanche, je remarquai tout de suite la présence de la brigade canine, et je vis qu'un chien détecteur de cadavre était sur les lieux.

— Oh, mon Dieu, oh, non, s'il vous plaît, murmurai-je en sortant de la voiture.

Je courus de toutes mes forces vers la maison et m'arrêtai pile devant le ruban de plastique jaune qui barrait l'entrée. Santos était dans le salon, de l'autre côté du ruban, en train de superviser le travail d'un technicien de la criminelle.

— Vous avez des nouvelles d'Angelina ?

J'avais essayé de la joindre sur son portable plusieurs fois mais sans réponse. Santos fit quelques pas vers moi, mais s'arrêta à deux ou trois mètres de la porte.

— Non.

— Où est sa mère ?

— On l'a raccompagnée à son hôtel. On voulait qu'elle soit près de son téléphone si jamais Angelina appelait sa chambre.

C'était logique. Je jetai un regard par l'embrasure de la porte, et je vis qu'un autre technicien était à genoux, une lampe électrique à la main, en train de passer au peigne fin la moquette entre le sofa et la porte d'entrée.

Les débris de la bouteille de bière. J'avais complètement oublié d'en parler lors de ma conférence à trois avec Rid.

— Je peux vous expliquer.

— Très bien, mais n'entrez pas, répondit Santos. J'arrive tout de suite. Oh ! pendant que j'y pense : vous pouvez me passer les clés de votre voiture ?

— Pour quoi faire ?

— Il faut qu'on l'examine. C'est simplement la procédure normale. Ça ne vous dérange pas ?

Si elle ne m'avait pas posé la question juste après cette histoire de bouteille de bière, ça m'aurait certainement beaucoup moins dérangé. Je lui lançai mes clés.

— Non, pas du tout.

Santos disparut dans la cuisine et ressortit par la porte de derrière. Je l'attendais sur le perron tandis qu'elle faisait le tour de la maison. J'étais déjà assez nerveux, mais l'idée d'avoir à donner une explication pour la bouteille de bière cassée fit grimper mon stress à la vitesse de la lumière. Même si je risquais de donner l'impression d'être sur la défensive, je voulais régler tout de suite ce problème de verre cassé. Je descendis les marches du perron et allai à la rencontre de Santos.

— La bouteille n'a pas été cassée par un rôdeur.

— Comment vous le savez ?

— C'est ma bouteille.

Elle me jeta un regard perçant.

— C'est une tradition chez vous ? Angelina casse ses verres à vin, et vous, ce sont vos bouteilles de bière ?

Elle m'avait complètement pris de court. J'avais oublié le verre brisé que Santos avait découvert près des photos.

— C'est vrai que, vu de l'extérieur, ça fait désordre.

Santos me regardait sans rien dire, impassible.

— Ne croyez surtout pas que nous sommes violents.

Ce n'est pas dans nos habitudes de jeter des bouteilles de bière à travers la maison.

— Vous pouvez me dire ce qui s'est passé ?

— Angelina est rentrée aux alentours de 23 heures, hier soir. J'étais sur le sofa, à moitié endormi. Et nous nous sommes disputés à propos de J.T.

— Pourquoi ?

— Parce que je m'occupe de lui. On en discute constamment. C'est plus un désaccord entre nous qu'un sujet de dispute. Ce qui l'a vraiment rendue furieuse, c'est qu'elle a découvert que j'étais allé au service funéraire de Tyla.

— Vous ne l'aviez pas prévenue que vous y alliez ?

Elle me posa la question d'un ton plus beaucoup calme qu'Angelina, mais, de la part d'un agent du FBI, cela paraissait encore pire.

— Non. C'est Carmen qui m'a demandé de l'accompagner, je me suis décidé à la dernière minute.

— Alors vous lui avez dit quand elle est rentrée.

— Eh bien, il se trouve qu'elle m'a vue avec Carmen à la télévision.

— Donc, vous n'aviez jamais eu l'intention de lui en parler.

— Non, ce n'est pas vrai.

— Mais, de toute évidence, elle pense que vous couchiez avec Tyla.

— Ça non plus, ce n'est pas vrai. En fait, c'est le contraire. Angelina me l'a dit.

— Qu'est-ce qu'elle vous a dit ?

— La nuit où les photos sont arrivées, elle m'a dit qu'elle me croyait quand je lui ai juré qu'il ne s'était rien passé entre Tyla et moi. Mais maintenant que vous en parlez, et vu la manière dont elle a réagi, peut-être qu'elle a changé d'avis quand elle a appris que j'étais allé aux obsèques. Elle était hors d'elle, elle m'a demandé de sortir et m'a claqué la porte au nez. J'étais dehors sur le perron quand j'ai entendu la bouteille se briser contre la porte.

— Est-ce qu'elle vous a frappé ?

— Non.

— Est-ce que vous l'avez frappée ?

— Bien sûr que non.

— Est-ce qu'elle vous a menacé ?

— Pas vraiment.

— Est-ce que vous l'avez menacée ?

— Mais non.

— Est-ce qu'elle vous a poussé ?

La question était plus difficile.

— Je ne dirais pas qu'elle m'a vraiment poussé. Elle m'a tiré par le bras pour me faire sortir plus vite.

— Est-ce que vous, vous l'avez poussée ?

— Pas du tout. S'il vous plaît, est-ce que vous pouvez arrêter de faire comme s'il s'agissait d'une enquête sur des violences conjugales ? Nous savons qu'un tueur en série était là, sur mon perron, il y a deux jours, et qu'il a déposé une photo couverte de cendre de sa dernière victime dans ma boîte aux lettres, et ma femme a disparu.

— Je ne suis pas vraiment convaincue que ces photos viennent de Cutter.

— En revanche, vous êtes convaincue qu'Angelina et moi, on passe notre temps à se jeter des bouteilles de bière et des verres à vin à la figure, c'est bien ça ?

— En ce qui vous concerne, j'ai vu les morceaux de verre brisés. En ce qui concerne Cutter, je n'ai pas encore vu une seule victime blanche qui ne sortait pas avec un Noir.

— J'étais marié à une femme de couleur. Qui sait comment fonctionne le cerveau de ce tueur ? Et, de toute façon, le paradigme femme blanche-homme noir n'est pas un argument en béton. Tyla était noire.

— Rien ne confirme que Tyla soit une des victimes de Cutter.

Tout commençait à s'embrouiller dans ma tête.

— D'accord : mais, sans manquer de respect à Tyla ou à aucune des autres victimes, c'est quoi, ce bordel ? Les minutes passent et tout ce que nous avons fait jusqu'à présent, c'est de parler d'une bouteille de bière cassée et des éventuelles nuances psychologiques du profil de Cutter. Quand on a su qu'Angelina avait disparu, Carmen et moi, on était d'accord pour que vous soyez la première mise au courant, parce qu'on pensait que le FBI accélérerait immédiatement les recherches. Alors, vous êtes avec nous, oui ou non ?

Elle était sur le point de répondre, mais l'une des enquêtrices s'avança et l'interrompit.

— Agent Santos, vous pouvez venir à l'intérieur un instant ?

Je reconnus la femme. Quelque temps auparavant, j'avais collaboré avec elle sur une affaire.

— Mirna, vous travaillez sur les homicides et les personnes disparues, maintenant ?

— Non, je m'occupe toujours des violences conjugales à la brigade de protection de la famille.

— J'ai demandé l'intervention de différents services, expliqua Santos. Nous voulons explorer toutes les éventualités.

Je voyais très bien ce qui était pour elle la principale éventualité.

— Excusez-moi, dit Santos.

Elle ne m'avait pas vraiment invité à la suivre, mais c'était ma femme, c'était ma maison, et je n'aimais pas du tout la tournure que prenait l'enquête. Je suivis Santos et Mirna et passai devant ma voiture. Tout était ouvert : le coffre, les portières, le capot. Visiblement, la « procédure normale » englobait à peu près tout, sauf peut-être prendre la voiture, la retourner et la secouer comme un prunier. J'entrai avec elles dans la maison par le garage et je les suivis dans le hall jusque dans le salon. Une autre enquêtrice examinait avec sa torche un petit morceau de verre posé sur un plateau.

— On dirait du sang.

Santos scruta attentivement le bout de verre, puis me regarda.

— Oui, on dirait.

Je ressentis comme un frisson, mais, en plus d'être un mari mort d'inquiétude, j'étais également un procureur qui savait comment fonctionnait la justice pénale. Je me sentis obligé de dire quelque chose pour ma défense.

— Peut-être qu'Angelina s'est coupée en essayant de ramasser les morceaux de verre après que je suis parti.

Santos hocha la tête, mais ce n'était pas du tout pour indiquer qu'elle était d'accord avec mon explication, mais plutôt pour montrer qu'elle savait que j'en donnerais une.

— On envoie ça au labo.

Elle s'était adressée à l'enquêtrice, mais elle ne me quittait pas des yeux.

— Nous allons devoir prélever un échantillon de votre salive, monsieur Beckham. Nous devons déterminer si ce sang ou toute autre trace d'ADN que nous pourrions trouver appartient à une personne étrangère à la maison.

Je savais que c'était également une procédure normale dans le cas d'une disparition, mais j'aurais préféré qu'elle me le demande à un autre moment.

— Pas de problème.

Une des techniciennes avait son kit de prélèvement tout prêt et introduisit immédiatement un coton-tige dans ma bouche. Cela ne prit que quelques secondes.

— Et maintenant ? On fait quoi ?

— Je veux qu'on poursuive notre conversation dehors avec la détective Reyes, déclara-t-elle, en parlant de la spécialiste des violences conjugales.

— Vous perdez beaucoup trop de temps à discuter.

— Pardon ?

— Tout ceci n'a rien à voir avec l'équipe que vous avez constituée, Santos. C'est très bien que l'on mène des enquêtes sur les violences conjugales. Mais si vous êtes décidée à chercher quelque chose qui n'existe pas, moi, de mon côté, j'ai des tonnes de trucs beaucoup plus importants à faire.

J'étais déjà dans le hall lorsqu'elle m'appela.

— Beckham !

Je m'arrêtai, elle s'avança vers moi.

— Il y a quelque chose que je trouve très étrange.

— Etrange ?

Elle hocha la tête en me regardant droit dans les yeux, elle parlait à voix basse, personne d'autre ne pouvait l'entendre.

— Maintenant qu'Angelina a disparu, vous avez une peur bleue que Cutter ne soit en train de rôder dans le coin comme le croque-mitaine. Mais, cette nuit, vous êtes parti de chez vous en laissant votre femme seule dans sa maison. Comment expliquez-vous ça ?

Je n'aimais pas du tout ce qu'elle insinuait, et je voyais que, en véritable criminologue, elle était en train de m'étudier, de me jauger, de prendre mon pouls. Mais, pire que tout cela, elle m'avait fait ressentir un sentiment de culpabilité si fort que je ne savais pas si je pourrais un jour l'assumer.

— Eh bien, dites-moi, docteur Santos, vous avez un comportement plutôt étrange avec vos patients. Vous parlez toujours de cette façon aux maris dont la femme a disparu ?

— Non, pas avec tous, répondit-elle sans me quitter des yeux. Seulement avec certains.

J'essayai de ne pas broncher, mais ce n'était pas évident de soutenir le regard d'une pro qui avait travaillé sur beaucoup plus de scènes de crime que je n'en verrais jamais.

— Il faut que je retrouve ma femme.

Je la plantai là et quittai la maison en passant par le garage pour ne pas marcher sur les morceaux de verre devant la porte d'entrée. Je n'avais pas encore quitté le jardin qu'un autre enquêteur m'arrêta

— Avant que vous ne partiez, on a besoin de vérifier si vous n'avez pas de résidu de poudre sur les mains. C'est la procédure normale.

Je regardai vers la maison. L'agent Santos m'observait derrière une fenêtre.

— Oui, bien sûr, la procédure normale…

26

J'empruntai la voiture d'un voisin — on n'avait toujours pas terminé de fouiller la mienne — et je commençai mes propres recherches.

Je connaissais la plupart des endroits qu'Angelina fréquentait, les restaurants, les cafés, les salles de gym, ses boutiques préférées. Je m'étais fait un circuit dans la tête et vérifiai chaque endroit, un par un. Je parlai aux serveuses, aux manucures, aux coachs, et même aux clients. Cela me prit deux heures. Aucun signe d'Angelina, mais je rencontrai une de ses meilleures amies, Sloane, qui me promit de rassembler des équipes pour reprendre les recherches depuis la case départ, aussi bien dans le monde virtuel, en surfant sur les réseaux sociaux, que dans le monde réel, en usant ses semelles sur les pavés. Vers la fin de l'après-midi, il y avait une vingtaine de volontaires rassemblées devant chez moi. Je fis également jouer quelques relations pour convoquer des chaînes de télévision locales d'information.

— Comment vous prononcez le nom de votre femme ? me demanda la journaliste. Ange-*laï*-na, comme Michael Douglas ?

On était sur le trottoir, devant notre maison, à trente secondes du direct. Les voitures de police étaient toujours là. Les policiers de la brigade criminelle quadrillaient le jardin derrière nous, ils entraient et sortaient de la maison. Les vans des médias étaient garés de l'autre côté de la rue.

— Non. C'est Ange-*li*-na, comme le général Lee.

Le cameraman était prêt. La journaliste se recoiffa pour la quinzième fois et sourit.

— Ben non ! Ne souris pas ! s'exclama le cameraman. Pense à ce pauvre gars. Sa femme a disparu…

Je commençais à avoir l'impression que je n'existais pas.

— Désolée, répondit-elle en prenant un air de circonstance.

Le cameraman montra ses doigts. « Trois, deux, un », et nous étions en direct.

— Bonsoir. Aujourd'hui, les forces de police essaient d'aider l'un des leurs. Je suis devant la maison d'Abe et Angelaïna…

— *Li*na, Ange*li*na.

— Abe et Angelina Beckham où des recherches sont en cours…

Le tout dura trente secondes. A part l'erreur de prononciation, je n'avais aucun souvenir de ce qui avait été dit. J'espérais simplement qu'ils s'étaient débrouillés pour montrer la bonne photo sur les écrans de télévision. J'enchaînai trois autres interviews les unes après les autres pour les autres chaînes. Ils me promirent de passer le reportage au journal de 23 heures.

— Vous avez fait du bon boulot, déclara Sloane.

J'étais tellement hébété que je n'avais même pas vu qu'elle était restée là, sur le trottoir, pendant les interviews. D'autres amies d'Angelina l'accompagnaient, elles portaient toutes des chaussures de marche et tenaient des lampes électriques à la main. Il faisait encore jour, mais elles avaient l'air prêtes à chercher toute la nuit s'il le fallait.

Je les remerciai, elle et chacune des amies d'Angelina, d'être venues, et tout alla à peu près bien jusqu'à ce que l'une d'entre elles éclate en sanglots et me prenne dans ses bras.

— Je suis tellement désolée, Abe.

Je la remerciai elle aussi, bien que je trouve qu'il était un peu tôt pour qu'elle m'exprime sa sympathie et ses condoléances, et j'entendis d'ailleurs les autres femmes la rappeler à l'ordre quand j'eus le dos tourné.

On m'avait dit que les baskets d'Angelina étaient restées dans son placard, mais il me semblait que cela valait quand même le coup de tenter quelque chose. Qui sait, peut-être avait-elle décidé de se mettre à courir pieds nus ? De toute façon, je préférais aller vérifier plutôt que de rester là à ne rien faire. Je ne connaissais pas le chemin qu'elle avait l'habitude de prendre, mais Sloane et un petit groupe de ses amies purent me guider et un policier de la brigade criminelle nous accompagna. On ne trouva rien, à part des bouteilles de lait vides et le cadavre d'un raton laveur qui s'était fait écraser sur la route. La nuit commençait à tomber lorsqu'on boucla le parcours. J'aurais eu besoin de me reposer, mais j'eus une nouvelle poussée d'adrénaline. Je téléphonai à ma belle-mère à l'hôtel et lui proposai de lui apporter son dîner.

— J'ai déjà appelé le room service, me répondit Margaret.

— Vous êtes sûre ?

— Oui.

Je sentis que sa voix se brisait.

— Abe, j'ai peur !

— Ça va aller.

— Personne ne parlait de ce tueur en série à New York, je n'étais pas au courant. Mais on dirait qu'il a…

— Margaret, ne dites pas ça. On ne sait rien pour le moment.

— C'est exactement ça. On ne sait rien, rien du tout, et c'est ce qui m'inquiète le plus. Ils ont envoyé un policier à l'hôtel pour me poser des questions sur Angelina. Il m'a dit qu'il n'y avait eu aucune activité sur son portable depuis la nuit dernière. Depuis le message qu'elle m'a envoyé. C'est drôle comme une mère peut s'inquiéter pour sa fille, même si c'est une adulte et qu'elle est mariée. Quand elle m'a déposée à l'hôtel, je lui ai demandé de m'envoyer un texto pour me dire qu'elle était bien rentrée. C'est ce qu'elle a fait. Elle m'a envoyé un message et elle disait… elle disait : « Bien rentrée. Je t'M. »

Je sentis qu'elle commençait à perdre pied.

— Margaret, vous voulez que je vienne à l'hôtel ?

— Non, non. Ce n'est pas la peine. Mais je n'arrive pas à comprendre. C'est comme si elle avait complètement disparu de la circulation. Vous êtes la dernière personne à l'avoir vue, et il y a dix-huit heures de cela.

La dernière personne à l'avoir vue. C'est exactement ce que Santos avait pensé, c'est pour cela qu'elle m'avait suivi lorsque j'étais sorti de la maison jusqu'à ce que je saute dans la voiture et que je parte à sa recherche.

— On reste en contact. Le premier qui a des nouvelles appelle l'autre. D'accord ?

— D'accord. Jake a pris l'avion, il arrive dans la soirée. Il sera à l'hôtel avec moi.

Jake était le père d'Angelina.

— Très bien.

— Joe et Sandy viennent aussi ?

Mes parents. Je les avais appelés dans l'après-midi pour leur dire qu'ils ne pouvaient rien faire, ce qui était la stricte vérité. Ils aimaient bien Angelina, mais il y avait comme une gêne entre nous depuis Samantha, et pas à cause de sa mort. Mes parents étaient trop bien élevés pour être désagréables et montrer leur réprobation, ils avaient été souriants et s'étaient bien comportés pendant le mariage. Je n'ai tout compris que six mois plus tard, lorsque Samantha et moi sommes allés leur rendre visite à Charlottesville et que nous avons dormi dans la chambre d'amis. Tout s'était bien passé jusqu'à notre départ. J'avais à peine fait dix kilomètres lorsque je me suis rendu compte que j'avais oublié mes lunettes de soleil. J'ai fait demi-tour et j'ai vu alors que ma mère non seulement avait enlevé les draps et les couvertures de notre lit, mais encore les avait jetés à la poubelle. Et pas parce que nous y avions fait l'amour.

— Pas encore. Ils viendront peut-être plus tard.

Quand, plus tard ? Pour l'enterrement ? C'était complètement idiot, ce que je venais de dire.

— Vous voulez que j'aille chercher Jake à l'aéroport ?

— Non, ce n'est pas la peine. Continuez de faire ce que vous faites. J'ai vu le reportage à la télévision, c'était…

Sa voix se brisa en un sanglot.

— Margaret ?

— Excusez-moi. C'était une bonne une idée, cette interview.

— Vous êtes sûre que vous ne voulez pas que je vous tienne compagnie jusqu'à ce que Jake arrive ?

— Non, ne perdez pas votre temps. De plus, une de vos amies va venir me rendre visite. Je ne serai pas seule.

— Une amie à moi ou à Angelina ?

— A vous. L'agent Santos.

Cela me fit l'effet d'une douche froide et, dans le même temps, je me dis que ce n'était pas une réaction normale : le FBI avait toujours fait partie de mes amis.

— C'est ce que vous a dit l'agent Santos ? Qu'elle était une amie ?

— Je ne suis pas sûre. C'est ce que j'ai cru comprendre. La police a déjà pris ma déposition, alors j'ai pensé qu'elle voulait venir me voir comme ça, par gentillesse. Pourquoi ? Ce n'est pas une de vos amies ?

C'était un peu compliqué à expliquer.

— Elle est très bien.

— Vous préférez que je ne lui parle pas ?

Je n'avais pas du tout envie que ma belle-mère déclare que je lui avais demandé de ne rien dire à la personne qui menait l'enquête sur la disparition d'Angelina.

— Non, absolument pas. Vous me raconterez simplement comment ça s'est passé.

— D'accord. Merci encore, Abe. Et promettez-moi de garder confiance.

Je lui promis, lui dis au revoir et raccrochai.

Elle avait raison, il fallait garder confiance. Les médias étaient avec nous. Toute la communauté avait été alertée.

Durant l'après-midi, j'avais reçu des témoignages de soutien de la part de flics avec qui j'avais travaillé toutes ces années, certains même qui étaient à la retraite. Carmen avait mis tout son bureau à ma disposition. La journaliste de la télévision avait au moins annoncé une chose vraie : toutes les forces de police étaient mobilisées pour aider « un des leurs ». Il n'y avait qu'une seule exception. L'agent Santos. Et cela commençait à me rendre fou.

Il fallait que j'aille au fond des choses.

On était samedi soir, mais Carmen m'avait dit que je pouvais l'appeler à n'importe quel moment. Elle répondit à mon appel, mais elle était à un banquet au Four Seasons et sur le point de se rendre à une autre invitation de la part de l'Association cubano-américaine du barreau. Elle me proposa de passer chez elle tout de suite après, je décidai donc de rentrer. Quand j'arrivai à la maison, je vis que les techniciens de la criminelle étaient en train de ranger leurs affaires, mais ils mettaient un temps fou. Ce n'était peut-être pas l'enquêtrice de la brigade des violences conjugales qui dirigeait le spectacle, mais elle semblait tenir un rôle majeur.

J'étais en train de monter les marches du perron quand je vis Rid arriver et se garer devant la maison. Il sortit rapidement de sa voiture, traversa la pelouse, l'air soucieux. Alors que j'allais à sa rencontre, je sentis que mon pouls s'accélérait.

— C'est bon, me dit-il. Ce n'est pas la mauvaise nouvelle que personne ne veut entendre.

La pression baissa d'un cran, mais j'étais tout de même mort d'inquiétude.

— On a retrouvé son portable.

— Où ça ?

— Au bord de la route. Il est abîmé, il y a des éraflures, l'écran est cassé. On dirait qu'il a été jeté d'une voiture.

J'eus soudain froid dans le dos. Je connaissais les statistiques, j'avais suivi les cours de police. Ne jamais monter dans une voiture. Jamais, jamais, jamais. Donnez des coups de pied, griffez, mordez, criez, frappez, crachez, faites n'importe quoi mais ne montez jamais dans une voiture. Dans une voiture, les chances de survie d'une femme deviennent quasiment nulles.

— Quelle route ?

— A l'ouest de la Calle Ocho. Juste avant le Tamiami Trail.

La route des Everglades. Je sentis soudain que mes jambes ne me portaient plus.

— Oh, mon Dieu…

27

Victoria était au Ritz Carlton et parlait avec la mère d'Angelina lorsqu'elle reçut l'appel de Riddel. Elle coupa court à la conversation et se rendit directement sur les lieux où l'on avait retrouvé le portable. Elle conseilla à Margaret d'attendre à l'hôtel.

La discussion avait pris exactement la tournure que Victoria avait souhaitée. En général, une mère refusera de croire que son gendre idéal puisse être, d'une manière ou d'une autre, responsable de la disparition de sa fille. Au tout début de l'enquête, des questions un peu trop précises risquaient d'entraîner une réaction de défense, voire de provoquer l'indignation. Quant aux questions vraiment trop précises, comme la bouteille de bière cassée, il était préférable d'attendre une deuxième entrevue pour les poser. L'objectif du premier contact avait simplement été de permettre à Margaret d'envisager certaines éventualités auxquelles elle n'aurait jamais pensé.

Les Everglades se trouvaient à environ vingt minutes de l'hôtel, ce qui laissait largement le temps à Victoria de réécouter ce que lui avait raconté la mère d'Angelina. Certaines de ses réponses étaient prévisibles, d'autres, beaucoup moins.

— A quel moment Angelina vous a-t-elle demandé de venir la rejoindre ?

Elles étaient trois dans la chambre d'hôtel. Margaret était dans le fauteuil, près de la fenêtre. Victoria était face à elle, assise sur le rebord du lit. La détective Reyes, de la protection de la famille, était installée devant le bureau. Quand on regardait Margaret, on imaginait à quoi Grace Kelly aurait pu ressembler si elle avait vécu jusqu'à soixante-dix ans et on comprenait pourquoi sa fille était le type même de la beauté classique. Mais l'angoisse commençait à laisser des traces. Margaret tenait encore le coup, mais elle semblait être sur le point de lâcher prise. Victoria savait que, si tout cela durait encore une semaine, son visage en resterait marqué à jamais.

— Vendredi matin, quand elle m'a appelée.

— Quand avez-vous pris l'avion ?

— Vendredi après-midi.

— C'était si urgent que ça ?

— Non, pas vraiment.

— Pourtant, on dirait que vous avez sauté dans le premier avion.

— J'ai pris un des premiers vols où j'ai trouvé de la place.

— Est-ce qu'Angelina était inquiète ?

— Bien sûr, qu'elle était inquiète. Elle venait juste de se marier et elle se disputait avec son mari pour la première fois. C'est le genre de choses qui arrivent, mais elle avait besoin de moi.

— Ils s'étaient disputés à quel propos ?

Margaret poussa un soupir. Elle attrapa son verre et but une gorgée d'eau. Sa main tremblait.

— A propos de J.T., le beau-frère d'Abe.

— Et pour quelle raison ?

— Angelina a peur de lui, déclara-t-elle d'un ton abrupt. Et, franchement, moi aussi.

— Pourquoi avez-vous peur de lui ?

— *Pourquoi ?* Est-ce que vous le connaissez ?

— Je l'ai rencontré, brièvement. Dans son appartement.

— Ce n'est pas son appartement. C'est l'appartement où Abe habitait autrefois. Je ne connais pas toute l'histoire, mais je sais que J.T. a été un sans-abri pendant un moment. Vous savez, il a failli tout gâcher le jour où Angelina s'est mariée.

— Comment ça ?

— Durant la réception, il a porté un toast étrange en l'honneur d'Abe, disant qu'il était désormais son vrai frère parce qu'il était passé d'une Noire à une blonde. Il est très étrange. Abe devrait se montrer beaucoup plus sensible à ce genre de problème.

— Vous pensez qu'Abe est insensible ?

— Non, pas en général. Juste pour ce genre de choses.

— Vous croyez que J.T. puisse être impliqué dans la disparition d'Angelina ?

Margaret réfléchit un instant, comme si elle considérait que la chose était possible.

— Je ne sais pas. Mais je ne vois pas comment. Il est assigné à résidence, non ?

— Et Abe ?

— Quoi, Abe ?

Victoria resta silencieuse un moment, pour montrer à Margaret qu'elle n'arriverait pas à éluder des questions embarrassantes simplement en faisant semblant de ne pas comprendre. Puis elle reposa la question :

— Vous croyez qu'Abe puisse être impliqué dans la disparition d'Angelina ?

— Mais bien sûr que non ! Vous plaisantez ?

Victoria se dirigeait vers l'ouest sur la Southwest Eighth Street. Elle dépassa l'Université internationale de Floride, laissa derrière elle les réverbères des centres commerciaux et entra dans la pénombre des Everglades. Rouler la nuit sur le Tamiami Trail, c'était comme traverser les plaines du Kansas à minuit, sauf que la ligne de rupture entre la civilisation et la pleine nature était encore plus abrupte. Les Everglades marquaient la limite des lumières de la ville à l'ouest, et les phares des voitures s'étiraient le long de la route comme un filament perdu au milieu de l'obscurité.

Le portable d'Angelina avait été retrouvé grâce à la puce du GPS. On avait concentré les recherches sur le côté nord de la route, là où on l'avait découvert. Le poste de commandement des unités de recherche avait été installé sur le parking utilisé par les ouvriers qui construisaient le nouveau pont. Victoria laissa sa voiture près d'un immense engin de terrassement et emprunta la bande d'arrêt d'urgence le long de la route. Reyes l'accompagnait. La circulation n'était pas beaucoup plus dense que la normale, mais des embouteillages commençaient malgré tout à se former sur chacune des voies. La sécurité routière faisait dégager les curieux pour éviter que la route ne soit totalement bloquée.

Victoria repéra Riddel au poste de commandement, près d'une rampe de lampes à vapeur de sodium. Deux groupes électrogènes bruyants alimentaient en tout six rampes d'éclairage qui illuminaient les eaux calmes des Everglades sur une vingtaine de mètres. Un hélicoptère survolait la scène, fouillant les herbes épaisses avec son projecteur. Des secouristes dans des bateaux à fond plat patrouillaient lentement dans le canal, les faisceaux de leurs puissantes lampes de navigation s'entrecroisaient dans la nuit. Plus loin, on voyait d'innombrables paires d'yeux d'alligators qui se reflétaient dans les rayons de lumière et luisaient dans la pénombre comme des lucioles.

Le côté nord de la route était réservé aux forces de police. Des rubans jaunes avaient été déroulés sur une centaine de mètres, le long de l'accotement. Abe se tenait de l'autre côté de la route, derrière un second périmètre. Son visage était éclairé tour à tour par les éclats rouges puis orange des gyrophares. Il ne sembla pas remarquer que Victoria et Reyes passaient près de lui, et les deux femmes ne firent rien non plus pour attirer son attention. Elles allèrent directement retrouver Riddel.

— Comment ça se passe ? demanda Victoria.

Riddel s'éloigna du vacarme des groupes électrogènes et s'avança vers elle.

— Jusque-là, rien à part son portable.

— On est loin de l'endroit où on a retrouvé Tyla Tomkins ?

— J'ai vérifié. Tomkins, c'était à deux kilomètres à

l'ouest. Ça fait une sacrée différence. Le terrain est plus sec, et l'accotement, beaucoup plus large.

— Des traces de pas ou de pneus ?

— Ouais. Des millions. Les ouvriers font l'aller-retour chaque jour entre le dépôt et le pont. Mais il n'y a rien près de la rive. Pas une trace de pas, ni de pneu, pas un seul brin d'herbe foulé. Franchement, je crois qu'on ne va rien trouver dans le coin.

— Et pourquoi le téléphone se trouvait là ?

— Je dirais que le type est arrivé jusqu'ici et qu'il s'est souvenu tout à coup que les smartphones avaient des GPS. Il a paniqué, il l'a balancé par la fenêtre et a continué de rouler. Vous pouvez vérifier par vous-même, mais on dirait que le téléphone a été jeté d'un véhicule en mouvement. J'espère que c'est le cas. C'est jamais très bon pour une femme d'être dans la voiture de son kidnappeur et de rouler vers Dieu sait où. Mais elle pourrait bien être toujours en vie.

— C'est possible.

Riddel jeta un coup d'œil vers la route.

— Dans le pire des cas, il a fait la moitié du chemin vers Naples avant de s'arrêter pour se débarrasser du corps au milieu des Everglades. Ou alors il est allé jusqu'à Naples et a continué vers le nord, peut-être avec elle, et il l'a gardée en vie.

Victoria tourna son regard vers Abe, puis revint à Riddel.

— Au point où on en est, tout est possible.

— J'ai lancé un avis de recherche pour toute la côte Ouest, à partir du comté de Collier.

— J'en ai lancé un il y a six heures.

— Je sais. Il est en cohérence avec le vôtre.

— Cohérent ou pas, je m'en fous. Vous devez travailler avec moi. Qu'est-ce que vous leur avez demandé de rechercher exactement ?

— Tenez, regardez vous-même.

Il fit apparaître l'avis de recherche sur l'écran de son portable et le tendit à Victoria. Elle le lut rapidement.

— Ni pire ni meilleur que le mien.

— On fait avec ce qu'on a, expliqua Riddel. A part une photo d'Angelina et votre profil de Cutter — homme blanc, la trentaine —, qu'est-ce qu'on a ? La voiture d'Angelina est toujours garée devant sa maison, alors on ne sait même pas quel genre de véhicule il faut rechercher, à moins qu'encore une fois on parte sur le stéréotype du tueur en série, et qu'on cherche une camionnette sans vitres.

— Est-ce qu'il y a un moyen de savoir quelles sortes de véhicules sont passés sur la route durant les dernières vingt-quatre heures ?

Riddel secoua la tête.

— Il n'y a aucun péage sur le Tamiami Trail. Donc aucune caméra de surveillance. J'ai demandé à tous les shérifs du comté de Collier d'interroger les employés des stations-service autour de Naples et de vérifier les caméras vidéo. Les gens s'arrêtent souvent pour prendre de l'essence après avoir traversé le Trail. Ça donnera peut-être quelque chose.

Victoria entendit des cris de protestation, un peu plus loin, sur l'une des voies du Trail. Un van de la télévision qui essayait de se forcer un chemin vers le périmètre de sécurité avait été stoppé par des policiers qui ne faisaient que leur boulot. Victoria pensa que d'autres allaient probablement bientôt suivre.

— Il va falloir rédiger un communiqué de presse.

— C'est fait.

— Je veux le voir.

Riddel hésitait.

— *Avant* que vous le publiiez, insista Santos. Pas comme pour l'avis de recherche.

Riddel jeta un coup d'œil derrière lui, vers Abe, son ami, puis il lança à Victoria un regard noir.

— Je vais être très clair. Tout le monde connaît les statistiques sur le nombre de femmes assassinées par leur mari, et tout à l'heure j'ai ressenti comme une drôle d'ambiance chez Abe. Mais, au point où en est l'enquête, je refuse formellement de dire ou même de laisser entendre qu'il y a le début d'un commencement de soupçon contre Abe. Point à la ligne.

— Toute information à la presse doit être validée par le groupe de travail. Je veux voir ce communiqué.

Il la regarda droit dans les yeux pendant un instant pour bien lui montrer qu'il ne reviendrait pas sur ce qu'il avait dit.

— C'est dans ma voiture. Je vais le chercher.

Victoria et Reyes attendaient, sur le bord de la route, et regardaient en silence les équipes de secours au travail.

— Je suis d'accord avec Riddel, dit Reyes, comme en s'excusant.

Victoria regardait au loin, vers les Everglades, silencieuse.

— Abe est un type bien, poursuivit Reyes. J'ai déjà travaillé avec lui. Tout le monde le respecte.

— Oui, mais c'est un menteur. Il a couché avec Tyla Tomkins. Et il a menti à sa femme. Et j'étais là, dans le bureau, quand il a menti à sa boss.

— On n'est même pas sûr qu'il couchait avec Tyla.

— Et on est sûr du contraire ? A cent pour cent ? Non. Et, comme Tyla est morte, on ne le saura jamais.

— Même s'il couchait avec elle, ça n'en fait pas un assassin.

— Non, mais ça explique beaucoup de choses. Angelina reçoit les photos d'Abe avec Tyla. Elle appelle sa mère à New York. Elle rentre chez elle, et elle apprend que, pendant qu'avec sa mère elle essayait de sauver leur couple, Abe assistait aux funérailles de sa maîtresse. Elle le met à la porte, lui dit que tout est fini entre eux. Ils se disputent. Une bouteille de bière vole à travers la pièce. Les choses s'enveniment, et Abe finit par se retrouver avec un cadavre sur les bras. Il jette le portable sur le Tamiami Trail, pour faire croire que c'est Cutter qui a fait le coup. Et il se débarrasse du corps d'Angelina Dieu sait où.

— Il y a quand même pas mal de suppositions là-dedans.

— Honnêtement, vous avez connu combien de « maris

modèles » que vous avez fini par suspecter à partir d'éléments beaucoup plus minces ?

— Je serais d'accord avec vous si on était dans un contexte de violences conjugales.

— Il y a deux jours, j'ai trouvé un verre cassé sur la table du salon.

— Ce n'est pas ce que je voulais dire. La mère d'Angelina n'a jamais fait allusion à des actes de brutalité que sa fille aurait subis.

— La mère vit à New York. Elle est au courant de ce que sa fille veut bien lui dire. Il faut faire une enquête de voisinage.

— Les amies d'Angelina ?

— Oui, c'est prévu. Mais je vais casser la routine. Je vais commencer là où Abe s'y attend le moins.

— Et où ça ?

Victoria jeta un coup d'œil à sa montre : 21 heures. Elle avait encore le temps d'explorer une autre piste.

— Un récidiviste. La seule personne qui ait assisté aux deux mariages d'Abe.

Reyes réfléchit un instant.

— Vous voulez dire son beau-frère ?

— Exactement.

28

J'étais derrière les rubans jaunes et j'observais l'agent Santos et sa nouvelle amie de la protection de la famille. Elles faisaient semblant de ne pas me voir, et je faisais semblant que cela ne me dérangeait pas.

Mais j'avais du mal à digérer que Reyes me batte froid.

Comme la plupart des procureurs, au cours de ma carrière, j'avais fait un passage aux violences conjugales. Reyes et moi avions fait du très bon travail sur toutes sortes d'affaires : coups, agressions sexuelles, violations d'injonctions, harcèlements. Le responsable de la brigade de protection de la famille avait été l'un de mes principaux soutiens pour ma promotion à la criminelle où je poursuivis l'instruction de quatre cas d'homicides. Tous avaient rapport à l'adultère. Deux d'entre eux étaient des hommes infidèles dont les épouses menaçaient de tout leur prendre au moment du divorce. Le troisième n'avait pu supporter que sa femme le quitte pour un autre. Le quatrième cas, plus bizarre, impliquait un homme qui aimait se masturber en regardant sa femme avoir des relations sado-masochistes avec un autre, et qui n'avait rien fait pour empêcher qu'elle se fasse étrangler par un haltérophile complètement shooté. A part les cas où j'avais eu des aveux complets, ces affaires furent les plus faciles que j'aie jamais gagnées. Tous furent condamnés à mort.

J'essayais de ne pas avoir l'air trop furieux lorsque Rid s'avança vers moi. Il s'arrêta devant le ruban jaune. Il avait l'air épuisé, comme s'il venait de se battre pendant dix rounds contre le champion du monde des poids lourds.

— Santos veut voir mon communiqué de presse.

Le champion du monde venait de porter un autre coup, et cette fois c'était moi qui l'avais reçu. J'étais l'auteur du communiqué de presse.

— Qu'est-ce que tu lui as dit ?

— Qu'il était dans la voiture.

— Tu vas lui montrer ?

— Je ne peux pas vraiment refuser. C'est elle, la coordinatrice du groupe de travail sur Cutter.

Toute la journée, j'avais dû gérer mes peurs et mes angoisses, mais je sentis comme une sueur froide lorsque je l'entendis parler du tueur en série d'un ton aussi professionnel.

— Tu veux dire qu'Angelina fait maintenant partie de l'enquête sur Cutter ?

— Non, non, Abe. On n'en est pas encore là. Et on n'y sera jamais. Il faut continuer d'espérer. Ce n'est probablement pas un homicide mais, si c'était le cas, il y a certaines personnes qui pensent qu'il n'y a que deux possibilités : soit c'est Cutter...

— Soit c'est moi.

— Ouais.

— Mais pourquoi ? Comment Santos peut-elle penser que j'ai tué ma femme ?

Il ne répondit pas tout de suite, mais je voyais bien qu'il se posait la même question.

— Tu veux que je te dise ce que je pense ?

— Mais oui, bien sûr !

— J'en ai connu, des flics comme elle, au FBI — du genre étoile montante —, qui ont fini par être promus à l'unité d'analyse comportementale et qui ont enchaîné les enquêtes sur des tueurs en série les unes après les autres. Dans mon boulot, c'est dingue, le nombre de collègues qui se tapent des burn out, mais à côté de chez eux, c'est de la rigolade. Ils ont le pire taux de toute la police. Tu sais, ces mecs, à force d'essayer d'explorer le cerveau des psychopathes et d'examiner le visage de tous ces cadavres, au bout d'un certain temps, ils disjonctent. Santos ne m'a rien dit, mais je suis sûr que c'est pour ça qu'elle a été mutée à Miami. Le Bureau a dû penser que l'envoyer faire du terrain, ça pourrait la ramener un peu à la vie.

— Qu'est-ce que tu veux dire ? Qu'on l'a rétrogradée, et qu'elle se venge sur moi ?

— Non, ce n'est pas ça. Je pense que Santos a étudié tellement de profils de tueurs en série et de sadiques que son cerveau est préprogrammé. Et, dans le cas d'Angelina, il y a quelque chose qui ne correspond pas au programme.

Je réfléchis un instant à ce qu'il venait de dire. Autour de nous, on n'entendait que le bruit des moteurs des groupes électrogènes.

— Je crois que, si on analyse le problème dans tous les sens, c'est rassurant, non ?

— Rassurant ?

— Ben oui. C'est plutôt une bonne chose. Un des cerveaux les plus qualifiés dans ce pays semble convaincu que ma femme n'a pas été victime d'un tueur en série.

— C'est vrai.

— Donc il reste une question : si ce n'est pas Cutter et si ce n'est pas moi… alors où est-elle ?

— Je peux te promettre une chose, Abe. Je n'arrêterai pas de chercher tant que je n'aurai pas la réponse.

Un des groupes électrogènes se mit à vrombir, la lumière devint plus intense, éclairant la rive, là où l'équipe de secours vérifiait si un nouveau cadavre n'avait pas été abandonné dans les Everglades.

La réponse.

— Il n'y a qu'une seule réponse que je serai capable de supporter.

29

Brian Belter était dans son restaurant préféré, en compagnie de son meilleur client, à l'endroit le plus beau de toute la République dominicaine. Et il était malheureux.

Il était l'un des huit convives à un dîner organisé par Alberto Cortinas et sa femme à La Piazzetta, un restaurant italien trois étoiles à Altos de Chavón, une ambitieuse reconstitution d'un village méditerranéen style Renaissance, perchée sur une colline près de La Romana. Le risotto à la citrouille et le filet de colin étaient parfaits, mais ce qui était surtout inoubliable, c'était la vue sur la vallée, tout en bas. Obtenir rien qu'une seule table pour un dîner aux chandelles à cet endroit était extrêmement difficile, surtout un samedi soir, mais Cortinas avait réservé toute la terrasse pour ses invités privilégiés.

— *Más vino, señor Belter ?*

Son verre était vide, mais il avait atteint ses limites.

— *No, gracias.*

Ils avaient commencé à boire sur le terrain de golf, à midi. Ils avaient enchaîné les *Cuba libre*. Belter était un bon golfeur et il avait fait deux birdies aux deux premiers trous, mais ensuite cela s'était gâté. Le « Dents du Chien » était le meilleur terrain de golf dans les Caraïbes, un véritable challenge même pour un joueur professionnel qui n'aurait pas bu. Construit sur un lit de corail, il était truffé d'impitoyables embûches, et avait été conçu par des ouvriers dominicains armés de pioches, de pelles, de marteaux et de burins pour seuls outils. Quand il en fut au huitième trou, Belter était absolument incapable de savoir où se trouvait sa balle. Il avait bu des rhums Coca comme il aurait bu du jus d'orange et personne ne l'avait averti que le rhum était du Bacardi 151. La douleur derrière ses yeux était à peine supportable. Il avait des nausées. C'était peut-être l'alcool. C'était peut-être l'altitude.

C'était peut-être Tyla Tomkins.

— *Agua, por favor*, demanda-t-il au serveur.

Alberto Cortinas trônait en bout de table, entouré des six sénateurs les plus influents de République dominicaine, tous des hommes. A cause de l'opposition de plus en plus forte contre les planteurs de canne à sucre dans les Everglades, les entreprises Cortinas avaient l'intention d'augmenter la production en République dominicaine. L'objectif était de convaincre le Sénat de ce pays d'imposer une taxe sur le sirop de glucose à base de maïs. Big Sugar ne supportait pas la concurrence. Tous ces hommes finiraient par accepter. Mais il allait falloir beaucoup plus qu'une partie de golf, un repas hors de prix et une suite dans un hôtel cinq étoiles au bord de la mer, même si la chambre était garnie d'une ou deux call-girls latinos qui, à New York, coûtaient 5 000 dollars la nuit. *El hombre con los regalos verdes* — l'homme aux billets verts — rendrait visite à chacun d'entre eux dès le lendemain matin. L'argent a toujours permis aux hommes de s'entendre. Alberto Cortinas, lui, sera déjà reparti.

Je ne suis pas impliqué, Brian.

Belter avait tellement mal à la tête qu'il lui était impossible de suivre la conversation en espagnol que tenaient les autres convives. Il avait besoin de se reposer cinq minutes. Il s'excusa, traversa la terrasse et alla s'enfermer dans les toilettes. Il en profita pour vérifier sur son smartphone s'il avait reçu des messages, puis jeta un coup d'œil à la première page du *Miami Tribune*. Il fut si surpris par la une du journal qu'il faillit en laisser tomber son téléphone dans l'urinoir.

— Nom de Dieu !

Toujours plongé dans la lecture de l'article, il se lava les mains, oublia de donner un pourboire à la préposée et revint aussitôt sur la terrasse. Il se dirigea droit vers Cortinas et l'interrompit le plus poliment possible.

Cortinas n'était pas content. Il était en train de raconter une de ses histoires préférées, celle de l'informateur au bureau du ministère de l'Agriculture des Etats-Unis qui prévenait Alberto chaque fois que le ministre était à son bureau en train de se faire tailler une pipe. C'était le seul moment où Alberto lui téléphonait car il n'avait pas d'autre choix que de prendre la communication.

— Qu'est-ce qu'il y a ?

— Il faut que je vous parle, juste une minute. En privé.

De mauvaise grâce, Alberto se leva en s'excusant. Belter l'entraîna sur la terrasse, à l'écart des autres invités. Ils trouvèrent un endroit tranquille derrière les deux piliers de pierre qui marquaient l'entrée du restaurant. On se serait cru dans le décor d'une pièce de Shakespeare, deux hommes de pouvoir qui chuchotaient dans la pénombre, devant l'entrée de petites boutiques et d'échoppes d'artisans, dans une étroite rue pavée d'un village de la Renaissance, bordée de lanternes et de balcons en fer forgé.

— La femme d'Abe Beckham a disparu. On la recherche dans une zone située à environ deux kilomètres de l'endroit où on a retrouvé le corps de Tyla.

Cortinas sortit un cigare de la poche de sa chemise et en mordit le bout.

— C'est très triste.

Belter le regarda allumer son cigare, attendant qu'il en dise plus. Mais la seule chose dont Cortinas semblait se soucier, c'était que son cigare soit correctement allumé.

— C'est tout ce que vous avez à dire ? C'est très triste ?

Cortinas tira longuement sur son cigare.

— Ce n'est pas quelque chose qui exige mon immédiate attention.

— Vous ne voyez pas le problème ? Pourtant, ça crève les yeux !

— Le seul problème que je vois, c'est que mes invités sont à table et qu'ils se demandent ce qu'il peut y avoir de suffisamment important pour que vous veniez m'interrompre en plein milieu de mon histoire.

Belter s'approcha et baissa sa voix d'un ton.

— Tyla Tomkins a été tuée. Et maintenant la femme d'Abe Beckham a disparu. Les médias vont s'en donner à cœur joie !

— Et alors ? Qu'est-ce que ça peut faire ?

— Vous ne vous rendez pas compte.

— Vous parlez comme si c'était notre faute.

— C'est toujours notre faute, expliqua-t-il à voix basse mais sur un ton pressant. Big Sugar a toujours été le bouc émissaire préféré de la Floride. Que vous soyez d'accord ou pas, on fait partie de tout ce cirque à cause de Tyla Tomkins.

— C'est arrangé. On s'occupe de tout. Pendant qu'on parle, des techniciens hors pair sont en train de s'intéresser aux dossiers et aux mails dans l'ordinateur de Tyla.

— Une tentative de fraude sur une assignation d'un procureur des Etats-Unis ? Vous n'avez pas trouvé mieux ? On va être en première page de tous les journaux. Ma société et la vôtre vont être passées sous le microscope. Et ça, ce n'est pas bon du tout. Vous n'étiez pas souvent d'accord avec votre père, mais il y a un point sur lequel il avait raison : Big Sugar s'en sort toujours mieux quand il fait profil bas.

— Qu'est-ce que vous voulez que je fasse, Brian ? Que je retourne dans le passé pour tout effacer ?

— Non, mais… Putain, Alberto, on ne parle pas seulement business. Il y a ma famille, *ma vie* ! L'agent Santos et ce connard de flic qui sont venus me voir dans mon bureau ! Ils sont au courant pour Tyla et moi. Jenny va me quitter si tout ça s'ébruite. Qu'est-ce que je vais lui dire ? Et qu'est-ce que je vais dire à mes mômes ?

— C'est vous qui décidez, Brian. Mais je vois deux possibilités.

Il tira sur son cigare et la fumée qui s'échappa de ses lèvres flotta en direction de Belter.

— La première, vous pouvez leur dire que lorsque Tyla vous appelait depuis son téléphone prépayé, vous auriez dû vous débrouiller pour avoir, vous aussi, un prépayé et il aurait été impossible de retracer les appels. Mais vous avez été trop bête pour y penser. Contrairement à moi.

Belter écoutait, immobile.

— Ou alors vous pouvez leur dire que cette semaine a vraiment été une semaine pourrie pour les femmes qui baisaient avec Abe Beckham.

Belter le regardait, ne sachant quoi penser. Lorsque Cortinas faisait des remarques aussi stupides qu'arrogantes, même lui avait du mal à savoir s'il était sérieux, à moitié sérieux ou s'il plaisantait.

Puis Cortinas lui sourit en serrant son cigare entre ses dents.

— Allez, venez, mon ami. Il est temps de retrouver nos invités.

Belter le suivit, mais il avait envie d'attirer son client à l'écart, de le regarder droit dans les yeux pour savoir s'il était sérieux quand il parlait de son téléphone prépayé. Il n'aurait jamais soupçonné qu'il puisse y avoir eu quelque chose entre Tyla et Cortinas. Et cela le troublait rien que d'y penser. Il voulait en être sûr, non pas à cause de son ego ou par curiosité malsaine.

Il fut un temps où Belter avait pensé qu'il était le seul.

Il était sur le point de poser la question à Cortinas, ce qui aurait semblé tout à fait naturel entre deux hommes qui se connaissaient depuis si longtemps. Mais il préféra suivre son instinct, comme il l'avait fait si souvent avec Alberto Cortinas.

Mieux vaut ne rien savoir.

Les deux hommes retournèrent à leur table, sur la terrasse, et lorsque Alberto termina son histoire du ministre et du « Cortinas interruptus » Belter éclata de rire comme les autres.

30

Il était presque 21 heures lorsque Victoria, accompagnée de Reyes, frappa à la porte de J.T. La chaîne de sûreté était mise.

— Qu'est-ce que vous voulez ? demanda J.T., le visage coincé dans l'encadrement de la porte.

— Je suis l'agent…

— Je sais qui vous êtes. Vous êtes venue avec le détective Riddel pour prendre mon répondeur. Et elle, c'est qui ?

Reyes se présenta et montra sa plaque.

— On voudrait vous parler d'Angelina.

— Je ne peux pas vous parler en ce moment. Je regarde un film.

On entendait la télévision à fond dans l'appartement. Vanessa se dit que c'était sans doute un film pour mec, avec plein d'effets spéciaux, du genre *Transformers* ou *Iron Man*.

— Vous êtes au courant qu'Angelina a disparu, n'est-ce pas ?

— Ouais. Abe me l'a dit.

— Et vous ne pouvez pas prendre cinq minutes pour nous parler ?

Il fit une grimace, un peu à la manière d'un ado surpris à jouer avec son ordinateur après minuit.

— Bon, d'accord. Je vais mettre sur pause.

Son visage disparut de l'encadrement de la porte, on entendit le bruit de la chaîne qui glissait et la porte s'ouvrit. J.T. portait seulement un short de basket-ball trop large qui lui arrivait aux genoux, pas de chemise ni de chaussures. Victoria remarqua le bracelet sur sa cheville. Il les conduisit jusque dans le salon et mit la télé sur pause. Victoria avait vu juste : c'était *Iron Man 2*.

— Asseyez-vous.

Les deux femmes s'installèrent sur le sofa, J.T. se laissa tomber dans un pouf. La pièce était décorée avec goût, probablement par une femme, et Victoria était prête à parier que le pouf orange était le seul meuble que la sœur de J.T. n'avait pas choisi.

— Vous avez un appartement superbe. C'est votre sœur qui a choisi toutes ces belles choses ?

— Ouais, tout. Sauf le pouf.

Deux à zéro, pensa Santos.

— C'est vous qui l'avez choisi ou c'est Abe ?

— C'est moi. Je l'ai acheté 2 dollars dans une brocante. Abe n'aurait jamais rapporté une merde pareille dans la maison de Samantha. Il faisait tout ce qu'elle voulait.

La conversation allait exactement dans la direction que voulait Santos.

— Ils s'entendaient bien ?

— Ah, ça, putain, oui. A mon avis, ils étaient faits l'un pour l'autre.

— Qu'est-ce qui vous fait dire ça ?

— Y a rien qui me *fait* dire ça, s'exclama-t-il en jetant un regard soupçonneux. Qu'est-ce que vous racontez ? Que j'ai pris de la dope ?

— J'étais simplement en train de suggérer…

— Vous m'avez demandé ce qui me *fait* dire ça. Je le dis parce que je le pense. Pas parce que quelque chose me le fait dire. C'est tout, y a rien d'autre. Je ne prends pas de drogue. Alors tout le monde reste cool, d'accord ?

— D'accord, on est cool. J'essayais juste de comprendre ce que vous venez de dire. Abe et Samantha étaient faits l'un pour l'autre. Je suppose donc qu'ils ne se disputaient jamais.

Il respira un grand coup et sembla se calmer. Il avait digéré le « qu'est-ce qui vous fait dire ça ? ».

— Eux ? Se disputer ? Non, jamais.

— Et Abe avec Angelina ?

— Quoi ?

— Vous les avez déjà vus se disputer ?

Il hésita un instant.

— Ouais. Ils se disputaient.

— Ils se disputaient ou ils se disputent ?

— C'est une question piège ?

— Non. Se disputaient, ça veut dire qu'Angelina, c'est le passé. En revanche, si vous dites se disputent…

— Donc c'est une question piège. Vous essayez de m'embrouiller.

— Laissez tomber, je n'ai rien dit.

— Non, je laisse pas tomber. La femme d'Abe a disparu, vous venez dans mon appartement et vous me posez des questions pièges. Vous croyez que j'ai quelque chose à voir avec la disparition d'Angelina, c'est ça ?

— On discute, c'est tout.

— Alors pourquoi on aurait pas une putain de discussion logique ? Je peux même pas quitter mon appartement. Au cas où vous auriez pas remarqué, j'ai un bracelet à la cheville.

Il leva son pied en l'air, ce qui donna à Victoria une vue imprenable sur son intimité. Il ne portait pas de slip.

— Vous pouvez reposer votre pied, J.T.

Il baissa sa jambe.

— Abe et Angelina se disputent à propos de quoi ?

— J'en sais rien. Ils se disputent pour tout.

— Pour tout ?

— Non, pas tout. Pour beaucoup de choses.

— Vous les avez entendus crier ?

— Ben oui.

— Est-ce que vous avez été témoin de contacts physiques entre eux ?

— Vous voulez dire est-ce que je les regarde quand ils font l'amour ?

Elle comprit qu'il faisait l'idiot et que, de toute évidence, il préférait éviter la question, ce qui donna encore plus envie à Victoria d'entendre la réponse.

— Non, quand je parle de « contacts physiques », je veux dire : est-ce qu'Abe a levé la main sur elle ?

— Abe n'a jamais frappé Angelina.

— Vous en êtes sûr ?

— Ouais, j'en suis sûr.

Elle se pencha en avant, le regarda droit dans les yeux.

— C'est important, J.T. Si Abe a frappé Angelina, je dois le savoir.

— Abe ne l'a jamais frappée, répéta-t-il sans quitter son regard.

Victoria laissa planer un moment de silence. Dans sa vie, elle avait étudié le regard de nombreux témoins, de nombreux suspects, de nombreux menteurs. Bien sûr, les détecteurs de mensonge étaient utiles, parfois, mais rien ne valait l'expérience qu'elle avait acquise en vingt ans de métier. J.T. ne mentait pas, elle en était quasi certaine. Il finit par détourner les yeux.

— Mais…

Elle attendit un instant, puis elle l'encouragea à poursuivre.

— Mais quoi ?

Il baissa la tête sans répondre.

— Mais quoi, J.T. ?

— Elle le frappe.

Victoria essaya de ne pas réagir, de garder une attitude aussi neutre que possible.

— Angelina frappe Abe ?

— Ouais, c'est ce que je viens de dire.

Santos hocha lentement la tête.

— Vous voulez dire que c'est arrivé plus d'une fois ?

— Mouais. Plus d'une fois.

Victoria jeta un coup d'œil à Reyes, qui était assise près d'elle, sur le sofa, puis elle revint à J.T.

— OK, J.T. Et si vous m'en disiez un peu plus ?

31

— Mais c'est complètement faux.

J'avais dû rassembler tout mon sang-froid pour pouvoir regarder Santos bien en face et lui répondre aussi calmement que possible. Car j'étais furieux. Furieux contre J.T. pour avoir raconté qu'Angelina me frappait. Furieux contre l'agent Santos pour m'en avoir parlé cette nuit-là, dans des circonstances si particulières, juste de l'autre côté de la route où les recherches du corps d'Angelina se poursuivaient.

— Et pourquoi aurait-il menti ? demanda Santos.

J.T. n'avait pas arrêté une seconde de m'appeler durant la dernière demi-heure, mais je n'avais pas voulu répondre. J'aurais mieux fait. Je lui aurais posé la même question, ce qui m'aurait évité de me faire piéger par Santos et Reyes.

— Personne ne sait pourquoi J.T. fait ce qu'il fait. Si un juge ordonne qu'on lui mette un bracelet à la cheville, il va vous dire que le gouvernement est en train de l'espionner. S'il y a un tueur en série en Floride du Sud qui s'appelle Cutter, il va vous dire qu'autrefois il coupait des cannes à sucre. Il affirme des choses rien que pour voir comment les gens vont réagir.

— Alors c'est ça, votre réponse ? Il ment sans raison, uniquement pour mentir.

Comment pouvait-on expliquer J.T. à une personne extérieure ?

— Il est dans son monde. Quand on est allés voir son père à l'hôpital vendredi, il a dit que ce n'était pas son père. Il ne ment pas. Il sait que personne ne le croit. Il fait souvent ça. Quelquefois, il va dire exactement le contraire de la vérité, même si lui et tous les autres savent qu'il ment.

— Donc, si le beau-frère de J.T. frappe sa femme, J.T. peut éventuellement signifier que c'est la femme qui frappe son beau-frère.

J'aurais dû voir le coup venir, mais j'ai été pris de court, ce qui montre l'état de stress dans lequel je me trouvais.

— Je n'ai jamais frappé une femme de ma vie.

— C'est facile de savoir.

— Ouais, vous pourriez laisser tomber la théorie du mari violent et essayer de savoir ce qui est arrivé à ma femme.

— Ou alors vous pourriez passer au détecteur de mensonge.

Je n'hésitai pas une seconde.

— Non.

— Je suis contente de voir que vous avez si longuement réfléchi avant de répondre, fit-elle remarquer d'un ton sarcastique.

— Je ne vais pas jouer à ce jeu-là. Si je vous autorise à me traiter comme un suspect, vous allez continuer à me traiter comme un suspect. Si je réussis les tests au polygraphe, vous allez ensuite demander une fouille au corps pour voir si j'ai des ecchymoses ou des égratignures. Si vous ne trouvez rien, vous demanderez que je passe un autre test. Si de nouveau je réussis le test, vous allez trouver autre chose. Chaque minute que vous passez à essayer de monter une accusation bidon contre moi, c'est une minute perdue. Occupez-vous plutôt de trouver le tueur.

Je réalisai soudain ce que je venais de dire et m'arrêtai net. Santos avait entendu. *Le tueur.* Elle n'avait même pas besoin de poser la question, elle était écrite sur son visage : *Comment savez-vous qu'elle est morte ?*

— Réfléchissez à cette histoire de polygraphe.

— La réponse est non.

— Vous m'en voyez désolée.

Elle allait partir mais je la retins.

— Mais qu'est-ce qu'il se passe ?
— Pardon ?
— On a commencé par rechercher un tueur en série. Ça s'est transformé en une chasse aux sorcières et c'est moi qu'on veut coller sur le bûcher. Je suis là depuis des heures, à regarder et à prier pendant que vos équipes travaillent. Et je me suis posé des questions… Des questions sur vous. J'ai même passé un coup de fil.
— Vous avez fait des recherches sur moi ?
— J'ai vu sur Google que vous aviez mené une enquête sur un tueur avec l'aide du *Miami Tribune*. J'ai pensé que vous connaissiez peut-être l'ancien chroniqueur judiciaire. Il a quitté le journal il y a cinq ans, après vingt-deux ans de bons et loyaux services. Il a eu le Pulitzer[1]. Un mec vraiment super. Il a couvert ma première plaidoirie dans un procès pour meurtre et pas mal d'autres ensuite. Il s'appelle Mike Posten.
Elle ne répondit rien, mais je me rendis compte que le nom lui disait quelque chose.
— J'ai appelé Mike. Et vous savez ce qu'il m'a dit ?
— Aucune idée. Je ne l'ai pas vu depuis des années.
— Eh bien, d'après lui, vous ne pensez pas vraiment au fond de vous-même que c'est moi le coupable. Il doit y avoir quelqu'un qui vous pousse à faire ça. Il dit que la Victoria Santos qu'il a connue est beaucoup trop intelligente pour croire une chose pareille.
— La Victoria Santos que Mike a connue à l'époque avait trente-deux ans et elle était une nouvelle recrue. Personne ne me pousse à faire quoi que ce soit.
— Je répète simplement les paroles de Mike.
Elle était sur le point d'ajouter quelque chose, mais elle changea d'avis, me tourna le dos et s'éloigna.
— Hé, Santos !

1. Un des plus prestigieux prix au monde, décerné aux meilleurs journalistes.

Elle fit encore quelques pas, hésita, puis s'arrêta et se tourna vers moi.

— Et, si elle était là aujourd'hui, elle penserait quoi, cette nouvelle recrue de trente-deux ans ?

Il faisait sombre et nous étions trop loin des rampes de lumières pour que je puisse voir son visage. J'eus tout de même l'impression que mon dernier coup avait porté.

Mais Santos ne se laissait pas abattre aussi facilement. Elle revint sur ses pas et s'arrêta juste au niveau du ruban de plastique jaune.

— Elle penserait exactement ce que je pense. Peut-être qu'elle aurait mis plus de temps à cause de son manque d'expérience, mais elle serait arrivée aux mêmes conclusions : notre tueur en série n'a encore jamais opéré en dehors du comté de Palm Beach. Cutter n'a pas tué Tyla Tomkins. Et il n'a pas non plus enlevé votre femme.

Elle fit brusquement demi-tour et s'en alla avant même que je ne puisse lui répondre. J'étais sur le point de passer sous le ruban jaune pour la suivre et lui poser toute une série de questions, mais je m'arrêtai à temps. J'avais suffisamment d'ennuis comme cela, sans en plus aller souiller une scène de crime en y laissant mes traces de pas. De plus, je savais qu'elle ne me répondrait pas.

Immobile, je regardais Santos qui s'en retournait vers la lumière des projecteurs.

32

Victoria traversa la route pour aller rejoindre le chef du groupe de recherche et de sauvetage. Elle frissonna. Il ne faisait pas aussi froid que le matin où on avait découvert le cadavre de Tyla Tomkins, mais il était 10 heures du soir et, dans les Everglades, la température baissait rapidement à la tombée du jour.

Les coups de Beckham avaient porté, même si elle avait fait tout son possible pour ne pas le montrer. Il y avait eu tout d'abord Mike Posten puis un autre coup, encore plus bas.

Elle penserait quoi, cette nouvelle recrue de trente-deux ans ?

Bonne question. Elle penserait probablement un tas de choses. Par exemple que « coordinateur du groupe de travail » n'était pas exactement le poste dont elle aurait rêvé à ce stade de sa carrière. Qu'il était impossible qu'elle connaisse un burn out. Que, d'après les statistiques sur les homicides, ce qui était vrai à l'époque l'était encore aujourd'hui : c'était lorsqu'une femme entretenait une relation avec un homme qu'elle courait le plus de danger.

Mais tout cela n'était pas une excuse pour perdre son sang-froid. Ce n'était pas en échangeant des coups avec Abe Beckham ou en se mettant en colère qu'elle parviendrait à faire partager son intime conviction : ce n'était pas Cutter qui avait assassiné Tyla Tomkins.

Et puis il y avait cette histoire avec Mike Posten. Un

homme marié qui n'avait pas succombé à la tentation et qui était resté fidèle à sa femme. Beckham ferait mieux de le prendre en exemple.

Son portable sonna. Ça venait du bureau du shérif du comté de Palm Beach. Un coup de téléphone de la part d'un membre du groupe de travail à 22 h 30 un samedi, ce n'était vraiment pas bon signe.

— Qu'est-ce qu'il se passe, Juan ? demanda-t-elle en se préparant au pire.

— Je crois qu'on a une autre victime.

Ce fut comme un choc, la nouvelle l'atteignit de plein fouet. Quelque part, elle se sentait responsable de cette mort, elle avait trop tardé à arrêter ce monstre.

— Où ?

— Un champ de canne à sucre, près de la Route 27. Très à l'ouest des endroits où on a retrouvé les autres corps, mais c'est toujours sur les terres de la Cortinas Company.

— Vous l'avez identifiée ?

— Non. Le corps a été retrouvé dénudé, aucune identification sur elle. Une femme blanche, la trentaine, c'est tout ce qu'on peut dire pour l'instant.

— La signature de Cutter ?

— Affirmatif.

De la cendre sur le visage.

L'oreille toujours collée au téléphone, elle regarda en direction d'Abe.

— Juan, est-ce que vous pouvez jeter un coup d'œil sur l'avis de recherche qui a été émis par Miami-Dade ? Il y a la photo d'Angelina Beckham dessus. Juste pour comparer.

— OK.

— Et vous me rappelez immédiatement. J'ai bien dit *immédiatement*, dès que vous pouvez.

— D'accord.

Elle referma son portable, mais le garda à la main, attendant que Juan la rappelle. Une brise légère soufflait sur les eaux sombres des Everglades et elle sentit son cœur battre un peu plus vite en pensant que, dans quelques instants peut-être, elle devrait officiellement arrêter les recherches. Ou pas.

De toute façon, il fallait qu'elle se rende à Palm Beach. La nuit promettait d'être longue et difficile.

33

L'attitude de l'agent Santos m'inquiétait.

Je l'avais vue répondre au téléphone, puis se précipiter pour sauter dans sa voiture et partir à toute vitesse, non pas vers les Everglades, mais vers l'autoroute à péage. En quelques instants, le travail de la brigade de recherche changea du tout au tout. Les plongeurs refirent surface et regagnèrent la rive. Les projecteurs cessèrent de balayer les laîches. On ramena les chiens. Une équipe quitta les lieux, puis une autre. Les policiers bavardaient en petits groupes le long du canal, il semblait que le sentiment d'urgence qu'on ressentait encore quelques instants plus tôt s'était totalement dissipé dans l'obscurité. Il y avait trop de gens qui restaient là, à ne rien faire. Je me tenais toujours au-dehors du périmètre délimité, mais je savais que je ne pourrais pas rester longtemps à contempler le Tamiami Trail en simple spectateur. Je ne savais pas où Rid pouvait se trouver. Je lui laissai un message sur son répondeur.

— Je n'aime pas du tout ce qui se passe. Appelle-moi tout de suite.

Des voitures passaient sur la route, tout près de moi. Le cœur au bord des lèvres, j'examinais chaque véhicule dans la peur de reconnaître le van du légiste. Mon portable se mit à vibrer, c'était Rid. Il me raconta ce qui s'était passé à Palm Beach. Je pouvais à peine respirer.

— Dis-moi que ce n'est pas elle.

— On ne sait pas encore.

— Ne me raconte pas de conneries.

— Abe, je te dis ce que je sais.

Je le voyais qui s'avançait, de l'autre côté de la route, son portable collé contre son oreille. Il le referma en arrivant près de moi. Bien qu'il fût juste de l'autre côté du ruban jaune, j'avais du mal à voir son visage. Une seule rampe d'éclairage était encore allumée, les Everglades étaient retournées dans la pénombre.

— Ils ont la photo d'Angelina. Ils ne peuvent pas faire une comparaison ?

Rid baissa la tête, très mal à l'aise.

— D'après le premier rapport, l'attaque a été particulièrement violente. La police a confirmé les traces de cendre, mais même là c'était difficile. Le visage est méconnaissable.

— Et les empreintes ? La police a dû relever des empreintes sur les brosses d'Angelina, ou son sèche-cheveux, ou sur autre chose !

— Oui, mais, étant donné l'état dans lequel se trouve le corps, il est impossible de procéder à une comparaison.

J'essayai de m'empêcher d'imaginer ce que je ne voulais pas voir : des moignons de bras coupés aux poignets, plus de mains, plus d'empreintes.

— Combien de temps prendra l'analyse ADN ?

— On va faire aussi vite qu'on peut, pas seulement pour identifier la victime mais aussi pour essayer de trouver des traces de l'ADN de Cutter. Mais le labo ne peut pas commencer avant d'avoir reçu les prélèvements, et on devra faire ça dans les règles. Il faudra attendre qu'on amène le corps chez le légiste.

Son corps. Je le connaissais mieux que personne. Rid pensait à la même chose que moi.

— Ce qui nous aiderait vraiment, Abe, c'est que tu nous fasses une liste de toutes ses marques distinctives. Je la transmettrai au légiste de Palm Beach.

Le grain de beauté à l'intérieur de sa cuisse, les taches sur ses épaules, des détails que même Angelina ne connaissait pas. Oui, je pouvais faire cette liste. Dans la voiture.

— Il faut que j'y aille.

Je me dirigeai tout droit vers l'autoroute à péage. Vite. Et seul. Rid avait dû rester sur place. Les recherches le long du Tamiami Trail étaient suspendues mais non pas terminées. Je voulais espérer que c'était peut-être un bon signe. On se raccroche à ce qu'on peut.

J'étais en train de dicter sur mon portable la liste des signes distinctifs sur le corps d'Angelina, et j'en étais au numéro quatorze lorsque Ed Brumbell m'appela depuis Belle Glade.

— Je ne sais pas si tu es au courant, mais la police est en train de chercher un corps dans un champ de canne à sucre à moins de deux kilomètres de chez moi.

Quand il disait « chez moi », il voulait dire le Centre d'aide juridique.

— Je sais. Je suis en train d'aller chez le légiste.

— Est-ce que c'est…

— On ne sait pas encore.

— Je te retrouve là-bas, dit-il sans hésiter.

— Ce n'est pas la peine.

— Qui est avec toi ?

— Personne.

— Je ne te laisserai pas y aller tout seul. Je te retrouve là-bas.

Je le remerciai et poursuivis ma route. Je terminais ma « liste Angelina » lorsque j'arrivai aux limites du comté de Miami-Dade. J'étais en train de passer devant un de ces lotissements qui se trouvaient bien trop à l'ouest et qui étaient sortis de terre pendant le boom de la bulle immobilière ; les habitants avaient vite compris que les moustiques ne respectaient pas la frontière entre les confins de la banlieue et le début des Everglades.

J'envoyai la liste par e-mail à Rid, et ensuite passai un coup de fil à la personne que je redoutais le plus d'appeler :

la mère d'Angelina. On s'était promis de se tenir au courant. Ce fut son mari qui me répondit.

— Margaret dort. Quand je suis arrivé, elle était sur le point de devenir folle. Je lui ai donné un somnifère.

Je lui dis où j'allais. Il y eut un long silence à l'autre bout de la ligne et je me demandai si nous avions été coupés.

— Est-ce que Margaret et moi devons vous retrouver là-bas ? demanda-t-il enfin.

— Je ne pense pas que ce soit une très bonne idée.

— Vous en êtes sûr ?

J'essayai de me montrer optimiste.

— Nous sommes sur plusieurs pistes. Si ce n'est pas Angelina, les recherches vont reprendre. On a besoin de vous dans le comté de Miami-Dade.

— Oui, c'est vrai.

— Je vous rappelle dès que je sais quelque chose.

Je fermai mon téléphone et accélérai.

34

J'arrivai au bureau du légiste juste avant minuit. Ed m'attendait devant l'entrée. Les portes automatiques s'ouvrirent devant nous, il m'accompagna dans les couloirs à l'intérieur du bâtiment.

On entendait pleurer dans le hall, un peu plus loin. Pas de petits gémissements, mais une longue plainte ininterrompue entrecoupée de sanglots. Ces sanglots qui vous étouffent, qui vous détruisent, qui expriment la pire douleur qui puisse exister : la détresse d'une mère qui vient de perdre son enfant.

Je m'arrêtai au bout du couloir, incapable d'entrer dans la lumière crue. Il y avait quelques chaises alignées le long du mur du fond. Assis sur l'une d'elles, un homme, de l'âge de Jake, essayait de consoler la femme qui était près de lui. La femme avait le look de Palm Beach, belle, habillée avec recherche, elle aurait pu passer pour une des amies de ma belle-mère. Santos était assise à côté d'elle et lui tenait la main. Quand elle me vit, elle se leva, s'excusa auprès du couple et vint vers moi.

— Ce n'est pas votre femme, murmura-t-elle.

Un immense sentiment de soulagement m'envahit. Et soudain, je me sentis… égoïste, égocentrique. Cela me sauta en pleine figure : nous étions confrontés à un tueur en série, ce qui par définition impliquait qu'il y avait plusieurs meurtres et donc plusieurs familles qui souffraient. La mère de la dernière victime de Cutter, effondrée, pleurait sur l'épaule de son mari. J'aurais voulu les consoler, les prendre tous les deux dans mes bras.

— Je n'étais pas en train de jouer avec vos nerfs. On vient juste d'identifier la victime. Je voulais parler aux parents avant de vous prévenir.

— Je comprends.

— J'ai demandé à Riddel de reprendre les recherches à Miami-Dade. Vous devriez y aller.

— D'accord. Je vais appeler les parents d'Angelina.

— Vous pouvez faire ça dehors ? Je n'ai pas envie que les gens ici vous entendent.

— Bien sûr.

Santos retourna auprès des parents de la victime. Ed me suivit dans les couloirs jusqu'à la sortie du bâtiment.

— C'est une bonne nouvelle.

— Ouais. Mais pas pour tout le monde.

— Au fait, pour Vernon Gallagher, ça n'a rien donné.

— Vernon qui ?

— Tu t'en souviens ? L'Usain Bolt de la canne à sucre. L'ancien coupeur de cannes dont Tyla Tomkins pourrait avoir parlé dans le message qu'elle t'a laissé.

— Ah oui…

— Je croyais vraiment qu'il y avait quelque de louche dans l'accident de voiture du député Conrad. Surtout vu la manière dont tous les éléments de l'enquête étaient restés sous scellés. Mais j'ai parlé à sa veuve. En fait, c'est la famille qui a demandé de tout mettre sous scellés, pas Big Sugar. Conrad était rond comme une queue de pelle et il roulait trop vite quand il est arrivé devant le champ qui brûlait. Il y a eu des flammes sur la route, et voilà. Il s'est crashé.

Parfois, les raisonnements d'Ed étaient si compliqués qu'on avait du mal à savoir où il voulait en venir.

— C'est dommage.

— Ce que je voulais dire, c'est que je pense que l'accident de voiture n'a rien à voir avec ce que Tyla essayait de te dire.

— D'accord. On laisse tomber.

— Non, non, non, s'exclama-t-il en me retenant. Je n'ai pas dit qu'il fallait laisser tomber. Si Tyla essayait de te passer des infos à propos d'un crime commis par les entreprises Cortinas, il faut absolument qu'on trouve ce que c'est.

— Ed, en ce moment, tout ce que je veux, c'est prévenir ma belle-famille.

Je repris ma marche et accélérai. Il continuait de me suivre.

— Ecoute-moi juste une seconde. Je crois que le crime dont parlait Tyla a quelque chose à voir avec la transaction immobilière dont s'occupait son cabinet d'avocats.

Nous étions arrivés à la sortie, les portes automatiques s'ouvrirent devant nous.

— La transaction immobilière ?

— Il y a quatre ans, Big Sugar a passé un marché de un milliard de dollars pour revendre des terres agricoles à l'Etat de Floride. C'était bien au-dessus du prix du marché, mais les écologistes ont accepté, parce qu'il s'agissait d'arrêter de planter des cannes pour que les Everglades reviennent à leur état naturel. Mais ensuite Big Sugar s'est débrouillé pour que des politiciens lui relouent ces mêmes terrains à un prix ridiculement bas. C'est du vol pur et simple.

Nous étions sortis. J'ouvris mon téléphone. Pas de réseau.

— Merde !

Je suivis le trottoir le long du bâtiment tout en regardant si je pouvais capter. Le parking était un peu loin. Ed suivait toujours.

— Alors cette transaction…

— Ed, arrête. Qu'est-ce qu'une transaction immobilière viendrait faire dans tout ça ?

— Suis-moi bien. Je suis sûr que personne n'a encore pensé à ça, mais je pourrais te montrer sur une carte. Le tueur en série a balancé chacune de ses victimes de Palm

Beach dans un champ de canne à sucre. Et, jusqu'à présent, tous ces champs font partie des parcelles qui ont été louées.

Je m'arrêtai net.

— Non mais c'est n'importe quoi ! Tu crois qu'on est en train de jouer au Da Vinci Code ?

— Hein ?

— Ed, je me fiche complètement de ton histoire de transaction immobilière.

— Tu n'as pas compris. Tout ça, c'est lié au tueur en série. Je crois qu'il y a un message.

Je marchais encore plus vite, mais je me souvins tout à coup d'un dessin que mon boss avait affiché sur la porte de son bureau jusqu'à ce que Carmen lui demande de l'enlever. C'étaient deux policiers qui examinaient une carte sur laquelle on avait planté des épingles pour indiquer les lieux d'une série de crimes. Les épingles formaient la phrase « *fuck you* » et l'un des deux policiers demandait à l'autre : « Si seulement on pouvait trouver quel est le mode opératoire… »

Je n'avais toujours pas de réseau. Je décidai de faire le tour de l'immeuble.

— Abe, tu m'écoutes ?

— Non, je ne t'écoute plus. Je croyais que tu étais venu pour m'aider, mais en fait c'est pour me parler d'un procès.

— On peut les choper, ces mecs, une fois pour toutes !

— Ça ne m'intéresse pas.

— Abe, toi et moi, on fait équipe, non ? On a l'occasion de se payer Big Sugar !

— Ed, j'ai d'autres priorités en ce moment, ma femme a disparu, et honnêtement j'en ai rien à foutre !

Je m'arrêtai net. On venait juste de tourner au coin du bâtiment et je me retrouvais nez à nez avec une équipe de télévision. La journaliste, atterrée, me regardait avec de grands yeux. J'avais hurlé, mais ce que la journaliste avait entendu était complètement hors contexte, et le cameraman avait entendu, lui aussi. J'allais m'expliquer, mais je n'en eus pas le temps. Elle claqua des doigts, et la vidéo commença à enregistrer.

— Excusez-moi, monsieur. Vous êtes bien Abe Beckham ?

Elle brandissait son micro sous mon nez, la caméra était braquée sur moi.

Je n'aurais pas dû répondre ça, surtout sachant ce qui s'était passé après mon mensonge dans le bureau de Carmen, mais tout ce que je voulais, c'était me sortir de là le plus vite possible.

— Non.

Je me précipitai dans ma voiture.

35

Je ne pouvais pas rentrer chez moi. Pas cette nuit-là. Ma maison était toujours sous scellés, les enquêteurs devaient revenir le lendemain matin. J'avais besoin de dormir. J'allai donc chez J.T.

J'appelai les parents d'Angelina. Son père sembla rassuré, ce qui ne l'empêcha pas de me poser la question que tout le monde avait en tête.

— Mais alors, d'après vous, où est-elle ?

— On va continuer de chercher.

— Je sais que la police a diffusé son signalement, mais je pensais aussi offrir une récompense. Vous savez, du genre : si vous savez quelque chose, appelez-nous. On ne vous posera aucune question. Peut-être... Combien pensez-vous qu'on pourrait mettre ? 25 000 dollars ? 50 000 ? Je n'en ai aucune idée. Comment font les autres pour calculer ce genre de choses ?

C'est vrai : comment font-ils ? Est-ce en fonction de la valeur de la personne disparue ? Ou selon les moyens financiers de la famille ? Encore une question sans réponse.

— Oui, Jake. Cela me paraît être une bonne idée. On pourrait en décider le montant demain matin.

Je lui dis qu'il fallait garder espoir, il me répondit la même chose et nous raccrochâmes. Pendant le trajet du retour, je me donnai quatre ou cinq gifles pour ne pas m'endormir. Le coup de fil suivant me réveilla tout à fait. J'avais répondu parce que je voyais l'indicatif d'un numéro de Palm Beach et qu'il pouvait s'agir d'un appel du groupe de travail. Mais il s'agissait de la journaliste qui avait réussi à obtenir mon numéro de téléphone.

— Monsieur Beckham, je sais que c'était vous.

Mon premier réflexe fut de raccrocher, mais je savais que cela aurait été une erreur.

— Je suis désolé. C'était très impoli de ma part, mais je suis en train de vivre des moments difficiles. Je vous demande de respecter ma vie privée.

— J'ai entendu ce que vous avez dit. Je voulais simplement vous donner la possibilité de vous expliquer.

Il fallait la jouer fine.

— Ecoutez, madame... Comment vous appelez-vous ?

— Heather. Heather Hunt.

— J'aime ma femme, et je fais tout ce qui est humainement possible pour la retrouver. Ce que vous avez entendu était complètement hors contexte. Et, si vous me promettez de me laisser tranquille, je vous assure que, dès que j'aurai une nouvelle à transmettre aux médias, vous serez la première personne à le savoir.

— Monsieur Beckham, je ne voudrais pas paraître insensible, mais votre femme, c'est une affaire purement locale. Moi, ce qui m'intéresse, c'est Cortinas.

— Pardon ?

— Après que vous vous êtes littéralement enfui, M. Brumbel nous a expliqué de quoi vous parliez quand vous avez crié que vous n'en aviez rien à..., etc. Il nous a dit que, juste avant sa mort, Tyla Tomkins vous avait contacté à propos d'activités criminelles commises par la société Cortinas et qui auraient été étouffées.

Putain ! Dès le début, j'avais clairement expliqué à Ed que toute cette histoire de message de Tyla était confidentielle.

— Je suis désolé, je ne peux pas vous parler de ça.

— M. Brumbel nous a donné votre numéro de téléphone et nous a dit que vous étiez prêt à tout nous expliquer.

Et merde ! Ed !

— Non, je ne peux vraiment pas.

— Donc vous n'en avez vraiment rien à FOUTRE

qu'il puisse y avoir un rapport entre Tyla Tomkins et les activités criminelles de Cortinas Sugar ?

— Il faut vraiment que je vous laisse. Je suis désolé, Hunter.

— Heather. Heather Hunt.

— Je suis sur l'autoroute, je fais du cent trente kilomètres-heure, je suis fatigué et je suis au téléphone. C'est dangereux. Bonne nuit.

Elle rappela, mais je ne répondis pas. Je me bagarrai avec mon téléphone pour appeler Ed. Il est vrai que j'avais des torts envers lui. Il était venu en pleine nuit pour me soutenir et j'aurais dû lui expliquer d'une manière plus délicate qu'il était beaucoup plus important pour moi de retrouver Angelina que de faire n'importe quel procès à Big Sugar. Mais, de là à ce qu'il déballe tout sur Tyla et moi, il y avait de la marge.

Je tombai sur sa messagerie. J'eus soudain la vision d'Ed au téléphone avec Heather Hunt, en train d'en rajouter et de lui donner tous les éléments du dossier qu'il allait monter contre Cortinas. Je lui laissai un message.

— Ed, je t'avais demandé de ne dire à personne que Tyla cherchait peut-être à communiquer des renseignements. S'il te plaît, plus un mot aux médias. Tu es en train de compromettre une enquête criminelle. C'est tout ce que j'ai à dire.

Je refermai mon portable et ma colère contre lui ne fit que croître jusqu'à ce que j'arrive à Miami. Mais peut-être me trompais-je de cible.

Il fallait encore que je m'explique avec J.T.

J'arrivai à sa résidence à 1 h 30 du matin. Je fis littéralement voler la voiture au-dessus des trois ralentisseurs et m'arrêtai au même endroit où je stationnais lorsque je vivais avec Samantha. J'entrai et jetai mes clés dans le même plateau près de la porte. Je venais de me taper deux allers-retours Miami-Palm Beach dans les seize dernières heures et cela avait été somme toute les moments les moins fatigants de la journée. J'étais épuisé, mais je n'avais pas le temps de dormir. Toute cette histoire avec Cortinas me laissait perplexe, mais je n'avais pas non plus le temps de m'en occuper. Je devais rester concentré. J.T. allait me donner sa version de sa conversation avec Santos, même s'il fallait pour ça que je le sorte de son lit au beau milieu de la nuit. Je fis irruption dans sa chambre, ouvris la lumière et le secouai jusqu'à ce qu'il se réveille.

— Tu as dit à l'agent Santos qu'Angelina me frappait ?

Encore à moitié endormi, il clignait les yeux, complètement perdu.

— Hein ?

Je relevai les couvertures, le redressai et le fis s'asseoir sur le rebord du lit, face à moi. Comme d'habitude, il portait son short et son T-shirt de basket-ball. Je répétai ma question, essayant de ne pas être trop pressant ou trop accusateur, mais à cet instant j'étais à bout de patience. Il avait du mal à s'habituer à la lumière, mais ce n'était pas uniquement pour cela qu'il mettait du temps à me répondre.

— Oui, c'est possible.

— J.T., pourquoi tu as dit ça ?

— Euh…

Sa jambe fut prise de mouvements, son talon frappait le sol comme un marteau-piqueur. Son bracelet cliquetait contre sa cheville.

— Je te promets que je ne vais pas me fâcher.

Sa deuxième jambe s'était mise en mouvement. Il bougeait si fort que cela en faisait grincer le lit. Il fallait que je relâche un peu la pression.

— J.T., respire profondément, d'accord ? Tu te calmes et tu m'expliques pourquoi tu as dit à l'agent Santos qu'Angelina me frappait.

Il inspira par la bouche, expira par le nez. Le contraire de ce que tout le monde aurait fait, mais c'était normal venant de J.T.

— J'essayais simplement… Simplement d'aider.

— D'aider ? D'aider qui ?

— Toi.

— Moi ? Mais comment ça pouvait m'aider ?

— Elle essayait de me faire dire que tu la frappais. Elle ne m'a pas cru quand je lui ai dit que c'était pas vrai. Alors… Je sais pas, Abe. Je suis peut-être allé trop loin. Tu sais, les gens, ils me poussent, et après c'est moi qui les pousse. Du genre : « Ah ouais, tu crois qu'Abe frappe Angelina ? Eh bien, non seulement c'est une connerie, mais c'est une double connerie. C'est Angelina qui le frappe. Et vlan, prends ça dans la tronche ! »

Bizarrement, il y avait un peu de logique dans tout ça. Mais je commençai à m'inquiéter, car il respirait si fort qu'on entendait son nez siffler à chaque expiration.

— J.T., attention, tu es en train d'hyperventiler.

Sa respiration ralentit, mais pas le mouvement de ses jambes.

— C'est gentil de vouloir me donner un coup de main. Mais ça ne m'aide pas si tu dis qu'Angelina me frappe. L'agent Santos va retourner ça contre moi, elle va dire que notre relation était basée sur la violence, qu'Angelina m'a frappé une fois de trop, que je l'ai finalement frappée moi aussi, et c'est pour cela qu'elle a disparu. Ou pire.

— C'est ce qui s'est passé ?

— Oh, merde, J.T. ! Non !

— Ne me crie pas dessus, Abe.

Il se leva d'un bond. J'eus un mouvement instinctif de recul, mais il passa droit devant moi, sans me toucher. Son corps obéissait tout simplement à ce besoin incontrôlable qu'il avait de marcher. Il n'avait rien de menaçant, mais ce qu'avait dit d'Angelina me revint à l'esprit : « Il me fait peur, Abe. »

— J.T., tu as bien pris tes médicaments tous les jours ?

— Euh… Ouais.

Il n'arrêtait pas de bouger, il allait et venait d'un mur à l'autre de la chambre.

— Tu es sûr ?

— Ne me traite pas de menteur, Abe.

— Je posais juste la question. Parce que je sais que tu veux m'aider, n'est-ce pas ?

— Ouais, ouais, répondit-il, mais cela ressemblait plus à des grognements.

— J.T., la meilleure façon pour m'aider, maintenant, c'est que tu prennes soin de toi. Tu peux faire ça pour moi ?

— J'veux t'aider, veux t'aider, veux t'aider, c'est tout.

— J.T., tu me promets ?

— Je voulais aider, c'est tout ce que j'essayais de faire, mais j'ai tout merdé, et maintenant plus personne voudra que je l'aide. J'aurais dû dire non, va-t'en, je peux pas te parler en ce moment, reviens plus tard espèce de salope du FBI qui regardait sous mon short pour essayer de voir ma bite noire.

J'allai vers lui, mais il marchait de plus en plus vite. Si je ne faisais pas quelque chose tout de suite, il allait se mettre à sauter à travers la pièce et, même si cela peut paraître drôle à entendre, quand on le voit, ça ne fait plus rire du tout.

— J'aurais dû rien dire, Abe.

— Ne t'en fais pas. Calme-toi.

— Je suis stupide, c'est tout.

— Arrête, J.T.

— Stupide, stupide, stupide, répéta-t-il en se frappant le front avec la main chaque fois.

— J.T., arrête, je te dis !

J'avais crié plus fort que je ne l'aurais voulu, mais cela n'eut aucun effet sur lui. Il se laissa tomber sur le sol et commença à tirer sur son bracelet.

— Il faut qu'on m'enlève ce truc.

— Non !

— Je veux plus porter cette merde !

On n'avait vraiment pas besoin de ça. En tout cas, pas moi. Je me précipitai vers lui pour éviter que nous nous retrouvions avec toute une file de voitures de police dans le parking et une brigade de flics devant la porte. Je me pris le pied dans le montant du lit et tombai en avant. Par pur réflexe, j'essayai de me protéger avec le bras, mais heurtai le bord du lit si fort que j'en tombai presque dans les pommes.

— Putain, J.T.

Il n'avait pas entendu, même pas remarqué. Mon bras me faisait un mal de chien, mais l'important, c'était le bracelet.

— Il faut que j'enlève cette saloperie !

Je ne savais plus quoi faire. Il restait une carte dans mon jeu, une que j'avais soigneusement gardée pendant dix-neuf mois. Je ne savais pas si je pouvais la jouer, mais, s'il y avait un moment où je devais tenter le coup, c'était bien maintenant.

Je me mis à chanter.

Je chantais faux, ma voix était rauque, en partie parce que j'étais mauvais chanteur, mais surtout parce que je ne rendais pas justice à ce qui était pour moi un souvenir si particulier. C'était une chanson que Samantha chantait à son frère quand il allait mal, quelquefois encore plus mal qu'en ce moment. Avec Samantha, cela marchait. Mais c'était normal : elle avait une voix magnifique. Moi, je faisais ce que je pouvais.

— Tu veux chanter avec moi, J.T. ?

Je chantai le premier couplet, tout seul, sans pouvoir y mettre la puissance que le compositeur avait souhaité donner, et on était bien loin de l'harmonie des chœurs de la vieille église que Samantha et J.T. fréquentaient autrefois. Mais cela suffit pour qu'il cesse de marcher et s'asseye sur le rebord du lit. J'entonnai le premier couplet une deuxième fois car c'était le seul que je connaissais, et J.T. se mit à chanter avec moi.

Dieu m'a donné un arc-en-ciel
Après la tempête.
Pendant l'hiver Dieu m'a dit
Que bientôt j'aurais chaud.
Dans les moments difficiles
Par la grâce de Dieu

Dans les moments heureux
Par la grâce de Dieu
Remercions-Le, remercions-Le.

Nous chantâmes deux fois et il finit par se calmer. Il ne marchait plus, ses jambes ne s'agitaient plus. La pièce était étrangement calme. C'était un moment rare dans ma vie avec J.T. et je le savourais.

— Essaye de te rendormir.

Il se mit au lit et se glissa entre les draps. J'éteignis la lumière et me dirigeai vers la porte.

— Abe ?

Je m'arrêtai sur le seuil de la chambre.

— Oui ?

— Tu Le remercies pour quoi ?

Je ne m'attendais pas à cette question. J'eus soudain l'impression de m'être dédoublé. Une moitié de moi-même était là, dans cette chambre remplie de souvenirs de Samantha. L'autre était dehors, en train de rechercher Angelina.

— Bonne nuit, J.T.

Je sortis et refermai la porte derrière moi.

J'allai jusqu'au sofa et m'allongeai dans la pénombre. Même avec la porte fermée, j'entendais J.T. ronfler dans sa chambre. Je n'arrivais pas à m'endormir : dès que je fermais les yeux, je me revoyais à l'hôpital.

C'était pendant un chaud matin d'été, Samantha était inconsciente. L'hôpital était en réalité un centre de soins palliatifs. Je savais que tout le monde faisait de son mieux, mais je crois que ma tête aurait explosé si j'avais entendu encore une fois quelqu'un me dire « il faut qu'elle soit le plus confortable possible ». Sous l'effet des calmants, Samantha était constamment entre deux sommeils. Je m'étais moi-même assoupi sur la chaise, près d'elle, lorsqu'elle ouvrit les yeux.

— Abe ?

— Oui, ma chérie ?

Elle me fit signe de m'approcher. Je me penchai vers elle.

— Promets-moi quelque chose, murmura-t-elle.

J'ai cru un instant que c'était notre séquence Ryan O'Neal et Ali MacGraw, notre *Love Story* à nous, et que, sur le point de mourir, ma femme allait me dire qu'elle voulait que je me remarie un jour.

— Tout ce que tu voudras.

— Promets-moi que tu t'occuperas de J.T.

Je pris sa main.

— OK.

Elle essaya de se redresser, mais elle n'en avait plus la force. Elle me regarda droit dans les yeux.

— Non. Ne dis pas simplement « OK ». Il faut que tu me le dises, à moi. « Samantha, je te promets, je m'occuperai de J.T. »

J'avais la gorge serrée. J'avais peur d'écraser sa main si légère, si fragile, mais elle me serrait avec toute la force qui lui restait.

— Samantha, je te promets, je m'occuperai de J.T.

J'eus à cet instant l'impression qu'elle avait enfin trouvé la paix. Elle lâcha ma main, reposa la tête sur son oreiller et ferma les yeux.

Ce n'est pas la dernière chose que j'aie dite à ma femme. Mais je suis à peu près sûr — en fait, je suis même certain — que ce sont les tout derniers mots que Samantha Vine ait jamais entendus de sa vie.

36

Je dormis jusqu'à 7 heures du matin. C'est la musique qui m'a réveillé.

Remercions-Le. J.T. avait trouvé une reprise de notre gospel de la veille sur un vieux CD et avait mis la musique à fond. J'avais oublié que nous étions dimanche matin.

Je sentis une douleur au bras quand je me levai du sofa, mais c'était supportable. Je pouvais m'estimer heureux de ne pas m'être brisé le cou. Je vérifiai ma messagerie. J'avais onze messages de Heather, ou Hunter ou je ne sais quoi. Je les effaçai tous.

— Abe, tu peux aller me faire des courses aujourd'hui ? J'ai presque plus rien à manger.

Super ! Comme si je n'avais que ça à penser. J'aurais bien aimé laisser cela à l'une de ces nombreuses personnes qui m'avaient demandé comment elles pouvaient m'aider.

— Mais j'y suis déjà allé vendredi !

— Je crois que c'était contaminé. J'ai été obligé de tout mettre à la poubelle.

Vraiment ? VRAIMENT ? Je pris une grande inspiration. *Remercions-Le.*

— Bon, je m'en occupe.

— Tu peux y aller tout de suite ?

— Non, je ne peux pas y aller tout de suite.

— Mais j'ai faim, moi !

On commanda des pizzas. Oui, à 7 heures du matin. Il y avait une boutique à South Beach qui livrait des pizzas *à partir* de 4 heures du matin seulement ! Habiter dans une ville où les gens font la fête toute la nuit a tout de même ses avantages.

J'appelai Rid. Les recherches le long du Tamiami Trail avaient été interrompues, mais non pas abandonnées. Elles reprendraient aux alentours de midi. Mais ils n'avaient pas assez de monde pour chercher au-delà d'un périmètre de deux kilomètres après le pont. Je téléphonai à Sloane, l'amie d'Angelina. Dès 8 h 30, elle avait réussi à trouver quarante volontaires. Nous nous étions donné rendez-vous sur le parking, à l'est du pont. Il y avait surtout des femmes, coiffées de grands chapeaux, armées de bouteilles d'eau et de crème solaire. Sloane tenait le rôle de la monitrice de camp de vacances.

— Vous formez deux lignes, sur une seule file. Une des lignes suivra l'accotement nord, et l'autre, le côté sud. Vous ne touchez ou ne ramassez rien. Si vous voyez quoi que ce soit, je dis bien *quoi que ce soit*, vous m'appelez. Ne jouez pas au détective. Laissez la police faire son boulot.

— Et on marche jusqu'où ?

— Aussi loin qu'on peut.

Une personne du groupe fit remarquer que la route faisait cinq cents kilomètres de long, et j'entendis une ou deux autres murmurer qu'« elle » — c'est-à-dire Sloane — « était devenue complètement dingue ».

— Si vous êtes fatigué, vous me le dites, ajouta Sloane. Nous avons des volontaires en SUV qui feront la navette jusqu'au parking.

On entendit comme un soupir de soulagement parmi le groupe des volontaires. Ils se mirent en route, sans moi. Je fis signe à Rid et le rejoignis à côté du pont, juste en dehors de la zone délimitée par les rubans de plastique jaune.

— Est-ce que Santos va venir ? lui demandai-je.

— Elle est à Palm Beach.

— Excuse-moi de te poser cette question, mais ils sont sûrs que c'était Cutter ?

— Ouais. De la cendre sur le visage. Une Blanche qui

sortait avec un Noir. Il y a d'autres indices, mais, désolé, je ne peux pas t'en parler.

— Je comprends.

— En revanche, il est de moins en moins probable qu'Angelina soit une victime de Cutter. Deux le même week-end, ce n'est pas dans ses habitudes. Ni celles d'aucun tueur en série, d'ailleurs. La plupart dorment pendant des jours après un meurtre.

Moi aussi, j'en connaissais un bout sur le sujet.

— Oui, uniquement si on parle du profil habituel. Je ne dis pas qu'Angelina fait partie des victimes de Cutter, mais des tueurs en série peuvent se transformer en tueurs à la chaîne, particulièrement à la fin de leur parcours.

— C'est vrai. Mais Santos ne court pas après un tueur à la chaîne.

— Elle est toujours après moi ?

Je ne savais pas s'il allait répondre à ma question.

— Pour l'instant, elle ne t'a pas exclu. C'est tout ce que je peux dire.

— Il faut que tu m'en dises plus.

Il ne répondit pas. Mais il ne m'envoya pas balader non plus.

— J'ai parlé à J.T. Il a dit à Santos qu'Angelina me frappait.

— Je sais. Et ça n'a pas beaucoup aidé. Enfin, surtout toi, je veux dire.

— L'explication est très simple. J.T. était en train de jouer au con. Tu sais comment il est, je sais comment il est. Il faut simplement que tu m'aides à faire comprendre ça à Santos.

Rid regarda au loin, vers la ligne de volontaires qui crapahutaient le long du pont, comme des fourmis.

— Est-ce qu'il a donné des détails ?

— Non, il a simplement dit qu'Angelina me frappait. Quand elle a voulu en savoir plus, il lui a dit qu'elle n'avait qu'à me poser la question.

— Elle t'a posé la question ?

— Oui.

— Tu lui as répondu ?

— Je lui ai répondu que ce n'était pas vrai.

Il me regarda bien en face.

— Donc tu ne lui as pas raconté la fois où Angelina t'a cassé le nez ?

Je restai un instant sans voix. Cela s'était passé trois ans plus tôt.

— Je me suis cassé le nez en jouant au basket.

— C'est ce que tu as raconté, mais ce n'est pas vrai. Tu as dit que Nuke et toi, vous étiez au rebond et que tu as pris son coude sur l'arête du nez. Ce genre de trucs, ça arrive tous les jours à Carver. Sauf que j'ai parlé à Nuke. Et je sais que c'est faux.

J'avais acheté une paire de Nike LeBron à Nuke pour qu'il confirme mon histoire. Visiblement, sa mémoire n'allait pas plus loin que la durée de vie d'une paire de chaussures.

— C'était il y a longtemps.

— Pas si longtemps que ça.

— Angelina et moi sommes sortis ensemble pendant presque trois ans, et nous avons vécu un an et demi dans le même appartement. Elle a eu du mal à accepter qu'on se sépare. Quand elle a su que je la quittais pour Samantha…

— Une Noire, en plus…

C'était lui qui le disait, pas moi…

— Elle n'a pas apprécié.

— *Elle n'a pas apprécié ?* Abe ! Elle t'a cassé la gueule !

— Ce n'était pas…

— Ce n'était pas sa faute ? C'est ce que tu allais dire ? C'est quoi, cette merde, Abe ? On croirait entendre une femme battue qui retourne chez son mari parce qu'il regrette tellement ce qu'il a fait, et qu'on finit par sortir de chez elle dans un cercueil !

Je connaissais ce genre de femmes. J'avais plaidé contre leurs maris. Mais cela n'avait rien à voir avec Angelina et moi.

— Ce genre de choses n'est jamais arrivé depuis qu'on est mariés.

— Et la bouteille de bière ?

— Mais ce n'était rien !

— D'accord, c'est toi qui le dis.

Il contemplait de nouveau le paysage.

— Hé, lui dis-je, le forçant à me regarder. Ce n'est pas la peine que Santos soit au courant pour mon nez.

Cela lui prit du temps, et pendant un instant je crus qu'il n'était plus de mon côté. Mais finalement je retrouvai ce regard qui me disait que nous étions des amis, et non pas seulement des collègues, et que nous nous comprenions.

— Y a des nez qui saignent. C'est comme ça, quand on joue.

— Merci, mec. Merci beaucoup.

37

Victoria n'était pas à Palm Beach. Elle avait une réunion à Miami avec le premier substitut de l'avocat général des Etats-Unis, Matthew Lewis. Lorsqu'on étudie le fonctionnement de n'importe quelle structure, on s'aperçoit que c'est toujours le bras droit du grand chef qui se tape tout le boulot. Le bureau de l'avocat général ne faisait pas exception. Lewis arrivait tôt le matin et repartait tard le soir, travaillait le week-end et pendant ses vacances, s'accordant simplement de temps en temps une pause cigarette. Ils étaient tous deux dans le patio, assis autour d'une table de jardin, devant un cendrier rempli de mégots. Il était interdit de fumer dans l'immeuble, le premier substitut avait donc choisi cet endroit pour s'installer et fumer tranquillement.

— La guerre du sucre est en train de couver, déclara Victoria.

Lewis sourit et alluma une autre cigarette. Au début de sa carrière, il avait été l'un de ces avocats intraitables engagés par le gouvernement pour sauvegarder les Everglades. Ils avaient attaqué l'Etat de Floride pour avoir refusé de forcer Big Sugar à respecter les normes de traitement des eaux. Personne à Tallahassee n'avait voulu le reconnaître, mais les fonctionnaires qui avaient négocié la transaction à l'amiable étaient tous à la botte de Cortinas Sugar.

— Alors, qu'est-ce qu'ils ont fait, ces salopards, cette fois-ci ? Ils ont noyé une portée de petits chats ?

Victoria eut un léger sourire, mais reprit aussitôt son sérieux.

— Je ne sais pas bien où tout ça va nous mener, mais l'intervention d'Ed Brumbel dans le journal ce matin m'a fait réfléchir.

— Qui ? demanda Lewis, tirant sur sa cigarette.

— L'avocat de l'aide juridique aux fermiers à Belle Glade. Il a passé ces vingt dernières années à essayer de coincer Big Sugar par tous les moyens. C'est un ringard, mais même un cochon aveugle peut trouver une truffe. Il y a peut-être un rapport entre Big Sugar et l'enquête sur Cutter.

— Dites-moi.

— En fait, nous avons cinq victimes abandonnées au milieu des champs de canne à sucre dans le comté de Palm Beach. On n'a aucun doute sur le fait que ces meurtres ont été commis par le même tueur. Ensuite, on a deux cas différents à Miami-Dade. L'un est Tyla Tomkins, l'avocate de Belter, Benning & Lang. Je suis presque sûre à cent pour cent qu'elle n'a pas été tuée par Cutter.

— Un plagiaire ?

— Peut-être. L'autre, c'est la femme d'Abe Beckham, qui est toujours portée disparue. Les recherches se poursuivent, mais on n'a trouvé aucun cadavre, donc rien n'est sûr. Mais, d'après moi, ce n'est pas Cutter.

— Et que vient faire la guerre du sucre dans tout ça ?

— Brian Belter couchait avec Tyla Tomkins. Et nous avons trouvé un message de Tyla Tomkins sur la boîte vocale d'Abe Beckham. Il semble qu'elle était prête à divulguer des informations compromettantes à propos des activités commerciales de Cortinas Sugar. Il se trouve que Tomkins s'occupait des affaires les plus délicates aussi bien pour le compte des sociétés Cortinas que pour la famille Cortinas.

— Donc il était très facile pour Tomkins de détruire le mariage de Brian Belter et de causer de sérieux dégâts chez son meilleur client.

— Exactement.

Lewis fit tomber la cendre de sa cigarette.

— Donc, c'est quoi, votre théorie ? Belter s'est transformé en Dexter ?

— Non, ce que je pense, c'est que Belter avait un gros problème et que la seule façon de le régler, c'était de se débarrasser de Tyla Tomkins. Non seulement Cutter faisait la une de tous les journaux, mais en plus il jetait les corps dans les champs de cannes de son client. Peut-être que cela lui a donné une idée. Tuer Tyla et se débrouiller pour que ça ressemble à un meurtre de Cutter.

Lewis réfléchit un instant.

— J'ai rencontré Belter. Il ne m'a pas donné l'impression d'être le genre de type qui joue de la machette.

— Cortinas emploie encore des coupeurs de cannes en dehors des Etats-Unis. Ce n'est pas difficile d'en amener un par avion, de lui demander de faire le boulot et de lui donner un paquet de pesos pour qu'il se taise.

— Peut-être.

— Certains de ces coupeurs ont un passé plutôt chargé. Un de ceux qu'ils avaient fait venir du Brésil était un ex-condamné encore en liberté conditionnelle. Il avait tapé sur la tête de sa petite amie avec le plat de sa machette. Cinq jours dans le coma. S'il avait tourné son poignet juste un tout petit peu plus, elle était morte.

— Il pourrait être votre tueur en série ?

— Il est retourné en taule. Mais il y a des dizaines de milliers de coupeurs de cannes en Amérique latine, en Amérique du Sud, dans les Caraïbes. Tout ce que Belter avait à faire, c'est d'en trouver un qui accepte de tuer Tyla Tomkins.

— Et, jusqu'à présent, qu'est-ce que vous avez fait là-dessus ?

— Un de nos procureurs nous a aidés à obtenir une assignation. Nous demandons l'accès aux ordinateurs et aux mails de Tyla à son bureau à BB & L.

— Ça va être la bagarre.

— Ouais. Maggie Green n'arrête pas de nous mettre des bâtons dans les roues.

— Je vais m'en occuper. Et quel est le rapport entre Belter et la disparition de la femme de Beckham ?

— Aucun.

— Alors, vous êtes après qui ?

— Abe Beckham.

— Le mari. Le majordome du XXIe siècle.

— Quoi ?

— Pardon : j'ai trop joué à Cluedo quand j'étais petit. Ma question est : à part le fait qu'il soit le mari, pourquoi pensez-vous que c'est lui qui a fait le coup ?

— Je suis presque sûre qu'il trompait sa femme. Avec Tyla Tomkins.

Lewis secoua la tête.

— Alors cette femme risque sa carrière pour lui donner des informations à propos d'un crime, et lui, il n'est même pas capable de garder sa queue dans son pantalon. Il n'a pas changé, ce fils de pute.

— Vous connaissez Beckham ?

— Je n'ai jamais pu le supporter. C'est le prototype même du procureur d'Etat qui pense que la sienne est plus grosse que celle des autres. Il pense que tous les fédéraux ne sont que des tapettes à col blanc et que les seuls vrais procureurs sont ceux qui s'occupent de meurtres, de viols ou de vols.

— Ce n'est pas l'impression qu'il m'a donnée.

— Certainement parce que vous le tenez par les couilles. Est-ce que vous pensez qu'il peut être impliqué dans les deux affaires, Tyla et sa femme ?

— C'est possible.

— Ce qui laisse deux possibilités pour le meurtre de Tyla Tomkins : Belter et Beckham.

— Trois. On ne peut pas éliminer l'éventualité d'un plagiaire.

— D'accord, trois. Mais il n'y a qu'une seule personne ayant une relation évidente avec Tyla et Angelina.

— C'est vrai.

— Si j'étais vous, je garderais un œil sur Belter. Mais j'attaquerais là où il y a le moins de résistance. Et ensuite on voit.

— Vous voulez dire Beckham. Je suis tout à fait d'accord. Mais je n'ai pas le temps, le budget ni le pouvoir d'entreprendre une chasse aux sorcières. Quoi que Beckham ait pu faire, il faut que je m'occupe d'abord du tueur en série. C'est pourquoi j'ai fait de mon mieux pour passer sous silence tous les soupçons concernant Beckham. Un battage médiatique sur l'histoire d'un mari qui tue sa jolie épouse ne fera que gêner mon enquête sur Cutter. J'ai besoin de votre aide.

— Je vous écoute.

— Je veux que Beckham passe au détecteur de mensonge. S'il réussit le test, on n'en parle plus.

— Vous lui avez demandé ?

— Ouais. Il a refusé.

Lewis tira de nouveau sur sa cigarette et souffla la fumée vers le ciel.

— Je ne peux pas prendre une ordonnance pour obliger qui que ce soit à se soumettre à un test au polygraphe.

— Je sais, mais je voudrais la jouer différemment : « Monsieur Beckham, vous pouvez refuser de passer au détecteur de mensonge, mais ça va me rendre grognon. En fait, ça va me rendre tellement grognon que je risque de vous dire d'aller vous faire foutre. On va vous arrêter pour un chef d'accusation moins grave, beaucoup moins grave que pour meurtre. Si on vous arrête, vous allez passer la nuit en geôle, et si on vous met en taule, même pour un simple délit, et même pour une seule nuit, on doit procéder à une fouille au corps. C'est ce que dit la Cour suprême. »

— Vous avez raison. Mais de quel délit vous voulez parler ?

— Le bon vieux un-zéro-zéro-un, dit-elle, en parlant de l'article 1001 du code criminel des Etats-Unis.

— Ah oui, comme pour l'affaire Martha Stewart[1]. Si vous n'arrivez pas à prouver que quelqu'un a commis un délit, mettez-le en prison pour avoir fait une fausse déclaration à un agent du FBI, c'est ça ?

— Je sais que ça a l'air un peu léger, mais c'est un coup de bluff. Sa femme a disparu. Il n'a certainement pas du tout envie qu'on l'arrête pour avoir menti à un agent du FBI, qu'on lui fasse une fouille au corps et qu'on le colle au trou pour la nuit. Les gens ne vont retenir que les mots « il a menti » et « fouille au corps » et ils vont penser que ce type est « coupable et dangereux ». Il sera jugé et condamné par des millions de téléspectateurs qui adorent ce genre de trucs. C'est donnant, donnant : « Ecoutez, monsieur Beckham, il y a une façon très simple de vous éviter une situation extrêmement gênante et embarrassante. Vous vous soumettez au détecteur de mensonge et aucune charge ne sera retenue contre vous. »

— C'est pas mal, mais ça marchera seulement s'il a fait une fausse déclaration.

— Il a menti à la procureure générale, à un officier de la criminelle de Miami-Dade et à un agent du FBI : moi.

— C'est vrai ? Quand ?

— Lundi matin. Dans le bureau de Carmen Jimenez. Beckham a affirmé qu'il n'avait pas vu Tyla Tomkins depuis plus de dix ans. Nous avons des photos le montrant en train de dîner avec elle en septembre dernier.

— Sans blague ?

— Sans blague. Alors je vous demande de m'aider. Je veux aller voir Abe Beckham et lui dire droit dans les yeux que s'il ne se soumet pas au polygraphe, le premier substitut de l'avocat général des Etats-Unis est prêt à aller devant le grand jury et à le mettre en examen pour avoir menti à un agent du FBI.

Lewis écrasa sa cigarette.

1. Célèbre personnalité de la télévision, femme d'affaires, elle fut condamnée à cinq mois de prison pour fraude et obstruction à la justice.

— Bon travail, agent Santos, déclara-t-il avec un petit sourire. Peut-être même que vous avez suffisamment de cartes en main pour obtenir les deux : la fouille au corps *et* le détecteur.

38

J'étais nu. Complètement nu. Et, franchement, je n'appréciais pas du tout.

— Tournez-vous, s'il vous plaît, me demanda le flic.

Je me tournai. Le climatiseur soufflait un air froid entre mes cuisses. Le faisceau de la torche électrique fouillait jusque dans mes parties les plus intimes. Je ne subissais pas la fouille au corps habituelle à la recherche de produits de contrebande ou d'armes pouvant représenter un danger pour les gardiens ou les autres détenus. On m'examinait pour voir si mon corps ne portait pas de traces d'ecchymoses, d'égratignures ou autres qui indiqueraient qu'Angelina et moi avions échangé des coups. Selon le formulaire que la police de Miami-Dade m'avait fait signer, cet examen était fait avec mon plus parfait consentement. Enfin, presque… L'agent Santos avait été très convaincante : « C'est simple : vous passez un polygraphe et un examen médical complet. Si vous refusez, je vais faire en sorte que votre mensonge à propos de Tyla Tomkins devienne littéralement une affaire d'Etat. »

Si je n'avais pas été procureur, j'aurais pu penser que tout cela était du bluff. Mais je savais que mentir à un flic ou à un agent du FBI dans le cadre d'une enquête criminelle était un délit pouvant entraîner jusqu'à cinq ans d'emprisonnement, cela même lorsque la déclaration n'avait pas été faite sous serment. Je n'étais pas sûr que Santos irait jusque-là, mais je ne pouvais vraiment pas en prendre le risque. Et je me suis retrouvé tout nu.

— Levez les bras.

J'obéis. Nous étions dans une pièce aveugle dont les murs en parpaings avaient été peints en jaune. La lumière des néons était aveuglante. Le flic qui m'examinait avait visiblement l'habitude de ce genre de choses, ce qui m'amena à penser que, comparativement, ramasseur de crottes d'éléphant pendant la parade d'un cirque n'était peut-être pas le pire métier au monde. Peu de personnes connaissent l'existence de ce ligament qui sépare les testicules du rectum, mais lui, oui. Il enregistrait le compte rendu de son examen sur un magnétophone et son assistant prenait des notes. « Aine droite, rien ; aine gauche, rien. » Rid, debout dans un coin de la salle, s'efforçait de regarder ailleurs, un peu comme lorsqu'on est devant un urinoir dans des toilettes publiques et qu'on essaie à tout prix de ne pas voir son voisin. Il n'était pas là pour me soutenir moralement dans cette épreuve, mais simplement parce qu'il était l'un des responsables de la brigade qui recherchait Angelina.

— On va prendre une photo de ça.

J'avais les bras levés au-dessus de la tête. Le flic pointait sa lampe torche sur l'intérieur de mon triceps gauche.

— Une photo de quoi ?

— Sur le document que vous avez signé, il est indiqué que vous acceptez qu'on prenne des photos.

— Je sais. Je veux juste savoir ce que vous photographiez.

— Une ecchymose, Abe, me lança Rid depuis l'autre bout de la pièce.

Je tordis le cou pour essayer de voir.

— Je ne savais même pas que j'avais une ecchymose.

— Elle n'est pas encore en train de jaunir. Probablement faite il y a moins de deux jours, remarqua le flic.

— Je ne vois pas où j'aurais pu me faire ça ces deux derniers jours.

— Peut-être en jouant au basket, suggéra Rid.

Je lui lançai un regard. Il détourna les yeux, et je pouvais presque lire dans ses pensées : *comme lorsque tu as eu le nez cassé.*

L'assistant prit toute une série de photos au flash. Soudain, je me souvins de ma chute chez J.T.

— Ah oui, je sais comment c'est arrivé. Chez J.T., la nuit dernière, on a eu un léger problème, si on peut dire. J'ai heurté un des pieds du lit et…

— Abe ! dit Rid en me faisant discrètement signe de me taire.

Mon explication ressemblait à un tissu d'âneries et il pensait me rendre service en me demandant de me taire. Peut-être avait-il raison. Je décidai de la boucler.

Je ne sais pas si le policier qui m'examinait découvrit d'autres ecchymoses, en tout cas, il n'en dit rien. Tout l'examen avait duré moins de vingt minutes.

— Vous pouvez vous habiller.

Il quitta la pièce, suivi par son assistant. Etre nu au beau milieu d'une salle avec trois autres hommes n'avait rien de drôle, mais seul avec Rid, ça en devenait plus que gênant.

— Je vais jeter un coup d'œil au polygraphe, annonça-t-il en sortant lui aussi.

Je ramassai mes affaires et m'habillai. L'ecchymose pouvait poser problème, surtout après ce que J.T. avait dit à Santos, mais je n'étais pas inquiet. J'étais convaincu que les résultats du polygraphe mettraient rapidement fin à cette histoire qui n'avait ni queue ni tête. Personnellement, je n'avais jamais subi ce genre d'examen, en revanche, j'avais vu plusieurs suspects y être soumis. Santos avait insisté pour que ce soit un examinateur du FBI qui me le fasse passer, quelqu'un que je ne connaissais pas, ce qui me convenait très bien. Tout s'était déroulé comme prévu. L'examinateur m'avait posé les habituelles questions de contrôle sur des sujets qui n'avaient rien à voir. Aimez-vous les glaces ? Est-ce que vos cheveux sont violets ? Ces questions servaient à permettre au technicien de calibrer la machine en fonction de mes réponses. Il passa ensuite aux choses sérieuses. Trois questions — il y en avait toujours trois — qui soit me disculperaient, soit me mettraient en tête de liste des suspects.

« Avez-vous jamais vu votre femme morte ? »

« Avez-vous tué votre femme ? »

« Avez-vous quelque chose à voir dans sa disparition ? »

Mes réponses avaient bien sûr été non, non et non.

Quelqu'un frappa. Rid entra et referma la porte. Il faisait une drôle de tête, et la première chose qui me vint à l'esprit montrait à quel point je commençais à devenir paranoïaque.

— Ne me dis pas que j'ai raté les tests !

— Non. Mais le FBI n'a pas voulu me donner les résultats.

— Hein ?

— Santos dit que si toi, tu as accepté de passer l'examen, elle en revanche n'a jamais dit qu'elle communiquerait les résultats.

— C'est quoi, ce bordel ?

— Désolé. Je n'ai pas vu le coup venir. Je crois que c'est à cause de ça qu'elle a insisté pour que ce soit un examinateur du FBI qui te fasse passer le polygraphe.

— C'est un tissu de conneries. J'ai réussi les tests, mais elle ne veut pas que je puisse le dire officiellement.

— Je vais arranger ça. Pour le moment, laisse tomber.

— Je ne laisse rien…

— Abe, écoute-moi. Il faut que tu viennes avec moi à Little Havana.

— Pourquoi ?

— On est en train de vérifier toutes les boutiques de prêteurs sur gages sur la partie de Eighth Street qui va au Tamiami Trail. Il y en a une à Little Havana qui pourrait nous intéresser. Un type qu'ils n'avaient jamais vu auparavant est venu samedi tôt le matin pour vendre une bague de fiançailles. Il n'a pas négocié. Il a pris ce qu'on a bien voulu lui donner, beaucoup moins que ce que ça ne valait.

Je sentis une douleur aiguë dans ma poitrine.

— Il faut que tu me dises si c'est la bague d'Angelina.

39

Nous roulions en silence. Rid conduisait. Moi, je regardais par la vitre du côté passager.

« Calle Ocho » était autrefois le cœur de la communauté des exilés cubains, un endroit où les vieux se réunissaient dans le parc José-Martí, jouaient aux dominos, fumaient des cigares et parlaient de *béisbol*. La plupart des *tiendas*[1] du quartier avaient disparu, soient parce qu'elles avaient été squeezées par El Costco, soit tout simplement pour des raisons démographiques. Mais les boutiques de prêteurs sur gages florissaient, toujours aussi solides, et avaient pour clientèle le flot ininterrompu des nouveaux arrivants incapables d'obtenir du crédit mais qui avaient un besoin urgent de cash. Et personne ne posait jamais de questions.

Pawn 24[2] était l'une de ces boutiques qui ne fermaient jamais, mais dont la porte était toujours verrouillée. Des barres en acier renforçaient la devanture dans laquelle, une dizaine ou une vingtaine d'années auparavant, on aurait pu trouver de tout, depuis des statuettes de la Vierge Marie jusqu'à des gâteaux de mariage cubains. Rid et moi allâmes sonner. Un homme d'une vingtaine d'années vint à la porte. Ses bras étaient couverts de tatouages. Il mâchonnait un cure-dent.

— Vous voulez quoi ? nous demanda-t-il à travers la vitre.

Rid lui montra sa carte. L'homme l'examina attenti-

1. Boutiques, en espagnol.
2. *To pawn* : mettre en gage.

vement puis il déverrouilla la porte et nous fit entrer. Il referma immédiatement derrière nous.

— Le dimanche après-midi, c'est le meilleur moment pour se faire braquer. Mon oncle me dit de toujours garder la porte verrouillée.

— Votre oncle est un homme sage, approuva Rid.

L'homme s'appelait Manny. La boutique appartenait à son oncle, et Manny y travaillait tous les soirs et durant les week-ends. On se serra la main. Rid me présenta, d'abord en tant que procureur puis en tant que mari d'Angelina.

— Je vous ai vu à la télé. Désolé pour votre femme.

— Merci.

— C'est pas sûr que je puisse vous aider, mais, quand les flics m'ont rendu visite ce matin, ils m'ont demandé s'il y avait quelqu'un de suspect qui serait venu vendredi après minuit. Je leur ai dit qu'il n'y a que des gens suspects qui se pointent ici un vendredi après minuit.

— Vous étiez seul dans la boutique quand le gars est venu vous vendre le diamant ? demanda Rid.

— Bien sûr, que j'étais seul. Vous croyez qu'on est où, ici ? Chez Wal Mart[1] ? Dans la boutique, soit il y a moi, soit il y a mon oncle, c'est tout.

— Il ressemblait à quoi, ce type ?

— Je dirais que c'est un sans-abri. Un mètre quatre-vingts environ, brun. Les flics m'ont demandé si quelqu'un était venu pour échanger vite fait des objets personnels ayant appartenu à une femme contre du cash. Une bague en diamant, des boucles d'oreilles, un collier, un sac à main de marque, des chaussures de luxe, ce genre de trucs. Alors, je leur ai parlé de la bague.

— Pourquoi vous ne la leur avez pas montrée ?

— Parce que mon oncle m'aurait botté le cul si jamais il avait appris que j'avais laissé une bande de flics entrer dans le magasin pour inspecter sa marchandise. Si la bague appartient à sa femme, il me le dit et après vous voyez ça

1. Une des plus grandes chaînes de magasins aux Etats-Unis.

avec mon oncle. Si c'est pas sa bague, on arrête là. Et mon oncle n'a même pas à savoir que vous êtes venus.

— Je peux la voir ?

— Elle est derrière, dans le coffre-fort. Je vais la chercher.

— Je viens avec vous, dit Rid.

— Pas la peine.

— Je veux qu'on la manipule le moins possible.

— Si vous espérez relever des empreintes, vous allez être déçu. Je l'ai nettoyée, je l'ai laissée tremper dans du produit toute la journée, et ensuite je l'ai astiquée.

— Je comprends. Mais je préfère quand même limiter le nombre de manipulations.

— Vous me lâchez, d'accord ? dit Manny, furieux. J'étais pas obligé de vous appeler. J'aurais très bien pu rien dire et laisser mon oncle vendre la bague. Sauf si vous me sortez un mandat, je ne vous laisse pas entrer dans la chambre forte. Point à la ligne.

— Ce n'est pas la peine de s'énerver.

— C'est pas non plus la peine que je perde mon boulot. Je commence à regretter de m'être mêlé de cette histoire. Je vais mettre la bague dans une boîte à bijoux, comme ça, j'aurai pas à y toucher en vous l'apportant. Vous voulez la voir ou non ?

Les prêteurs sur gages ne sont pas tous des receleurs, mais j'étais sûr que cette boutique était remplie de marchandise volée. Mais je me fichais complètement des magouilles de son oncle.

— Apportez-nous la bague, Manny. On vous attend ici.

— Mais vous ne la touchez pas ! ajouta Rid.

Il alla dans l'arrière-salle tandis que nous l'attendions au comptoir. Pawn 24 n'était pas le genre d'endroit où l'on expose des pièces de joaillerie dans des vitrines. La plupart des objets sur les étagères étaient vendus entre 75 et 200 dollars. Il y avait beaucoup d'outillage électrique. Pas mal d'instruments de musique aussi. Mais il y avait surtout des armes de poing. Sur un panneau, on pouvait lire : « On n'*excepte* pas les cartes de crédit », ce qui signifiait exactement le contraire de ce que cela voulait dire.

— Et voilà.

Manny avait posé la boîte sur le comptoir. Le feutre bleu qui la recouvrait autrefois était presque entièrement usé.

— Vous pouvez l'ouvrir, s'il vous plaît ? demanda Rid.

L'homme souleva le couvercle. Le diamant se refléta dans la lumière et se mit aussitôt à étinceler.

— Une vraie beauté. A peu près un carat et demi.

C'est vrai qu'il était beau. Très beau, même. Taillé marquise. Bague en platine. Je sentais que ce n'était pas sur le diamant que Rid avait le regard rivé, mais sur moi. Comme s'il avait deviné que quelque chose n'allait pas, avant même que je ne lui dise.

— Ce n'est pas celle d'Angelina.

— Pardon ?

Tout cela était complètement fou, et je ne savais pas si Rid allait me croire. J'avais du mal à y croire moi-même.

— Ce n'est pas la bague d'Angelina. C'est celle de Samantha.

40

Je rachetai la bague pour 700 dollars, ce qui était moins de dix pour cent de sa valeur, mais 200 dollars de plus que la somme que Manny avait payée.

Au début, l'oncle de Manny avait refusé tout net de la revendre. Nous aurions pu l'attaquer en justice, mais il y aurait eu de fortes chances pour que, entre-temps, la bague soit « égarée ». Après m'avoir assuré à quel point il espérait que ma femme était en bonne santé, Tonton Trou-du-cul essaya de me taxer 50 dollars parce que je réglais par chèque. Heureusement que Rid était là, sinon ça se serait peut-être terminé par un autre meurtre. Des techniciens de la police étaient venus prendre la bague pour l'apporter au labo. Elle dégageait une forte odeur d'ammoniaque à cause du produit dans lequel Manny l'avait plongée, et les chances de relever des empreintes étaient quasiment nulles, mais cela valait la peine d'essayer.

Un policier de Miami-Dade emmena Manny à la brigade pour lui montrer des photos d'individus arrêtés tout récemment. Deux autres officiers se chargèrent de l'enquête de voisinage, interrogeant plus particulièrement les sans-abri qui correspondaient à la description qu'avait donnée Manny.

Rid et moi retournâmes à mon domicile, qui était toujours une scène de crime sécurisée. L'agent Santos était là. J'étais toujours furieux contre elle à cause des résultats du polygraphe qu'elle refusait de communiquer, mais ce qui était le plus important pour le moment, c'était la bague. Nous nous tenions hors de la maison, près de la voiture de Rid.

— Où est-ce que vous rangiez la bague ? demanda Santos.

J'avais déjà parlé de tout cela avec Rid.

— Dans un coffre-fort dans le placard.

— Vous n'avez pas de coffre à la banque ?

— J'en avais un.

J'y avais rangé l'alliance et la bague de fiançailles de Samantha après ses obsèques. J'avais continué à porter la mienne pendant plusieurs mois, jusqu'à ce qu'Angelina et moi sortions ensemble. Lorsque je décidai de me remarier, j'avais l'intention de ranger mon ancienne alliance avec les bagues de Samantha. Je suis allé à la banque, et j'ai ouvert mon coffre. J'ai pris la bague de fiançailles dans ma main. Je la tenais exactement de la manière dont je l'avais tenue lorsque je l'avais passée à son doigt. Après l'avoir regardée quelques instants, je l'ai reposée dans la boîte. Ensuite, j'ai enlevé mon alliance, respiré un grand coup, et je l'ai posée juste à côté de ce qui avait été un des gages de mon amour pour Samantha. Et puis j'ai lu l'inscription que Samantha avait fait graver à l'intérieur de la bague. Ce n'étaient pas les habituelles initiales, avec la date et quelques mots romantiques. « *Remets-moi à ton doigt.* » J'ai senti tout l'amour et la gaieté de Samantha soudain resurgir. C'était comme si ma poitrine allait éclater. Je ne pouvais tout simplement plus abandonner mon alliance dans la boîte métallique anonyme d'une banque et m'en aller. Et je ne pouvais pas laisser la sienne non plus. Je rapportai sa bague et la mienne à la maison, les rangeai dans le coffre-fort, tout en ayant fermement l'intention de les rapporter à la banque quand j'en aurais la force.

Santos attendait ma réponse.

— Mais je ne m'en suis jamais servi.

— On va jeter un coup d'œil dans la maison. Il n'y a pas de coffre-fort dans l'inventaire, je veux voir si les enquêteurs ont oublié de le mentionner.

Rid ouvrit la porte.

— Mais on se gèle, ici !

Il faisait si froid qu'il y avait de la condensation sur les vitres. Il est difficile de conserver la fraîcheur quand on est sur une scène de crime, avec tous les gens qui entrent et qui sortent constamment. Quelqu'un avait dû régler le thermostat à 0 °C et oublié de le remonter avant de partir.

Rid et Santos me suivirent jusqu'à la chambre. J'entrai dans le dressing. La chaise sur laquelle je m'asseyais tous les matins pour nouer mes chaussures était à sa place. Je la plaçai devant les étagères et les rangements qui occupaient tout le mur du fond. Je montai sur la chaise pour atteindre le placard tout en haut, près du plafond. Rien : le coffre-fort avait disparu.

— Il n'est plus là !

Je restai devant le placard vide encore un instant, incrédule, puis je redescendis enfin de la chaise.

— A part l'alliance, qu'est-ce qu'il y avait dans le coffre ?

— Les boucles d'oreilles en diamant que j'ai offertes à Samantha pour notre premier anniversaire de mariage. Une montre que lui a donnée Luther. Et puis d'autres souvenirs qui n'ont de valeur que pour moi.

— On s'en est déjà occupés, Abe et moi, déclara Rid. La police est en train de vérifier chez tous les prêteurs sur gages pour voir si d'autres objets ont été déposés.

— Bien. Mais ça change tout.

Je le savais, mais je voulais quand même découvrir ce qu'elle pensait.

— En quoi ça change tout ?

— Les tueurs en série conservent souvent des souvenirs de leurs victimes. Des bagues, des pendentifs, ce genre de choses. Mais la bague de Samantha n'est pas un trophée. Ça ressemble plutôt à du vol.

— Un vol et un enlèvement ?

Rid fit la moue.

— C'est possible. Sauf qu'il n'y a aucun signe que quelqu'un ait fouillé dans les tiroirs et dans les placards.

— Et si c'était une agression à domicile ? Je sais qu'il y en a eu deux dans le quartier en l'espace d'un an. Vous êtes chez vous, quelqu'un sonne, et dès que vous ouvrez le type fait irruption, il vous menace de son arme et vous oblige à lui donner tout ce que vous avez comme argent ou bijoux dans la maison. Il n'y a aucun signe de lutte, car il n'y en a pas. Tout est dans l'élément de surprise.

— Est-ce qu'Angelina savait pour la bague ? demanda Riddel.

— Je ne lui en ai jamais parlé. Mais de toute évidence elle n'aurait pas pu donner le coffre-fort si elle n'avait pas été au courant. Peut-être qu'elle l'a trouvé toute seule. Ce n'est pas comme si je l'avais caché dans le grenier.

— Mais il y a un autre problème, remarqua Santos.

— Lequel ?

Elle s'approcha de la commode sur laquelle était posée, bien en vue, la boîte à bijoux d'Angelina. Elle l'ouvrit.

— La bague de fiançailles d'Angelina est toujours là.

J'allai vérifier. La bague en diamant était à l'endroit exact où Angelina la posait chaque fois avant d'aller se coucher.

— Ça devient de plus en plus compliqué.

Santos hocha la tête en me regardant.

— Ouais. Vous avez une explication ?

— Non. Je n'en ai vraiment pas.

Santos demanda à Rid de contacter l'équipe d'enquête.

— Vérifiez qu'ils ont correctement examiné le dressing.

Elle quitta la chambre, et nous la suivîmes jusqu'au salon. Je réglai le thermostat sur une température normale pour éviter une facture d'électricité susceptible de me mettre sur la paille. Rid reçu un appel et s'éloigna vers la cuisine. J'étais seul avec Santos.

— Je veux les résultats du détecteur.

— Je ne vous les donnerai pas. J'ai jamais promis de…

— Je sais, je sais. Riddel m'a dit. Vous n'avez jamais promis de me montrer les résultats. C'est des conneries, tout ça. Le droit d'avoir accès aux résultats fait partie de tout accord pour passer au polygraphe.

— Mais cela ne faisait pas partie de *notre* accord.

— C'est tout simplement malhonnête.

— Pardon ?

— Vous avez cette extraordinaire réputation de super-vedette du FBI. Mais je ne vois vraiment pas pourquoi. J'ai travaillé avec des avocats de la défense tellement visqueux que j'avais envie de mettre une combinaison de plongée chaque fois que je les approchais. Mais même eux ne m'auraient jamais sorti un coup aussi tordu.

— Faites attention à ce que vous dites, monsieur Beckham.

— Pourquoi ? Parce que vous allez vous retourner contre moi ? Il y a longtemps que vous m'avez condamné, avant même d'avoir des preuves.

— Ce n'est pas vrai.

— Bien sûr, que c'est vrai !

Je commençais à m'emporter, et j'aurais peut-être dû m'arrêter, mais je ne pouvais pas.

— Dès le début, vous pensiez avoir tout compris. Une épouse magnifique, une vieille liaison avec Tyla Tomkins, une bouteille de bière cassée et tout ça nous conduit droit au coupable : le mari. Et ensuite qu'est-ce qu'il se passe ? Le mari coupable passe un test au polygraphe. Et devinez quoi : le mari réussit le test.

— C'est n'importe quoi.

— Vous ne voulez pas communiquer les résultats parce que j'ai réussi les tests. Et là, ça ne va plus du tout avec votre théorie. J'ai réussi mais vous ne voulez pas que je puisse le dire à tout le monde. Je n'ai jamais vu un représentant des forces de police utiliser des méthodes aussi merdiques. Et laissez-moi vous dire quelque chose bien en face : vous êtes nulle, Santos.

Je n'aurais pas dû lui sortir tout cela, mais je me sentis mieux. Et cela faisait bien longtemps que ça ne m'était pas arrivé. Et peu importait si j'avais mis Santos dans une rage noire. Elle fit un pas vers moi, ses yeux lançaient des éclairs.

— J’essayais de vous rendre service.

Je la regardai sans comprendre.

— Jusqu’à présent, vous pouviez dire en toute honnêteté que vous avez accepté un test au polygraphe, que vous avez passé ce test et que le FBI refuse de vous communiquer les résultats. Mais à partir de maintenant vous allez devoir dire la vérité, monsieur Beckham.

J’avais une idée de ce qui allait suivre, mais je ne voulais pas le croire. Le couperet tomba.

— Vous avez raté le test.

Je ne savais plus quoi dire. Santos s’en alla et je me retrouvai seul dans cette pièce, là où j’avais vu ma femme pour la dernière fois.

41

Rid me conduisit au poste de commandement de « Il faut retrouver Angelina Beckham ». Je ne savais même pas que cette association existait. C'était Sloane, l'amie d'Angelina, qui en était à l'origine.

Elle avait réussi à persuader le gérant d'un motel sur la US 1, juste en face de l'université de Miami, de lui prêter une salle de bal pendant deux semaines. Lorsque j'arrivai dans la salle avec Rid, une bonne centaine de volontaires étaient déjà là. Certains faisaient la queue, attendant qu'on leur donne des tracts, des flyers ou des posters avec la photo d'Angelina dessus pour qu'ils les distribuent. Un groupe de femmes taillaient et nouaient des rubans jaunes[1]. Une dizaine d'autres s'activaient sur leurs ordinateurs ou leurs tablettes pour annoncer la disparition d'Angelina sur les divers réseaux sociaux. Sur les tables, il y avait suffisamment de fruits, de café et de friandises de toutes sortes pour nourrir une armée entière. C'était comme lors des obsèques de Samantha : tous ceux qui n'avaient pas trop su quoi faire pour se rendre utiles avaient apporté de quoi manger.

La porte était ouverte, mais je m'arrêtai net sur le seuil. Sur le mur de l'autre côté de la salle, derrière les tables couvertes de provisions, il y avait Angelina, en portrait plus grand que nature, qui me regardait droit dans les yeux. Et

1. Symbole que l'on arbore pour montrer que l'on attend le retour d'un être cher.

voir sous son visage s'étaler en larges lettres noires le mot « disparue » me causa un second choc : c'était comme si je lisais une épitaphe.

La sœur d'Angelina vint à ma rencontre. Elle arrivait juste de Jacksonville avec son mari. Je lui présentai Rid, mais celui-ci s'éclipsa, prétextant vouloir jeter un coup d'œil à la nourriture, en réalité pour me laisser seul un moment avec ma belle-sœur.

— J'ai une bonne nouvelle, m'annonça-t-elle, la récompense est montée à 50 000 dollars.

— Bravo ! Et merci pour tout ce que tu fais.

— Ce n'est pas moi, c'est Sloane.

Elle fondit en larmes et me serra dans ses bras si fort et si longtemps que cela en devint presque gênant. Je ne sais pas pourquoi elle faisait ça. Peut-être parce qu'elle se sentait totalement surpassée par la meilleure amie de sa petite sœur. Ou peut-être parce que ça la rendait folle qu'Angelina, la plus jolie des deux sœurs Miller, attire une fois de plus l'attention de tous. Ou peut-être que je brûlerais en enfer pour avoir eu de si mauvaises pensées. Je ne sais pas. En tout cas, c'était bizarre.

Ou bien c'était moi qui étais sur les nerfs parce que j'avais raté le test du polygraphe.

Je repérai Sloane de l'autre côté de la salle. Elle était en mode surveillance, son iPad dans une main. Elle s'était équipée d'écouteurs sans fil pour pouvoir garder l'autre main libre. Angelina et elle avaient jadis codirigé un festival d'art sur le campus de l'université de Miami, et j'eus soudain devant les yeux l'image de Sloane engueulant copieusement un malheureux artiste parce qu'il avait roulé avec son camion sur la pelouse.

— Les annonces sur Facebook démarrent dans quelques heures. Toutes les télévisions locales vont venir, je ne sais pas à quel moment exactement, mais toutes m'ont promis qu'elles seraient là avant le journal de 18 heures.

— C'est super.

— Je suis en train de voir avec le directeur de la banque

où travaille Angelina s'ils peuvent rajouter de l'argent pour faire monter la récompense à 100 000 dollars.

— Génial. Tout l'après-midi, j'ai reçu des mails de gens du bureau de la procureure qui veulent aussi participer.

— Tu leur dis de me contacter, si tu veux bien. On va dire que vers 17 heures, on décide d'arrêter le montant exact de la prime. Ensuite, on fait une conférence de presse.

— C'est une bonne idée.

— Tu devrais parler à ta belle-famille. Ils ne veulent pas la faire, mais c'est important qu'on les voie lancer un appel à la communauté.

— Eh bien, s'ils ne veulent pas la faire, je peux…

— Non, Abe, il faut que ce soit eux.

Elle avait insisté sur « eux » et non pas sur « il faut ». Moi tout seul, ça ne suffisait pas. Est-ce qu'elle était au courant pour le détecteur de mensonge ?

— D'accord. Je vais leur parler.

Sloane fit apparaître une image sur son iPad et me la montra.

— Maintenant, on est prêts à transmettre l'info sur la récompense pour retrouver Angelina saine et sauve. Toi et ta famille n'avez plus qu'à nous donner le feu vert.

Je regardai l'écran. Le montant de la récompense pour Angelina « saine et sauve » était indiqué en grosses lettres rouges. Au-dessous, en lettres noires, plus petites, il était proposé une récompense un peu moins forte pour toute information permettant de retrouver son corps.

— D'accord, je te dirai.

Elle me remercia, je ne sais pas vraiment pour quoi. Puis elle referma son iPad et alla vers la table qui fabriquait des rubans jaunes pour y augmenter la cadence. Rid se tenait devant la table des friandises et en était à son troisième cupcake. Il en attrapa deux autres et vint me retrouver.

— Tu as faim ?

— Pas vraiment.

— Tu devrais manger quelque chose.

— Pas maintenant.

De nouveaux volontaires arrivèrent. Sloane s'occupa immédiatement d'eux.

— Elle est bien, cette fille. Elle est allée voir tout le monde pour leur dire de te laisser tranquille. Ils étaient tous tellement empressés que tes beaux-parents ont dû sortir un moment.

Je me demandai justement où ils pouvaient bien être.

— C'est mieux de laisser un peu d'espace vital. On ne peut pas faire fonctionner un poste de commandement s'il se transforme en une réunion de gens qui font la queue pour te présenter leurs condoléances. Surtout quand tu ne les connais même pas.

Je vis que le père d'Angelina était revenu dans la salle. Il se tenait près de l'entrée. Margaret n'était pas avec lui. Quelques personnes n'avaient visiblement pas compris le message à propos de l'espace vital et se pressaient autour de lui. Il serrait poliment les mains, puis il me vit et s'avança vers moi. Il avait l'air troublé.

— Je viens d'avoir l'agent Santos au téléphone.

Il regarda par-dessus son épaule, se pencha vers moi et me dit, d'un ton de confidence :

— Pourquoi ne m'avez-vous pas prévenu que vous passiez un test au polygraphe ?

Je pensai que ce n'était certainement pas l'endroit où discuter de cela.

— On ne peut pas en parler dehors ?

— Abe : est-ce que vous êtes passé au polygraphe ?

— Oui.

Il semblait redouter de poser la question suivante. Il attendait que ce soit moi qui lui dise.

Venez, on va trouver un endroit plus calme.

Il avait l'air un peu perdu. J'allai prévenir Rid que je m'absentais et Jake me suivit dehors. Nous trouvâmes un endroit tranquille où nous pouvions parler, juste mon beau-père et moi. Il ne me quittait pas des yeux et je pouvais lire dans son regard la question qu'il n'osait encore poser : vous avez réussi les tests, n'est-ce pas ?

Je lui répondis du mieux que je pus.

— Vous y connaissez quelque chose aux polygraphes ?

— Juste ce que j'en ai vu à la télé.

— En fait, l'examinateur pose un tas de questions, mais seulement trois d'entre elles sont importantes. Beaucoup de choses dépendent de la manière dont on les pose. Pour tous les cas que j'ai traités au bureau de la procureure générale, le ministère public et les avocats de la défense ont toujours négocié pendant des heures pour décider de la manière exacte dont les questions doivent être formulées. Une fois que tout le monde est d'accord, vous passez le test. Dans mon cas, il n'y a eu aucune négociation, aucune discussion. On n'en avait pas le temps. On m'a fait directement passer le test.

— Quelles questions vont ont-ils posées ?

Je lui dis quelles avaient été les deux premières.

— C'est la dernière qui a… posé problème.

— Posé problème ?

— L'examinateur m'a demandé : « Avez-vous quelque chose à voir dans la disparition d'Angelina ? » Ma réponse a été la même que pour les autres questions : non.

— Et quelle a été la conclusion de l'examinateur ?

— Je n'ai pas lu son rapport. Mais je peux comprendre qu'on puisse déceler des signes de mensonge lorsque quelqu'un répond simplement non, sans avoir la possibilité de s'expliquer.

Jake resta un moment sans voix, son regard rivé sur le mien.

— Qu'est-ce que vous me racontez ?

— Je veux tout simplement dire que c'était une mauvaise question. Est-ce que j'ai quelque chose à voir dans la disparition d'Angelina ? Ecoutez-moi, Jake : un tueur a envoyé une série de photos chez nous. Angelina et moi, nous nous sommes fâchés. J'ai passé la nuit chez J.T. J'ai laissé Angelina seule dans la maison. Bien sûr que j'ai quelque chose à voir dans sa disparition !

Il gardait le silence. J'essayais de lire sur son visage,

mais je n'arrivais pas à savoir ce qu'il pensait. S'il restait silencieux plus longtemps, c'était comme s'il me disait : « C'est vous qui avez tué ma fille. »

— Je veux voir le rapport de l'examinateur.

— Je ne sais pas si on va me le donner.

— Débrouillez-vous pour l'avoir, insista-t-il d'un ton glacial.

— D'accord, je m'en occupe.

Il s'approcha d'un pas, son visage était à moins de vingt centimètres du mien, il ne me quittait pas des yeux.

— Je veux bien vous croire, Abe. Angelina a toujours souhaité que sa mère et moi, nous vous considérions comme notre propre fils, mais si jamais ce « quelque chose » dont vous m'avez parlé s'avère être plus grave que vous ne le dites, je vous colle une putain de balle dans la tête.

Il resta un instant immobile, silencieux, son regard rivé dans le mien, puis il me tourna le dos et regagna la salle de bal.

42

Victoria était au poste de commandement du groupe de travail Cutter au bureau de Miami, loin des volontaires. Elle gardait toujours Angelina à l'esprit, mais elle n'en oubliait pas pour autant Cutter et les victimes qu'il avait jetées dans les champs de canne à sucre de Palm Beach. Leurs photos étaient épinglées sur le tableau d'affichage, chacune avec son nom et une description succincte. Elizabeth, vingt-trois ans ; Caitlin, vingt-cinq ans ; Holly, vingt et un ans ; Amanda, vingt-huit ans. Et puis la dernière : Megan, trente et un ans. Des vies écourtées à coups de machette par un monstre. Dans toute la Floride du Sud, les femmes blanches qui étaient mariées ou qui sortaient avec des Noirs avaient les nerfs à vif, mais peu d'informations avaient circulé sur les victimes de Palm Beach depuis le meurtre de Tyla Tomkins et la disparition d'Angelina Beckham. Pour chaque meurtre qui faisait les gros titres des journaux télévisés, des dizaines d'autres passaient inaperçus. Et beaucoup trop n'étaient jamais résolus.

Mais ce ne sera pas votre cas, les filles. Je vous le promets.

Victoria était seule, assise à la table de conférences, son portable posé devant elle, des boîtes d'archives et un tas d'autres documents éparpillés sur la table. Elle était au téléphone, essayant de joindre un technicien du Bureau sur une ligne sécurisée, lorsque son portable se mit à vibrer. C'était Abe Beckham. Elle raccrocha pour lui répondre.

— Je veux qu'on me communique une copie du rapport de l'examinateur.
— La réponse est toujours non.
— Mon beau-père veut le lire.
— Lui non plus, il ne l'aura pas.
— Pourquoi lui avez-vous dit que je passais au polygraphe ?
— Parce qu'il me l'a demandé.
Beckham ne put cacher sa surprise.
— Jake vous a demandé si j'étais passé au polygraphe ?
— Oui.
— Si je comprends bien, Jake vous a demandé avant même que vous n'en parliez ? C'est bien ça ? demanda-t-il, incrédule.
— Oui.
Elle ne lui racontait pas d'histoires : c'était vrai.
— Vous lui avez communiqué les résultats ?
— Non. Je lui ai dit de vous demander comment ça s'était passé. Monsieur Beckham, j'ai quelqu'un d'autre à appeler. Il faut que je raccroche.
— Attendez. Je veux ce rapport.
— Non, vous ne le voulez pas et vous ne l'aurez pas.
— Ah bon, je ne veux pas ? Vous êtes encore une fois en train de me rendre service ?
— Non. C'est à *moi* que je rends service. Au revoir.
Elle raccrocha et alla se « préparer un dîner » au four à micro-ondes qui était posé sur le comptoir. Certains flics ne pouvaient vivre sans une machine à café, mais pour Victoria un centre de commandement n'était pas opérationnel sans un four à micro-ondes capable de la fournir en pop-corn.

Elle savait qu'elle avait probablement eu l'air de faire la petite maligne, mais elle se rendait vraiment un service. Et à Elizabeth, Caitlin, Holly, Amanda et Megan. Si elle avait communiqué les résultats de l'examinateur à Abe Beckham, ou à son beau-père ou à quiconque, il est certain qu'ils auraient été divulgués à la presse. En quelques heures, les médias feraient de la disparition d'Angelina Beckham un cas aussi célèbre que l'affaire Laci et Scott Peterson[1]. Et Victoria avait suffisamment d'expérience pour savoir qu'un cirque médiatique autour de l'enquête ne l'aiderait certainement pas à attraper Cutter.

Le pop-corn était prêt. Elle ouvrit le sachet pour le laisser refroidir et appela le numéro sécurisé. Elle parlait en grignotant son « apéritif », des clémentines ; son autre aliment de base.

— On peut se parler, Albert ?

Albert avait un peu moins de la moitié de l'âge de Victoria. Un agent plein de talent qui avait fait son chemin en commençant par résoudre de simples problèmes technologiques de caractère général, jusqu'à ce qu'on lui propose un poste convoité au sein de la Cyber Unit du FBI à Washington. Il ne demandait qu'à rendre service, tout comme Victoria lorsqu'elle gravissait les échelons, et elle se servait de son ambition de la même manière dont ses supérieurs s'étaient servis de la sienne. Il était plus que ravi de travailler pendant le week-end, même s'il ne faisait que vérifier les conclusions des techniciens de Miami. Victoria voulait des certitudes, elle savait que les agents de Miami faisaient correctement leur boulot, mais elle connaissait Albert personnellement, et Albert avait toujours raison.

— OK, j'ai quelque chose pour vous. Tout d'abord, sur les quatre messages vocaux que Tyla Tomkins a laissés sur le portable d'Abe Beckham. Vos agents de Miami ont raison : chacun d'entre eux a été écouté et effacé le jour où il a été reçu.

— Vous êtes sûr ?

1. Laci Peterson fut déclarée disparue de son domicile par son mari le 24 décembre 2002. Son corps fut retrouvé quatre mois plus tard. Son mari, Scott Peterson, accusé du meurtre, a été condamné à la peine capitale. Il est actuellement incarcéré dans le couloir de la mort de la prison de San Quentin, en Californie.

— Oui, mais, sans vouloir vous froisser, il y a quelque chose d'intéressant que vos gars n'ont pas vu. En ce qui concerne les messages vocaux, on peut soit les effacer, soit les effacer de manière *définitive*. Toute la nuance est dans le mot « définitive » : vous ne pouvez pas les récupérer. Ils ont disparu. Il se trouve que même si les messages ont été reçus à des jours différents, tous les quatre ont été définitivement effacés *le même jour*.

Victoria saupoudrait du sel sur son pop-corn.

— Quand ?

— Dimanche 19 janvier.

— Le légiste affirme que la mort de Tyla Tomkins remonte à samedi soir ou très tôt dimanche matin.

— Si c'est le cas, c'est encore plus intéressant que je ne le pensais.

— Ouais. Ça veut dire que celui qui a effacé ces messages savait que Tyla Tomkins était morte au moins un jour avant que son corps ne soit retrouvé dans les Everglades et au moins deux jours avant qu'il ne soit identifié.

— Surtout, ne me remerciez pas.

— Et le téléphone prépayé, poursuivit Santos. Vous avez quelque chose sur le numéro qu'on n'a pas pu identifier ?

— Là, j'ai bien peur de ne rien pouvoir faire. Cinq des six numéros qu'elle a appelés étaient des téléphones dûment enregistrés. Y compris celui de Beckham. Mais le sixième est un téléphone comme celui de Tyla. Prépayé, jetable, pas d'utilisateur connu. On n'a aucun moyen de savoir à qui il appartenait ou à qui Tyla téléphonait. A moins qu'on ne mette la main sur le téléphone et qu'on y relève des empreintes.

Le technicien de Miami lui avait dit la même chose, mais maintenant elle en était sûre.

— D'accord. Il va falloir faire avec. Merci beaucoup.

Elle raccrocha, piocha dans son sac de pop-corn, se cala dans son fauteuil et se perdit dans ses pensées. Quelquefois, toutes les pièces du puzzle étaient étalées sur la table, juste devant votre nez. Il suffisait simplement de les assembler de la bonne manière. Avec un peu de chance, on pouvait découvrir quelle était la pièce manquante. Ou bien on pouvait en avoir une idée. Victoria en avait une idée.

« Aucun moyen de savoir à qui Tyla téléphonait. A moins qu'on ne mette la main sur le téléphone et qu'on y relève des empreintes. »

Victoria appela Reyes, son contact au MDPD.

— Je voudrais que vous me prépariez une déclaration sous serment pour accompagner un mandat de perquisition.

— Qu'est-ce qu'on cherche ?

— Un téléphone portable.

— Quand ?

— Tout de suite.

— Vous voulez dire cette nuit ?

— Oui. Cette nuit.

43

Le coup de fil me surprit. C'était Brian Belter. Il voulait qu'on prenne un café ensemble. Le plus vite possible.

— C'est de la plus grande importance et je vous assure que vous ne perdrez pas votre temps. Mais on ne peut pas discuter de ça au téléphone.

— Vous pouvez venir au poste de commandement ?

Je lui expliquai où cela se trouvait et il me donna le nom d'un café à une centaine de mètres de là. Nous devions nous y retrouver dans les vingt minutes.

Le ton pressant de sa voix m'avait intrigué, je ne savais pas quoi en penser. Je savais ce qu'Ed Brumbel m'aurait dit de faire, mais je n'étais pas dans l'état d'esprit de cuisiner Belter jusqu'à ce qu'il avoue que Big Sugar avait réduit ses ouvriers en esclavage, détruit les Everglades et coulé le *Titanic*.

Belter m'attendait dans un box, au fond de la salle. Il portait une chemise de golf de la station balnéaire Cortinas en République dominicaine, et je me rappelai que, moins de quarante-huit heures plus tôt, il avait dû entreprendre un voyage d'affaires inattendu, ce qui l'avait empêché d'assister aux obsèques de Tyla. J'avais l'impression qu'il s'était passé un mois. Il se leva pour m'accueillir.

— Merci d'avoir accepté de venir.

Je me glissai sur la banquette, face à lui. Sur la table, il y avait une demi-tasse d'espresso brûlant.

— Puis-je vous offrir un café ?

— Non. J'ai suffisamment de crampes à l'estomac comme ça.

Belter baissa la tête, touillant son café.

— Je suis désolé que vous ayez à subir tout ça. Vraiment désolé.

— Merci. Vous savez, je n'ai pas beaucoup de temps.

— Je comprends. Je voulais simplement vous dire que je souhaiterais participer financièrement à la récompense pour retrouver votre femme.

Cela ne me semblait pas être quelque chose dont on ne pouvait pas discuter au téléphone.

— C'est très gentil de votre part.

— 25 000 dollars.

— C'est vraiment très gentil de votre part.

— Tout ce que je demande en échange, c'est un petit service. Enfin, plus exactement, un soutien.

Je sentais que nous arrivions enfin au moment de vérité.

— Ah… Un soutien pour quoi ?

— Pour la vérité. Je n'ai jamais couché avec Tyla Tomkins.

Mon instinct me disait qu'il fallait que je m'en aille, mais c'était la première fois que je m'asseyais depuis des heures, et je n'avais tout simplement pas la force de me lever.

— Mais je ne suis au courant de rien.

— Je suis sûr que Tyla vous l'a dit.

— Je vous assure que je n'ai jamais…

Il m'interrompit, craignant sans doute que je ne ferme la porte à toute négociation.

— Abe, il est *impossible* que Tyla ne vous en ait pas parlé.

Belter sortit son carnet de chèques de sa poche, ouvrit son stylo Montblanc, mais hésita un instant avant d'écrire un chiffre.

— A quelle hauteur ai-je dit que je souhaitais contribuer ?

— 25 000 dollars.

— Je suis désolé, j'ai fait une erreur. J'ai oublié un zéro.

Je n'en croyais pas mes yeux : il rédigeait un chèque d'un quart de million de dollars.

— Est-ce que vous avez créé un fonds au compte duquel je dois établir le chèque ? (Il leva les yeux et me regarda bien en face.) Ou bien dois-je le faire à votre nom ?

— A mon nom ?

— On pourrait également éviter toute cette paperasserie inutile et je peux effectuer un virement. Sur le compte que vous voulez, dans le pays de votre choix.

— Est-ce que vous êtes vraiment en train d'essayer d'acheter un substitut de la procureure générale ?

Il ne cilla même pas. Pour lui, tout ça, c'était du business, rien de plus, rien de moins, il voulait simplement me faire comprendre avec qui j'étais en train de négocier. Comme s'il me disait : « Big Sugar a acheté de bien plus gros poissons que vous, Abe Beckham. »

Je me levai.

— Gardez votre argent.

Il me saisit le poignet, mais ce fut surtout l'intensité de son regard qui m'empêcha de partir.

— Je sais qui est le sixième.

— Quel sixième ?

— Tyla a appelé six numéros différents depuis son portable prépayé, dit-il en parlant très vite, d'une voix sourde, les mots sortant à la vitesse d'une mitrailleuse. Cinq de ces numéros sont ceux d'hommes mariés qui trompaient leur femme, vous, moi, et trois autres gugusses qui vont devoir donner tout un tas d'explications quand les types qui enquêtent sur la mort de Tyla vont venir frapper à leur porte. S'il vous plaît, ne prenez pas mal ce qui va suivre, j'essaie simplement d'être réaliste. Je ne veux pas paraître insensible, mais votre femme est probablement morte, et vous, vous êtes tiré d'affaire, vous n'avez aucune explication à donner, ni à elle ni à personne d'autre. En revanche, ma femme est toujours en vie, elle ne pardonne rien, et nous avons mis fin à notre contrat de mariage il y a dix-huit mois le jour où nous avons célébré dans la joie nos vingt ans de vie commune.

— Comme c'est romantique !

— Ecoutez-moi. Personne n'a réussi à identifier le sixième numéro qui apparaît sur le téléphone prépayé de Tyla. C'est parce que les appels ont été émis d'un autre prépayé, tout aussi intraçable que celui de Tyla. Mais je sais qui c'est.

— Qui ?

Il se pencha vers moi.

— *Quelqu'un d'autre.* Ce que je veux dire, c'est que je n'ai jamais couché avec Tyla. La seule fois où je l'ai appelée sur son portable prépayé, c'était pour arranger une rencontre avec quelqu'un d'autre.

Je savais exactement de qui il voulait parler.

Il fit glisser le chèque vers moi. Il était libellé à mon nom.

— J'étais juste un intermédiaire. Je suis absolument sûr que Tyla vous en a parlé.

Je le dévisageai. J'aurais pu dire beaucoup de choses, j'aurais pu le traiter de tous les noms. Mais j'étais épuisé et je n'avais pas la force d'entamer une quelconque joute oratoire.

— N'essayez jamais plus de me contacter.

Je me levai, laissant le chèque sur la table, et retournai au poste de commandement.

44

Marcher jusqu'au poste de commandement me fit grand bien. Cela me laissa le temps de me calmer et de me recentrer. Mais je savais que jamais je n'oublierais.

Brian Belter n'avait pas fini d'entendre parler de moi.

La conférence de presse était dans trente minutes. Je voulais voir Margaret et Jake, savoir s'ils tenaient le coup. Rid m'intercepta dans le hall. Il m'emmena dans la salle de conférences à côté de la suite qui avait été transformée en une sorte de loge des artistes. La grande table rectangulaire avait été poussée contre le mur et on avait rajouté un sofa et deux fauteuils. Carmen Jimenez se leva pour m'accueillir. Il n'y avait que nous trois dans la pièce.

— Comment allez-vous, Abe ? me demanda-t-elle d'une voix sincère.

J'aurais pu mentir, j'aurais pu dire la vérité, mais à quoi bon ?

— Merci d'être venue, mais vous n'étiez pas obligée.

— Je voulais venir. D'abord les bonnes nouvelles. Tout le monde au bureau vous soutient à fond. Ils ont récolté 5 000 dollars de plus pour la récompense.

— Merci. Ça me touche vraiment.

Mais je savais que les mauvaises nouvelles allaient suivre.

— Asseyez-vous, Abe.

Surtout quand elle m'a demandé de m'asseoir. Je me laissai tomber dans le fauteuil. Elle s'installa dans l'autre, Rid était derrière elle, assis sur le bord de la table.

— Je suis au courant pour le polygraphe.

— Carmen, je n'ai pas tué Angelina.

— Je suis au courant que vous avez raté le test.

— Je le répète : je n'ai pas tué ma femme. Les questions étaient mauvaises. Rien que la troisième question, quand on m'a demandé…

— Abe, vous avez raté les trois questions.

Je sentis comme un frisson glacé le long de mon dos. *Avez-vous jamais vu votre femme morte ? Avez-vous tué votre femme ? Avez-vous quelque chose à voir dans sa disparition ?*

— Ce n'est pas possible.

— Je connais l'examinateur. Je lui ai parlé.

— Il vous a montré son rapport ?

— Santos ne veut le montrer à personne. Mais jamais il ne me raconterait d'histoires. Vous avez raté le test.

— Les questions étaient mauvaises, Carmen. La première : « Avez-vous jamais vu votre femme morte ? » Je n'ai pas eu l'occasion de demander des éclaircissements, mais je savais qu'il voulait parler d'Angelina, alors j'ai tout simplement dit non. Alors que bien sûr j'ai vu ma femme morte. J'ai enterré Samantha !

— Je suis d'accord avec vous, dit Carmen. La question numéro trois est mauvaise, elle aussi. C'est la question numéro deux qui me pose des problèmes.

Avez-vous tué votre femme ?

— Les polygraphes ne sont pas infaillibles, rétorquai-je. Vous le savez. Tout le monde le sait. C'est la raison pour laquelle aucune cour en Amérique ne les accepte comme preuve lors d'un procès.

— Je comprends. C'est peut-être à cause des questions, ou de l'examinateur, ou de votre fatigue, ou du stress compte tenu de tout ce qui s'est passé.

— C'est peut-être même tout ça en même temps.

— C'est possible. Alors voilà ce que je vous propose, Abe. Tout d'abord, vous n'allez pas à la conférence de presse, c'est moi qui irai avec les parents d'Angelina.

— Pourquoi ?

— Pour deux raisons. D'abord, je ne veux pas qu'on vous pose une question piège sur le polygraphe. Des rumeurs circulent, et cela pourrait être très mauvais pour vous.

— Je sais me tenir.

— Certainement. Mais cela ne résout pas le problème le plus important : Jake ne veut pas de vous.

Ce n'était pas vraiment une surprise, mais cela faisait quand même mal.

— Je veux y aller.

— N'insistez pas. Vous avez fait du bon travail hier avec les télés locales. Ce soir, laissez les parents d'Angelina prendre le relais et annoncer la récompense. Ils sortent 25 000 dollars de leur poche.

— Ça va paraître bizarre si je ne suis pas là.

— Ce sera pire si Jake refuse de se tenir à votre côté.

— Bien pire, ajouta Rid.

C'était deux contre un, et même moi j'hésitais.

— La couverture médiatique va s'intensifier. Je ne peux pas passer mon temps à éviter les caméras et les micros en disant « pas de commentaires ».

— Tout à fait d'accord. Alors voici ce que je propose. Vos beaux-parents et moi allons faire la conférence de presse. Vous partez avec Riddel avant même qu'elle ne commence, et moi j'expliquerai que vous êtes allé aider les enquêteurs à retrouver votre femme. Débrouillez-vous pour dormir, cette nuit. Prenez un somnifère s'il le faut. Demain matin, quand vous serez reposé, vous referez le test au polygraphe. Quand vous en aurez terminé, vous pourrez répondre à toutes les questions que les médias pourront vous poser.

« Quand vous en aurez terminé. » Ce qu'elle voulait vraiment dire, c'était : « Si vous réussissez le test. » Mais je n'insistai pas.

— Ce sera le même examinateur ?

— Non. Le FBI n'aura rien à voir là-dedans. Ce sera quelqu'un que je connais et en qui j'ai toute confiance et qui posera les questions correctement.

— Il ne faut pas que moi je le connaisse, sinon on dira que le deuxième test a été faussé.

— Personne que vous connaissez.

J'essayai de voir si quelque chose clochait dans le plan, mais je ne trouvai rien à dire. Tout semblait logique. Et c'était rassurant de voir qu'il y avait au moins deux personnes, et pas les moindres, qui ne m'avaient pas placé en tête de la liste des suspects.

— D'accord. On fait comme ça.

Carmen eut l'air soulagée. Une poignée de main scella notre accord, et tout le monde quitta la pièce. Carmen alla vers la salle de bal, Rid et moi, dans l'autre direction, prenant bien soin d'éviter la foule. Nous prîmes une sortie de secours qui donnait sur le parking et montâmes dans la voiture de Rid. Personne ne nous vit sortir du parking pour nous diriger sur la US 1.

Je savais que ce que j'allais dire était complètement idiot, mais je ne pus m'en empêcher.

— Et maintenant il faut que je repasse ce test à la con, remarquai-je en riant nerveusement.

— Tu n'es pas obligé si tu ne veux pas.

— Non, je suis d'accord avec le plan de Carmen. Il faut que je le fasse.

On était arrêtés à un feu rouge. Rid se tourna vers moi et me regarda bien en face.

— Abe, ce n'est pas le flic qui te parle, c'est l'ami.

— Alors vas-y, je t'écoute, l'ami.

— Je crois qu'il te faut un avocat.

Je suivis la conférence de presse avec Rid sur la télévision du poste de police. J'avais la gorge serrée. Jake prit la parole en premier, lisant un texte préparé à l'avance, probablement la seule manière pour lui d'arriver jusqu'au bout.

— La famille d'Angelina et ses amis supplient tous ceux qui pourraient avoir une information quelconque sur sa disparition, l'endroit où elle pourrait se trouver ou sur ce qui a pu lui arriver…

Il fit une pause, sa voix tremblait.

— S'il vous plaît, appelez la police de Miami-Dade au numéro qui s'inscrit sur votre écran, ou laissez un message sur le site « Il faut retrouver Angelina Beckham ». Une récompense de 100 000 dollars est offerte pour toute information qui peut conduire à son retour saine et sauve parmi nous.

Ce fut au tour de Carmen de prendre le micro, mais l'angle de prise de vue était assez large pour que l'on puisse apercevoir Margaret qui se tenait au côté de Jake. Carmen dit exactement ce qu'il fallait dire, mais je l'écoutai à peine. Je ne voyais que la mère d'Angelina. Je pouvais presque ressentir sa tristesse, sa fatigue, son angoisse, son espoir qui s'amenuisait. Tout cela pesait si lourd sur ses épaules. Son cœur n'était pas simplement brisé, il était en pièces, et les morceaux étaient en train de tomber, en direct, devant les caméras du monde entier. Elle semblait inexorablement sombrer dans un lac de désespoir, un lac sans fond qui pouvait engloutir même l'esprit le plus courageux.

Je commençai à me demander si elle pourrait survivre à cette épreuve.

45

Nous quittâmes le poste de police à 20 heures. Rid me laissa à ma voiture et rentra chez lui retrouver sa femme. Je ne savais pas où passer la nuit. Je ne pensais pas que je pourrais supporter J.T. Je pris la route à l'ouest du Tamiami Trail et allai jusqu'au pont. Je me garai sur l'accotement, marchai jusqu'au rail de sécurité et contemplai la nuit. Devant moi, il n'y avait rien que l'obscurité sans fin des Everglades. La côte le long du canal n'était plus considérée comme une scène de crime. Les recherches sur cette portion de route avaient été abandonnées, du moins pour cette nuit. Peut-être reprendraient-elles au matin. Peut-être découvrirait-on de nouvelles pistes dans la nuit et fouillerait-on d'autres endroits. Ou peut-être qu'une nouvelle plus mauvaise que les autres détruirait tout espoir.

La tête me tournait rien que d'y penser.

On arrivait à la fin de la période fatidique des quarante-huit heures après la disparition. Et les minutes s'écoulaient. Certains affirment que ce sont les soixante premières heures qui sont cruciales, mais celui qui vous dira cela, c'est probablement le type dont la femme a disparu depuis quarante-neuf heures. J'appelai Rid.

— Combien de temps Cutter garde-t-il ses victimes en vie avant de les tuer ?

— Abe, je t'en prie, arrête ça.

— J'ai besoin de savoir. Il nous reste combien de temps ?

— Ça dépend.

— Quelle a été la période la plus longue ?

— Ce n'est pas une science exacte. Il faut savoir précisément quand la victime a disparu et l'heure à laquelle le légiste estime qu'elle est morte, ce qui n'est encore une fois qu'une estimation.

— Très bien, nous faisons une estimation. Quelle est la plus longue période pendant laquelle il a gardé une victime avant de la tuer ? Trois jours ? Deux jours ? Un jour ?

Rid ne répondit pas tout de suite.

— Moins, dit-il enfin.

— Donc quelques heures ?

— Oui. Sauf pour la première victime.

Enfin une lueur d'espoir.

— Il l'a gardée plus longtemps ?

— On a retrouvé son corps brûlé dans le champ de cannes. Impossible d'estimer le moment de sa mort, donc de savoir combien de temps est passé entre le moment où elle a disparu et celui où il l'a tuée.

— D'accord. Merci. Ça m'aide vachement.

— Non, ça ne t'aide pas. Abe, il faut que tu suives les conseils de Carmen : va dormir. Ça, ça pourrait t'aider.

Je refermai mon portable et regardai encore une fois les Everglades, cette vue panoramique qui se perdait dans l'obscurité la plus complète. Je me demandai combien de cadavres gardait jalousement cette extraordinaire masse d'eau qu'elle ne rendrait jamais. Est-ce que ma femme était l'un d'eux ?

En fait, Angelina m'avait prévenu. Je dirais même qu'elle avait prédit ce moment. J'avais oublié cette conversation, et je m'en étais souvenu dans la chambre de J.T. après qu'il m'eut appelé dans le noir pour me demander : « Abe, on Le remercie pour quoi ? » Angelina me l'avait demandé, elle aussi, mais pas de la même manière et sur un autre ton. En fait, elle hurlait et de grosses larmes coulaient sur ses joues.

— Nom de Dieu, Abe ! Je suis gentille, je suis belle, je ne mérite pas d'être traitée comme ça ! Un jour, tu arrêteras de lécher tes plaies, de vivre dans le passé et tu te réveilleras. Mais ce sera trop tard ! Parce que je serai partie et tu te rendras compte à quel point je te manque.

Remercions-Le.

Je démarrai la voiture. Mon téléphone vibra. C'était J.T. et je faillis ne pas répondre. J'étais sûr qu'il voulait que je vienne le voir. Si je laissais sonner une fois de plus, il tomberait sur ma messagerie. Mais quelque chose me dit qu'il fallait que je réponde. Il était dans tous ses états.

— Abe, faut que tu viennes tout de suite.

Je m'en doutais.

— Alors, qu'est-ce qu'il t'arrive ?

— Les flics sont là.

— Quoi ? Et pourquoi ?

— Ils ont un mandat.

J'avais du mal à réfléchir, c'était surtout le conseil spontané de Rid qui me revenait à l'esprit : « Je crois qu'il te faut un avocat. » Un énorme tuyau de la part d'un ami qui essayait de me prévenir de ce qui se préparait, et je l'avais complètement ignoré.

— J.T., écoute-moi attentivement. Ne t'oppose pas à la police. Mais je veux que tu répètes ces mots : je n'accepte pas que l'on cherche un quelconque élément qui ne fait pas partie de la liste mentionnée dans le mandat et je n'accepte pas toute recherche effectuée dans des lieux qui ne sont pas stipulés dans le mandat.

— OK.

— Non, tu ne dis pas simplement OK. Tu répètes ce que je viens de dire.

Il essaya, mais n'y arriva pas.

— Où sont les flics en ce moment ?

— Dans ma chambre.

— Reste au téléphone, va dans la chambre et mets-toi à un endroit où ils peuvent t'entendre. Je te dirai exactement ce qu'il faut leur dire.

Je l'entendais se déplacer dans l'appartement.

— OK. Je suis dans la chambre.

Je recommençai la litanie, mais morceau par morceau

cette fois, et lui demandai de la répéter suffisamment fort pour que les flics, les voisins et même les morts puissent l'entendre. JE N'ACCEPTE PAS QUE…

— Bravo. Maintenant, tu ne bouges pas. J'arrive.

46

La perquisition battait son plein lorsque j'arrivai à l'appartement. Deux véhicules du MDPD stationnaient devant l'immeuble. Un policier en uniforme était en faction devant la porte. Plutôt que d'essayer d'expliquer que j'étais le beau-frère, qu'autrefois j'habitais là mais que je payais toujours le loyer, je me contentai de montrer ma carte et de dire que j'étais le substitut de la procureure générale. J'entrai. J.T. était assis par terre devant la porte d'entrée, le dos contre le mur, serrant contre lui une boîte de céréales vide. Ses mains tremblaient, son corps était une boule de nerfs.

— Ça va ?

J'avais déjà vu du désordre dans l'appartement, mais jamais à ce point-là. La moquette avait été soulevée. Les meubles, déplacés. Les coussins, éparpillés sur le sol. Et ça, c'était juste dans le salon. J.T. avait le regard perdu dans le vide, le visage dénué de toute expression.

— Ils ont jeté ce qui me restait à manger.

Je regardai vers la cuisine, qui était silencieuse, et il n'y avait pas un seul flic en vue. Mais je les entendais au bout du hall s'affairer dans la chambre de J.T.

— Ils t'ont donné une copie du mandat ?

J.T. ouvrit le poing et me tendit le mandat, ce fatras de bla-bla juridique qu'il avait réduit en boule. Je le dépliai et lus la description de l'élément que la police cherchait et qui devait être confisqué : « un téléphone prépayé de marque inconnue ». Je compris soudain de quoi il s'agissait, et pas seulement parce que Brian Belter m'en avait parlé dans le café, trois heures plus tôt.

J.T. avait le souffle court, comme lorsqu'il était au bord de la panique.

— Je savais qu'ils viendraient me chercher. Il arrive un tas de merdes quand on porte ces putains de bracelets. Abe, faut que j'enlève ce truc.

— Personne n'est venu te chercher, J.T. Maintenant, je suis là. On va arranger tout ça.

— C'est bien. OK.

Sa voix tremblait, ce qui n'était pas bon signe, mais il fallait que je démêle toute cette histoire. J'allai dans la chambre où je trouvai Santos et Reyes. Un policier de Miami-Dade fouillait dans les tiroirs, un autre examinait la penderie. Santos m'empêcha d'entrer.

— Attendez dans le couloir, s'il vous plaît.

Je fis un pas en arrière.

— Vous savez qu'il n'est pas ici.

— Pardon ?

— Vous savez très bien que mon beau-frère n'a jamais appelé Tyla Tomkins sur un téléphone prépayé.

— On verra.

Un des policiers souleva le matelas et le poussa contre le mur. Il ne trouva rien.

— Vous êtes en train d'aller à la pêche à la ligne. Ce foutu 4e amendement vous empêche d'entrer ici sans un motif probable, alors vous prétendez chercher un téléphone portable et vous savez pertinemment que vous ne le trouverez pas. Mais vous espérez tout de même découvrir quelque chose. Est-ce que vous êtes si désespérée que ça ?

— Est-ce que vous avez si peur que ça qu'on découvre quelque chose ?

— J.T. vous a prévenue qu'il refuse que l'on saisisse tout élément qui ne fait pas partie de la liste mentionnée dans le mandat.

— Eh bien, bonne chance.

Les procureurs et les avocats de la défense se disputent

tous les jours à propos des éléments confisqués qui ne sont pas mentionnés dans le mandat : un fusil que l'on trouve dans une perquisition pour contrebande, ou un couteau alors qu'on est après une paire de chaussures. Si la police recherche l'arme d'un crime et ne la trouve pas, la défense en fait un point fort durant le procès. Il vaut mieux dire qu'on cherche un téléphone portable et espérer tomber sur une machette pleine de sang.

— Qu'est-ce que vous cherchez, Santos ?

— Un téléphone portable.

— Non, mais qu'est-ce que vous cherchez vraiment ? Vous me le dites. Si je sais où ça se trouve, je vous le montre, comme ça, vous n'êtes pas obligés de mettre l'appartement de J.T. sens dessus dessous.

Elle ne me répondit pas. Un policier sortit du dressing-room. Il en avait terminé. Rien.

— Essayez la terrasse dehors.

Au fond de l'appartement, il y avait une petite cour, pas plus grande que le salon. Avec l'aide de Home Depot, j'avais construit une terrasse selon les instructions de Samantha. J'examinai le mandat.

— Arrêtez !

Le policier passa devant moi et avança dans le couloir. Je le suivis.

— Vous n'avez pas de mandat pour perquisitionner à l'extérieur.

Il poursuivit son chemin, traversa le salon et se dirigea vers les portes coulissantes de la cuisine. Je sortis mon iPhone et commençai à le filmer.

— Arrêtez-vous immédiatement. Votre mandat ne vous autorise pas à pénétrer sur la terrasse ni sur aucune partie extérieure à l'appartement. Ceci est une perquisition illégale.

Santos finit par réagir. Elle n'avait pas l'air très contente, mais mon interprétation du mandat était la bonne.

— Ne sortez pas.

L'autre policier la rappela dans la chambre. Le tiroir du bas de la table de chevet de J.T. était ouvert. Il y avait un petit tas de magazines sur le sol, comme si le policier les avait sortis du tiroir, un par un, et s'était arrêté en remarquant quelque chose. Santos regarda à l'intérieur du tiroir, mais j'étais trop loin pour voir. Je lui lançai un autre avertissement.

— S'il n'y a pas de téléphone, vous remettez tout à sa place.

Santos ne répondit pas. Elle enfila ses gants de latex, fouilla dans le tiroir et en ressortit un journal.

— Je ne crois pas que les journaux sont mentionnés dans le mandat.

Elle ouvrit le journal. De là où je me tenais, il me sembla que rien n'avait été dissimulé à l'intérieur, du moins je l'espérais. En revanche, Santos était fascinée par ce qu'elle lisait. Elle s'approcha, tenant le journal dans les mains, et s'arrêta à quelques mètres de moi, sur le pas de la porte. Le journal était jauni par les ans. Elle me montra la une.

Une compagnie sucrière mise en examen pour esclavage.

C'était une copie du *Miami Tribune* de 1941.

— Je sais ce que vous pensez. Un tueur en série attaque ses victimes à la machette et abandonne leurs corps dans des champs de cannes. Et vous tombez sur J.T., un type qui a un casier judiciaire, est atteint de troubles émotionnels et qui n'a probablement jamais lu un journal de sa vie. Mais, pour une raison inconnue, il garde dans un tiroir de sa table de chevet un vieux journal parlant de coupeurs de canne à sucre.

— Si vous avez une explication, je serais ravie de l'entendre.

— Le père de J.T. était coupeur de cannes pour la National Sugar Company en 1941. C'est grâce à des types comme lui que la compagnie a pu être mise en examen.

— Vous voulez dire que ce journal appartient au père de J.T. ?

J'allais répondre à sa question, mais m'arrêtai net.

— En fait, je n'ai rien dit. Et J.T. non plus. A part que,

une fois de plus, le seul élément qui est mentionné sur le mandat de perquisition est un téléphone portable.

Elle traversa la chambre et posa le journal sur la table de chevet.

— Continuez de chercher, ordonna-t-elle au policier.

— Vous perdez votre temps. Vous savez que J.T. n'a pas ce téléphone. Et vous savez que ce n'est pas un tueur. Lorsque la dernière victime a été tuée, il était ici même, assigné à résidence avec un bracelet à la cheville.

— J.T. était assigné à résidence lorsqu'on a *découvert* la dernière victime. Le médecin légiste estime qu'elle a été tuée au moins deux jours avant.

Je compris soudain pourquoi il avait été si compliqué de comparer Angelina avec la victime. Après une si longue période dans les Everglades, la tuméfaction et la décomposition avaient rendu difficile la reconnaissance faciale.

Santos s'approcha de nouveau de moi.

— Vous savez où se trouvait votre beau-frère cette nuit-là ?

Je ne répondis pas.

— C'est bien ce que je pensais.

Elle se tourna vers le policier.

— Mettez le journal sous scellés. Je considère que c'est un élément de preuve. Ce sera au juge de décider s'il est recevable.

47

— Le journal, il était à Samantha…

Il n'y avait plus que J.T. et moi dans l'appartement. La police était partie. Pas de téléphone portable. Ils n'avaient emporté que la vieille édition du *Miami Tribune*. Je ramassai les coussins, les remis exactement à la place où ils étaient avant la perquisition et demandai à J.T. de s'asseoir à côté de moi. Il se laissa tomber sur son pouf.

— Il est à toi, ce putain de sofa, Abe. C'est toi qui t'assois dedans.

— Quand tu dis qu'il était à Samantha, est-ce que tu veux dire qu'elle l'avait laissé ici, comme le sofa et les autres meubles, et que tu l'as trouvé quand tu as emménagé ? Ou est-ce qu'elle te l'a donné en main propre ?

— C'était un cadeau.

— Quand te l'a-t-elle donné ?

— Juste avant qu'elle entre à l'hôpital. La dernière fois qu'elle y est allée, ajouta-t-il, la gorge serrée.

Ce n'était pas notre sujet de conversation préféré.

— Dis-moi comment ça s'est passé.

Il poussa un grognement, pressa les deux mains sur ses yeux, montrant qu'il ne voulait pas revivre ce passé.

— J.T., c'est très important.

— D'accord.

Je lui laissai un peu de temps. Il se ressaisit.

— Elle m'a dit qu'elle ne reviendrait probablement plus jamais.

Il s'arrêta un instant et reprit sa respiration.

— Elle m'a dit : « J.T., maman est morte. Devon est mort. Papa ne sera pas là encore bien longtemps. Quand je serai partie, il ne restera plus que toi. »

Devon était le frère aîné que je n'ai jamais connu.

— Continue.

— Alors, elle m'a raconté l'histoire.

— Quelle histoire ?

— Cette putain d'histoire sur le journal, Abe. Mon vieux faisait partie de ces hommes que les compagnies sucrières avaient ramenés de Memphis comme esclaves. Ça fait partie de notre famille. C'est un morceau d'histoire. Il faut qu'on en garde le souvenir, qu'on le transmette. Il faut que les gens sachent que ce putain d'esclavage ne s'est pas terminé en 1865.

— Et où a-t-elle trouvé le journal ?

— Où tu crois ? Elle a dit qu'il y avait plein d'autres trucs aussi.

— D'autres trucs ?

— Ouais. Luther avait gardé un tas de saloperies du temps où il coupait les cannes. La compagnie l'a obligé à les acheter avec son argent — une couverture, tout le matériel, l'équipement. Ce fils de pute, il est tellement radin. Il l'a payé, alors il l'a gardé.

Je connaissais l'histoire. Avant même que les hommes aient coupé le premier rang, ils étaient tellement endettés qu'ils ne pouvaient plus quitter la plantation. Et, si je me souvenais bien, ils avaient également été forcés d'acheter leur machette. Je n'abordai pas le sujet. Enfin, pas directement.

— Où sont les autres trucs ?

— Je sais pas. Elle m'a donné le journal et m'a dit qu'il y avait encore plein d'autres saloperies dans un carton, quelque part. J'ai jamais cherché. Samantha m'a dit qu'il fallait que je transmette tout ça à la prochaine génération, mais à qui je vais bien pouvoir transmettre, hein, Abe ?

— Est-ce que Samantha t'a dit où se trouvait le carton ?

— C'est avec tout le bordel du vieux. Je sais pas où.

Qu'est-ce que vous avez fait de ses affaires quand vous l'avez emmené à l'hôpital ?

Enfin une question à laquelle je pouvais répondre.

— Dans un box, au garde-meuble.

Je les avais stockées avec des affaires de Samantha et d'autres choses que je n'avais pas eu la force de donner à des associations caritatives, et qu'Angelina n'aurait jamais accepté que je garde à la maison.

— Eh bien, alors, c'est là. Au garde-meuble. Mais qu'est-ce que ça peut faire ? C'est quoi, le problème ?

— Il n'y a pas de problème.

Il se leva de son pouf d'un bond et se mit à faire les cent pas.

— C'est un problème pour Santos. Cette salope est complètement folle. Elle vient chez moi la nuit dernière, et elle me pose des questions comme si c'était toi qu'avais tué Angelina. Et maintenant elle revient chez moi avec un mandat de perquisition et elle fait comme si c'était moi qui l'avais tuée. Ou peut-être qu'elle pense que c'est moi qui ai tué toutes ces femmes. Abe, c'est ça qu'elle pense ?

— Calme-toi. Elle pense que tu n'as tué personne. Elle met la pression sur toi, mais c'est moi qu'elle vise.

— Alors elle pense que j'ai rien fait ?

— Oui.

— Elle croit que c'est toi ?

Perdu dans mes pensées, je ne regardais plus J.T, je fixais un point, au loin.

— Honnêtement, je ne sais plus ce qu'elle pense.

Je me levai et sortis mes clés de voiture de ma poche.

— Abe, où tu vas ?

Je me levai et allai vers la porte.

— Nulle part.

Il me suivit.

— Comment ça, nulle part ? Je sais que tu vas quelque part !

J'ouvris la porte.

— Va dormir, J.T.

Il m'attrapa par le bras.

— Abe, où tu vas ?

Je ne dis rien, mais le regard que je lui lançai suffit pour lui faire lâcher prise.

— Je vais à la recherche de réponses. Verrouille la porte et va te coucher.

Je n'ai pas attendu qu'il fasse jour. AAA Mini Storage était ouvert vingt-quatre heures sur vingt-quatre, sept jours sur sept. Je retournai à la maison, pris la clé du box et me rendis à l'entrepôt. L'immeuble de cinq étages était complètement désert, on aurait dit un mausolée. Les lumières se déclenchèrent automatiquement lorsque j'entrai dans le hall.

Le box 403 était au quatrième étage. L'ascenseur était en panne et je pris l'escalier. Je commençai à transpirer en montant les marches et j'arrivai en haut complètement en nage. C'était peut-être à cause de l'atmosphère confinée. Ou parce que j'avais les nerfs à vif.

J'ouvris la porte basculante en métal. Il faisait plus frais dans le local que dans le couloir, mais ce fut la seule chose qui m'apporta un peu de réconfort. Car mes souvenirs étaient là, face à moi, et je ne savais plus si j'allais avoir le courage d'entrer.

La dernière fois que j'étais venu, c'était six mois après la mort de Samantha. Il y avait certaines choses que j'avais données, d'autres que je voulais garder, mais pas chez moi, surtout lorsque je commençais à sortir avec Angelina. Carmen avait vécu la même expérience lors du décès de son mari. Elle m'avait dit de m'occuper des tiroirs l'un après l'autre, une armoire à la fois, et de faire trois tas : la pile des objets qu'on garde, celle de ceux qu'on donne ou qu'on jette, et la dernière, ceux dont on n'est pas sûr. Il était difficile de faire un tri entre les objets qu'on garde et ceux dont on n'est pas sûr. D'un côté, il était inutile de garder un diplôme d'université dans son cadre, mais de l'autre il représentait quatre années de la vie de Samantha. Et que faire de l'énorme maison de poupée que Luther lui avait fabriquée de ses mains et qu'elle avait précieusement gardée pour la donner à sa propre fille ?

Finalement, j'entrai dans le box et examinai tous ces cartons que j'avais soigneusement remplis alors même que j'ignorais ce que j'allais en faire. J'avais fini par les mettre dans le box 403, avec les autres objets que Samantha avait rapportés de l'appartement de Luther lorsqu'il était entré à l'hôpital. Elle les avait soigneusement emballés avec du ruban adhésif, avait inscrit le nom de Luther dessus au feutre noir et les avait rangés dans notre garage. Je n'avais jamais ouvert les cartons. Ils étaient restés tels que Samantha les avait laissés. Après sa mort, j'avais rangé les cartons « Luther Vine » dans la pile des objets que je n'étais pas sûr de garder, mais uniquement pour gagner du temps, en attendant que je m'en occupe un jour.

Et c'était le jour.

Ils étaient empilés du sol jusqu'au plafond. Je commençai par ceux du haut, je les apportai deux par deux dans le couloir et coupai le ruban adhésif avec mes clés. Il y avait des choses dont je n'avais aucune idée de la raison pour laquelle Samantha les avait gardées. Qui aurait besoin d'un *TV Guide* de 1972 ? Je pensai qu'elle avait rangé tout l'appartement sans essayer de trier ce qui était important et ce qui ne l'était pas. Si Luther gardait quelque chose, c'était pour une bonne raison. Et je comprenais très bien. Il y avait fort à parier que, dix minutes après avoir jeté le *TV Guide,* Samantha aurait reçu un coup de fil de Luther qui lui aurait demandé : « Dis donc, il est où, le *TV Guide* de 1972 ? »

Ce fut le neuvième carton, le premier de la quatrième pile, qui attira mon attention. En le sortant, je vis que, sur le côté de la boîte qui était collé contre le mur, Samantha avait inscrit :

« Luther Vine 1941. À CONSERVER ».

Je l'ouvris. C'était comme si je partais explorer le passé, mais qu'en même temps je savais exactement ce que j'allais découvrir.

Sur le dessus, il y avait une vieille couverture, soigneusement pliée. Je l'enlevai et la posai sur le sol. Sous la couverture, je découvris tout un tas d'objets hétéroclites. Je sortis d'abord ceux qui étaient aisément identifiables. Une gourde. Une gamelle. Une paire de gants de travail. Des bottes à bouts renforcés. Pour les autres, j'eus plus de mal à découvrir de quoi il s'agissait. Des protège-genoux en acier. Des protections pour les poignets. Il y avait même un badge au nom de Luther indiquant qu'il était un employé de la National Sugar Company. Son bulletin de paye et sa fiche de travail étaient plus que révélateurs. Il y était écrit que Luther avait coupé quarante-trois tonnes de cannes pendant sa première semaine de travail. Il lui restait devoir 19 dollars et 27 cents à la compagnie.

Je vidai complètement la boîte et toute la période la plus sombre de l'histoire de Luther se retrouva là, devant moi, sur le sol. Je retournai dans le box et cherchai parmi les autres cartons, mais il n'y en avait pas d'autres de 1941. J'ai cherché, encore cherché. Jusqu'à minuit.

Et je n'ai pas trouvé de machette.

48

J'aurais dû rentrer chez moi et aller me coucher, mais il n'en était pas question.

Je voulais aller voir Luther et lui demander ce qu'il avait fait de sa machette. Mais il y avait deux problèmes. Premièrement, il dormait certainement à cette heure-là. Deuxièmement, il ne s'en souvenait probablement pas. Il m'aurait peut-être dit qu'il l'avait perdue quand il travaillait dans le jardin, à l'époque où Truman était président.

Je me souvins du conseil de Carmen : « Débrouillez-vous pour dormir. » J'étais censé passer un nouveau test au polygraphe le lendemain matin, cette fois avec de « meilleures » questions. Je devais m'y préparer et pour cela il fallait que je me repose. Mais j'en avais marre que les gens me disent ce que je devais faire.

Je voulais retrouver ma femme.

Il était minuit et demi lorsque j'arrivai à Little Havana. Je me garai juste à côté de la boutique Pawn 24, qui, comme de juste, était encore ouverte. J'étais de l'autre côté du trottoir et, à travers les barres d'acier qui protégeaient la devanture, je pouvais voir Manny à son comptoir avec un client. Ils étaient en train de négocier le montant d'un « prêt » sur une montre volée ou quelque chose comme ça. Je n'entrai pas. Manny et son oncle nous avaient apporté toute l'aide qu'ils avaient bien voulu nous donner. Manny avait examiné des dizaines de photos au poste de police et aucune d'entre elles ne correspondait à celui qui lui avait vendu la bague de Samantha. La police avait arpenté les rues pendant des heures et avait interrogé tous les sans-abri. Rien. Mais ils avaient mené leur enquête dans l'après-midi, et non pas après minuit, lorsque le type était venu vendre la bague. Ils m'avaient dit de les laisser faire leur boulot, mais on était au-delà des fameuses quarante-huit heures et on n'avait encore aucune piste. J'avais le choix entre rester dans mon lit les yeux grands ouverts et tenter le coup moi-même. Je n'avais eu aucun mal à prendre ma décision.

J'interpellai le premier type que je vis.

— Hé, vous avez une seconde ?

Il était devant la vitrine d'une *farmacia* qui était fermée pour la nuit, en train de faire son lit avec des morceaux de carton.

— Dégage. C'est mon coin.

Je lui donnai un ou deux dollars et lui montrai une photo de la bague de Samantha en l'éclairant avec mon portable.

— Vous connaissez quelqu'un qui a vendu une bague comme celle-là ?

— Nan.

Je lui montrai une photo d'Angelina.

— Je cherche cette femme.

Il regarda attentivement, comme s'il voulait vraiment m'aider, puis il se détourna.

— Perds pas ton temps, mon pote, j'ai jamais vu quelqu'un qui taillait les pipes aussi mal.

Je sentais que cela n'allait pas être facile. Les six conversations suivantes furent encore moins fructueuses, et pas seulement parce que mon espagnol était plutôt rudimentaire. Le septième type à qui je parlai essaya de se saisir de mon téléphone. Je ne lâchai pas prise, mais lui non plus jusqu'à ce que je le pousse et que je le fasse tomber par terre.

— Pauvre con ! Pourquoi tu me donnes ton téléphone si tu veux pas que je le prenne ?

Il restait là, sans bouger, allongé sur le sol. Il me faisait un peu penser à J.T. Je décidai de retourner à ma voiture quand j'aperçus une femme devant une boutique de cigares. Tous ses biens terrestres étaient emballés dans un sac-poubelle vert qu'elle poussait dans un Caddie, sur le trottoir.

— Je peux vous poser une question ?

Elle s'arrêta, visiblement surprise que je lui adresse la parole. Je lui montrai la photo et lui posai la même question qu'aux autres.

— C'est Jerko qui l'a vendue.

C'était mon tour d'être surpris.

— Qu'est-ce que vous dites ?

— Mon copain Jerko. Il a vendu une bague comme ça.

— Quand ?

— Ce week-end. 500 dollars. Enfin, c'est ce qu'il raconte. Cet enfoiré m'a même pas donné 10 cents, alors moi je dis que c'est un menteur.

Je sentais mon cœur battre un peu plus vite.

— Votre copain, c'est quelqu'un de dangereux ?

— S'il était dangereux, vous croyez qu'il laisserait les gens l'appeler Jerko[1] ?

Ce n'était pas tout à fait faux, et de fait il ne semblait pas non plus être un suspect de premier plan dans la disparition de ma femme.

— Et où peut-on le trouver, ce Jerko ?

Elle me jeta un regard rusé.

— Combien ?

— 10 dollars, répondis-je, ne voulant pas avoir l'air trop intéressé.

— Pour 10 dollars, je te dirai même pas dans quelle ville il habite.

Et puis merde, pensai-je, je n'avais ni le temps ni l'envie de marchander.

— Vous voulez combien ?

— 50. Et je te montre l'endroit où il dort.

Je sortis un billet de 20.

1. *A jerk* : un abruti.

— Je vous donne 20 dollars pour m'y amener. Et 50 s'il est là.

Elle m'arracha le billet des mains.

— D'accord.

Je lui proposai de pousser son Caddie, mais elle aurait préféré qu'on lui coupe le bras. Ou qu'on m'en coupe un. Je la suivis dans le vacarme que faisaient les roues sur le trottoir défoncé. Nous parcourions cette portion à sens unique de la Calle Ocho qui va en direction du centre-ville, trois kilomètres plus loin. Nous avions fait environ cinq cents mètres, et, juste au moment où je pensais que tout cela ne servirait à rien, la femme s'arrêta devant le supermarché El Presidente. De l'autre côté de la rue, il y avait un terrain vague. Un énorme panneau « à vendre » indiquait que le terrain était constructible, pouvait accueillir aussi bien des bâtiments commerciaux que des résidences privées, et qu'il disposait de toutes les autorisations requises pour la construction de trois cent vingt-trois unités. Il y avait derrière le grillage, tout au fond du terrain, des dizaines de sans-abri qui de toute évidence n'avaient pas eu la patience d'attendre que les trois cent vingt-trois maisons autorisées soient construites.

— Il est là-bas.

— Si vous voulez votre argent, vous devez me montrer qui c'est.

— Espèce de radin, murmura-t-elle.

Elle traversa la rue et se dirigea jusqu'à une ouverture dans le grillage qui était assez large pour qu'elle puisse passer avec son Caddie. La terre était tassée, des touffes d'herbe poussaient çà et là. Au fond du terrain, il restait encore quelques arbres qui avaient été épargnés par les bulldozers, et le nombre de sans-abri croissait au fur et à mesure qu'on s'éloignait de la rue. Des maisons de cartons avaient été construites sous les arbres. Des feuilles de plastique servaient de couverture. Une forte odeur d'urine montait des buissons. En fermant un peu les yeux, et en transformant la nuit en un film noir et blanc aux images un peu granuleuses, on se serait cru dans une scène du film *Les Raisins de la colère*.

Tout au bout, des tables de pique-nique probablement volées dans un parc tout proche servaient d'abri. Nous étions loin des lumières de la rue, mais je pus malgré tout discerner dans le clair de lune un homme qui dormait sous une table.

— C'est lui.

J'allais m'approcher, mais elle me retint.

— Tu me dois 30 dollars.

Je m'acquittai de ma dette et lui montrai un billet de 10 dollars.

— Je vous en donne 10 de plus si vous trouvez une façon sympa de faire les présentations.

Elle sourit, prit les 10 dollars et cria d'une voix forte :

— Hé, trou du cul ! Y a un connard qui veut te voir.

Elle fourra l'argent dans l'une de ses nombreuses poches et reprit son chemin vers la Calle Ocho, poussant son Caddie à travers le terrain vague. L'homme s'étira et se redressa, mais sans sortir de sous la table de pique-nique.

Je vis tout de suite que je n'avais pas affaire à Cutter. Il n'avait pas l'air d'un tueur en série qui abandonnait ses victimes dans les plantations de cannes du comté de Palm Beach, à plus de cent cinquante kilomètres de là, et qui se jouait de la police depuis deux mois. Mais quelque chose me dit que, si Jerko avait vendu la bague de Samantha, il l'avait reçue en seconde ou même en troisième main. Je suivis mon intuition et décidai de l'interroger sur ces prémisses. Je m'avançai vers la table.

— Je peux vous parler ?

— T'avance pas plus.

Je m'arrêtai à quelques pas de lui. Je me baissai lentement. J'étais à son niveau, mais je distinguais à peine son visage dans la pénombre.

— Votre amie m'a dit que vous aviez vendu une bague en diamant le week-end dernier.

— C'est pas mon amie.

En revanche, il ne refusait pas de reconnaître qu'il avait vendu la bague.

— Pouvez-vous me dire où vous avez trouvé la bague ?

— Pouvez-vous aller vous faire foutre ?

Jerko était effectivement un sale con.

— Ecoutez, mec. Je ne suis pas un flic. Je ne suis pas venu pour vous causer des ennuis. J'ai juste besoin de renseignements.

Il ne dit rien et je ne pouvais toujours pas voir son visage. Il était toujours sous la table, l'ombre des arbres l'enveloppait dans l'obscurité.

— Vous me dites seulement où vous avez trouvé la bague, et je vous donne de l'argent.

— Combien ?

— 20 dollars.

Je commençais à manquer de cash.

— 100.

— Je n'ai pas cette somme sur moi.

Et je ne mentais pas.

— Donne-moi ton portable.

— Je ne peux pas vous donner mon portable.

— Alors je peux rien pour toi.

Du calme, me dis-je, mais je sentais la colère qui montait.

— Dites-moi où vous avez trouvé la bague.

Mon ton était si menaçant qu'il aurait dû sérieusement se méfier même s'il faisait trop sombre pour qu'il voie la rage sur mon visage.

— Donne-moi ton portable.

— Je n'en ai pas.

— Tout le monde a un portable.

J'ouvris mon portefeuille et sortis tout mon argent.

— Je vous donne 60 dollars.

— Et ton téléphone.

Si cela avait été une autre nuit, j'aurais peut-être joué à son jeu, ou alors j'aurais suivi les règles et appelé la police. Mais ma femme avait disparu, et, après le meurtre de Tyla, l'assignation à domicile de J.T. et tout ce que j'avais dû subir de la part de Santos, quelque chose en moi a craqué. Je plongeai vers lui, le saisis par la chemise et le sortis de sous la table. Il était beaucoup plus petit que moi et je l'immobilisai en un tournemain. J'appuyai mes deux genoux de tout mon poids sur son dos, ma main serra sa nuque, je plaquai son visage contre la terre.

— Tu me fais mal, gémit-il.

J'attrapai sa tignasse graisseuse et tirai sa tête en arrière.

— Tu veux mon portable ? Hein, c'est ça ? Eh bien, voilà : tu l'as. Regarde, fils de pute. Regarde bien la photo.

Sans lâcher prise, j'avais sorti mon téléphone et je lui collai la photo d'Angelina sous son nez.

— Regarde cette femme. Qu'est-ce que tu peux me dire sur elle ?

Ce n'était pas une question : c'était un ordre. Comme il ne répondait pas, je lui écrasai de nouveau le visage dans la poussière, puis, d'un coup sec, ramenai sa tête en arrière et lui remis la photo sous les yeux.

— Qu'est-ce que tu peux me dire ? hurlai-je.

— C'est elle.

— Qui, elle ?

— La femme qui m'a demandé de vendre la bague.

— Arrête tes conneries.

— C'est pas des conneries ! Elle a dit que, si j'allais dans la boutique et que je vendais la bague, je pourrais garder 50 dollars.

— Tu mens !

— Non, je mens pas !

Il tremblait de tous ses membres et se mit à pleurer. Je lui tirai les cheveux encore plus fort.

— Je te dis que tu mens !

Il tremblait encore plus fort, il était passé de 3 à 7 sur l'échelle de Richter. Et il pleurait maintenant à chaudes larmes.

— Mais non, c'est vrai ! C'est elle ! C'est la femme !

Je lâchai prise et sa tête retomba sur le sol. Il sanglotait toujours, le nez dans la poussière. Je me relevai et restai un instant à le regarder. Je ne savais plus trop quoi penser.

— Si jamais tu as touché à cette femme, je te jure que...

— Je l'ai pas touchée ! J'ai seulement vendu cette saloperie de bague.

J'étais perdu, je voulais lui dire qu'il déclarait n'importe quoi, que c'étaient des mensonges, mais tout s'embrouillait dans ma tête. Je l'attrapai par le col et le remis sur ses pieds.

— Hé, mec ! Tu fais quoi ?

Je le tenais fermement par la chemise et l'entraînais à travers le terrain vague jusqu'au passage dans la clôture. Il était forcé de trottiner pour pouvoir suivre mon pas. Il était trop terrorisé, trop fatigué et trop chétif pour résister.

— Mais où tu m'emmènes ?

Je ne répondis pas. Nous étions à moins de cent mètres de Pawn 24. Je savais que Manny travaillait tard dans la nuit et j'espérais qu'il était toujours là. Cela me prit moins d'une minute d'arriver devant la boutique, même en tirant Jerko derrière moi. Je sonnai. Manny apparut derrière la porte, mais je n'attendis même pas qu'il ouvre. Je collai Jerko contre la vitre, et sortis ma plaque. Manny resta un instant bouche bée, puis il me reconnut enfin.

— Est-ce que c'est lui ? Est-ce que c'est le type qui vous a vendu la bague ?

Il examina le visage de l'homme à travers la vitre pendant quelques secondes, puis il hocha la tête.

— Je vais vous rendre l'argent, pleurnicha Jerko. Mais me faites pas mal, OK ?

Je le décollai de la devanture et le forçai à s'asseoir sur le trottoir.

— Toi, tu ne bouges pas. On va bientôt connaître le fin mot de l'histoire.

J'appelai Rid.

49

Jerko sanglota, cria, me supplia de le laisser partir jusqu'à ce qu'une voiture de la police de Miami-Dade arrive enfin et l'embarque. Je la suivis jusqu'au poste. Rid nous rejoignit et prit immédiatement les choses en main. J'attendais sur un banc devant la salle d'interrogatoire, tandis que Rid et un autre flic étaient au travail. Il était près de 1 heure du matin lorsque Rid sortit de la salle et vint s'asseoir près de moi.

— Jerko n'a aucune idée de ce qui a pu arriver à Angelina.

Je ne savais pas s'il fallait prendre cela comme une bonne ou une mauvaise nouvelle.

— Tu en es sûr ?

— Tu peux demander aux autres flics qui étaient avec moi. Mais ça fait un bout de temps que j'interroge des gens, Abe. Suffisamment longtemps pour savoir de quoi je parle. Cela dit, ce type, c'est une vraie merde.

— Raconte.

— Il a été condamné à plusieurs reprises pour délinquance sexuelle dans l'État de New York. C'est sa dernière adresse connue.

— Quel genre de délinquance ?

— Plusieurs faits d'inconduite à caractère sexuel. Apparemment, c'est un grand supporter des équipes de foot féminin, surtout les lycéennes. Il les regarde de l'autre côté de la barrière et il se masturbe.

J'avais enfin compris d'où lui venait le surnom de Jerko[1]. Mais c'était loin de me rassurer.

— Si c'est un délinquant sexuel, cela ne le rend pas encore plus suspect ?

— Ecoute, Abe. Ta femme et la bague de Samantha ont disparu, mais il n'y a aucun signe d'intrusion chez toi, d'accord ? Alors, soit Angelina connaissait le suspect, et elle l'a laissé entrer…

— Soit c'est quelqu'un qui vit avec Angelina. Et c'est ce que pense l'agent Santos.

— Exactement. Ou bien c'est un inconnu qui s'est débrouillé pour avoir la clé. C'est pour ça qu'on cherche tous les endroits possibles où Angelina pourrait avoir laissé sa voiture à un voiturier ces derniers mois, et qu'on vérifie si personne n'a fait un double de ses clés. Et Jerko n'a vraiment pas le profil du type qui aurait réussi à mettre la main sur les clés de ta maison, à trouver la bague de Samantha, à faire disparaître ta femme, et tout ça sans laisser l'ombre d'un indice.

— Alors comment a-t-il eu la bague ?

— Aucune idée.

— Il dit que c'est Angelina qui la lui a donnée.

— C'est ce qu'il dit. Et il persiste et signe. Mais on est sûr qu'il ment. Soit il couvre un de ses amis, soit il a trop peur de parler.

— Tu es vraiment sûr qu'il raconte des histoires ?

— Certain.

Je me levai, fis quelques pas dans le couloir, je réfléchissais à toute allure, les idées se bousculaient dans ma tête. Je me tournai vers Rid.

— Est-ce qu'il serait possible que ce soit Angelina qui la lui ait donnée ?

Rid laissa échapper un soupir où perçait l'exaspération.

— Abe, on vient de passer en revue tous les scénarios

1. *To jerk off* : se masturber.

possibles : c'est soit quelqu'un qu'elle connaissait, soit un parfait inconnu qui détenait les clés.

— Et si c'était un scénario impossible ?

Je restai un instant silencieux, prenant bien soin de choisir mes mots.

— Et si elle était tout simplement partie ?

— Simplement partie ? Au milieu de la nuit ? Comme ça. C'est ce que tu viens de dire ?

— Ouais.

— Mais, nom de Dieu, pourquoi aurait-elle fait un truc pareil ?

— Pour me donner une leçon.

Rid haussa les épaules.

— Abe, faut que tu te reposes.

— Je suis sérieux. Rid, écoute-moi. Angelina a toujours été agacée au plus haut point par la façon dont je me raccroche au souvenir de Samantha. Et soudain elle disparaît, et la seule chose qui manque dans la maison, ce sont les bijoux de Samantha, et tout particulièrement sa bague de fiançailles, qui est vendue à Little Havana dans une boutique de prêteur sur gages pour une misère. C'est comme si elle m'avait envoyé un message : débarrasse-toi de ce truc qui n'a aucune valeur !

— Abe, la semaine a été longue, je comprends que tu sois fatigué.

— Et en plus la bague d'Angelina est restée sur la commode. Est-ce que tu connais un cambrioleur qui irait chercher la bague de Samantha jusque sur la dernière étagère dans un dressing et qui n'embarquerait même pas un bijou qui est là, à portée de la main ?

— D'accord, c'est bizarre. Mais il doit y avoir une explication autre qu'Angelina qui serait simplement en train de te donner une leçon.

Deux policiers s'avançaient dans le couloir. Rid attendit qu'ils passent, puis secoua la tête.

— Abe, laisse tomber. Tu t'accroches à l'espoir que ta femme est toujours vivante et c'est normal. Et l'éventualité qu'Angelina t'ait laissé tomber est certainement nettement plus rassurante que toutes les autres pensées qui doivent te trotter dans la tête. Mais ne raconte cette histoire à personne d'autre.

— Mais pourquoi es-tu si obtus ?

— Parce que, si tu étais un peu moins choqué et un peu moins à court de sommeil, je te dirais que c'est la chose la plus égocentrique que j'aie jamais entendue dans la bouche d'un mec.

— Qu'est-ce que tu racontes ?

— Il faut être complètement dingue pour dire que ta femme a disparu uniquement pour que tu fasses un peu plus attention à elle. Je sais qu'Angelina n'a pas un tempérament facile, qu'elle t'a même éclaté le nez quand tu l'as quittée pour Samantha, mais à moins qu'il y ait vraiment eu un truc violent qui s'est passé entre vous…

— Non, il ne s'est rien passé de violent.

— D'accord. Mais on poursuit ton raisonnement : admettons qu'Angelina soit vraiment cinglée et qu'elle ait un fond de méchanceté insondable. Tu as vu ses parents à la télé cette nuit. La mère d'Angelina s'est littéralement effondrée devant les caméras. Rien que de penser qu'Angelina ait pu infliger ça à sa mère et à son père, c'est… C'est simplement…

J'aurais pu le laisser finir sa phrase, mais ce n'était pas nécessaire.

— Incroyable ?

— Oui, c'est ça : incroyable.

Pour moi aussi. Peut-être avais-je vraiment besoin de dormir un peu.

— Je suis d'accord. Mais il n'empêche que c'est Jerko qui a récupéré la bague. Je lui ai montré la photo d'Angelina sur mon téléphone. Il m'a avoué que c'était elle qui la lui avait donnée. Il t'a dit la même chose.

— Ouais, c'est ce qu'il a dit. Seulement…

— Seulement quoi ?

Il me prit par le bras et m'entraîna vers la salle d'interrogatoire.

— Viens avec moi.

— Pour quoi faire ?

— Tu veux savoir pourquoi on pense que Jerko raconte des conneries quand il dit que c'est ta femme qui lui a donné la bague ? Je vais te montrer.

Il me fit pénétrer dans la salle. Jerko était assis en face d'un autre officier de police de Miami-Dade et se recroquevilla quand il me vit entrer, se souvenant très bien de la façon dont s'était déroulée notre dernière discussion. Je restai dans un coin, près de la porte. Rid s'approcha de Jerko, se pencha sur lui et ouvrit le classeur posé sur la table. Je ne voyais pas ce qu'il y avait dedans, mais supposai qu'il s'agissait de photos.

— C'est la femme qui vous a demandé de vendre la bague ?

Jerko hocha la tête nerveusement.

— Oui, c'est elle. C'est cette femme.

Rid prit le classeur, replaça la photo à l'intérieur et m'accompagna jusqu'à la porte. Une fois dans le couloir, il me montra la photo. Je l'examinai, complètement perdu.

— On dirait Charlize Theron !

— C'est Charlize Theron. Jerko a dit la même chose quand on lui a montré Reese Witherspoon il y a un quart d'heure. Et Kirsten Dunst dix minutes plus tôt. Ce sont toutes de belles femmes blondes, comme Angelina sur la photo que tu lui as montrée, et elles lui ont toutes demandé de vendre la bague.

Mes espoirs étaient en train de s'envoler à tire-d'aile, l'idée que nous tenions une piste solide, l'illusion que nous allions arriver à un tournant de l'enquête…

— Oui, mais quelqu'un lui a sûrement donné la bague.

— Quelqu'un, oui. Mais à mon avis ce n'était certainement pas Angelina.

Je jetai un coup d'œil sur la pendule accrochée au mur. Presque 2 heures du matin.

— Il se fait tard.
— Va dormir : tu as un examen dans sept heures.
J'inspirai et expirai longuement.
— Ouais. Et cette fois j'ai peut-être intérêt à réviser.

50

Je n'ai pas pu dormir plus de trois heures. Bien sûr, j'aurais pu rester au lit, à contempler le plafond de J.T. pendant les deux heures suivantes, mais je décidai de me lever, de me doucher et je me rendis à la maison de repos de Sunny Gardens.

Luther se levait tôt le matin, et chaque année qui passait semblait avancer un peu plus les heures de son réveil interne. Une visite à 6 heures du matin ne posait aucun problème. C'était pratiquement l'heure de son repas de midi. Quand j'entrai dans sa chambre, il était assis sur une chaise, près de la fenêtre, tout à fait éveillé et vêtu de la tête aux pieds, portant même sa chemise de flanelle boutonnée jusqu'au cou. De plus, il avait toute sa tête.

— Eh bien, j'en reviens pas ! M. Lincoln !

— Ne vous levez pas.

— T'inquiète pas, mon gars.

Je lui souris, comme si tout allait bien, et cela dit, pour Luther, tout allait pour le mieux dans le meilleur des mondes. Je ne lui avais rien dit à propos d'Angelina, et il n'était certainement pas un « téléphage ». Ce qui n'était pas diffusé sur Sport News ne valait même pas la peine d'exister.

Je pris une chaise et m'assis près de lui.

— Alors, comment allez-vous ?

— Je suis vieux. C'est tout.

C'était toujours comme ça. La plupart du temps, il ne se souvenait plus que je m'étais remarié, et donc, même quand il allait très bien, parler d'Angelina ne faisait que le troubler. Si je lui avais annoncé la disparition de ma femme, il aurait probablement perdu les pédales. Après la mort de Samantha, je m'étais posé la question de savoir combien de temps passerait avant que je ne doive me rendre à de prochaines funérailles, et je pensais que ce serait celles de Luther. Je ne pouvais pas imaginer une seconde que cela pourrait être celles de ma seconde épouse.

Il y eut un bruit dans le couloir, juste devant la porte. Je jetai un coup d'œil par l'entrebâillement et je vis des infirmiers qui poussaient une civière sur laquelle reposait un corps recouvert d'un drap blanc. Je me levai pour fermer la porte, mais Luther m'arrêta.

— On a perdu quelqu'un ?

— Il semblerait. De l'autre côté du couloir.

— Oh ! Barbara. C'est triste. Vraiment triste. C'était pas son heure.

— Quel âge avait-elle ?

— Quatre-vingt-quatorze ans.

Je regardai le corps qui passait dans le couloir, puis Luther.

— Sans vouloir vous offenser, Luther, elle avait quatre-vingt-quatorze ans. Et ce n'était pas son heure ?

— Je sais ce que tu penses. Elle est vieille. Donc elle est prête. Mais elle ne l'était pas. Prête, je veux dire.

— Elle voulait vivre jusqu'à cent ans ?

— Non, non. Barbara aurait voulu mourir il y a cinquante ans.

— Comment ça ?

Il se pencha en avant et me regarda droit dans les yeux, malgré son œil qui divergeait légèrement.

— Ecoute bien, mon garçon. Il y a une différence entre vouloir mourir et être prêt à mourir.

Je réfléchis un instant et pensai qu'il n'avait pas tout à fait tort.

— Et pourquoi n'était-elle pas prête ?

— Pour la même raison que celle qui fait qu'elle aurait souhaité être morte. Elle avait le cœur brisé.

— Qu'est-ce qui lui a brisé le cœur ?

— J'en ai aucune idée.

— Alors comment vous le savez ?

— Je suis aussi vieux que Mathusalem. Je sais reconnaître un cœur brisé. Oui, m'sieur. Son cœur a cessé de battre la nuit dernière. Mais Barbara est morte il y a très longtemps.

— C'est triste.

— Il n'y a rien de plus triste.

Il se pencha de nouveau vers moi et leva un doigt sentencieux.

— Tu sais ce que j'ai toujours dit, Abe, n'est-ce pas ?

— Ce n'est pas un grand malheur de mourir…

Je laissai Luther finir la phrase.

— Mais c'est un grand malheur de mourir de chagrin.

J'aurais pu laisser mon esprit divaguer. Me plonger dans le passé et me souvenir de la première fois où Luther m'avait parlé des cœurs brisés. Mais je me ressaisis.

Il me montra la cruche vide sur la table.

— Tu peux me donner de l'eau, s'il te plaît ?

Je me levai pour aller lui remplir son verre et je repensai au temps où il travaillait à la National Sugar Company et où il avait bu au robinet comme il était indiqué sur sa fiche de travail et sur les bulletins de salaire vieux de soixante-dix ans retrouvés au garde-meuble. La National lui avait fait payer l'eau à peine potable qu'il buvait, ce qui faisait partie des 19 dollars de dettes qu'il avait à la fin de chaque semaine de travail dans les champs. Je lui tendis son verre et retournai m'asseoir près de lui.

— Dites-moi, Luther, est-ce qu'on a déjà parlé, vous et moi, du temps où vous travailliez dans les plantations ?

Il contempla son verre et but une gorgée.

— Probablement pas.

— Ça vous embête si je vous pose des questions ?

— Qu'est-ce que tu veux savoir ?

— J'ai trouvé un carton que Samantha avait gardé. Il

y avait tout un tas de vieilles choses de l'époque où vous coupiez les cannes.

Son regard s'illumina, non pas à cause du souvenir de cette époque, mais parce que j'avais parlé de sa fille.

— Samantha disait que ça aurait dû aller dans un musée. Je pense qu'elle n'a jamais réussi à intéresser les gens à ces trucs-là.

— Je ne crois pas, non. Tout est resté là. Au même endroit.

Je m'arrêtai un instant avant de poser la question pour laquelle j'étais venu.

— Tout, sauf la machette.

— Quoi ? Ma machette n'y est pas ?

— Non.

— Putain ! J'ai payé 1,50 dollar pour cette machette. Et 50 cents de plus pour l'affûter !

Je pensai à ce qu'avait dit J.T. « Il l'a payée, il l'a gardée. »

— Luther, c'est important, est-ce que vous pouvez essayer de vous souvenir de la dernière fois où vous avez vu cette machette ?

— J'en sais foutre rien.

— Est-ce que c'était après avoir travaillé pour la National Sugar ? Je veux juste savoir si vous l'avez rapportée du campement où vous étiez.

— Ah, ça, oui. J'en suis sûr. S'il y avait quelque chose qui valait la peine que je le garde, c'était bien la machette.

— D'accord. Ça m'aide. Bon, maintenant, réfléchissez bien avant de me répondre : est-ce que vous avez rangé votre machette avec toutes les autres choses que vous avez gardées de cette époque ?

— Ça fait des années que j'ai pas vu ces trucs-là, Abe.

— Je sais. Cela fait longtemps. Mais c'est important. Il est possible que vous ayez gardé la machette ailleurs. Dans une boîte à outils, un atelier ?

— Oui, je pense que c'est possible.

— Est-ce que vous pourriez l'avoir perdue ? Ou jetée ? Ou quelqu'un pourrait-il l'avoir volée ?

— Quand ?
— N'importe quand.
— Merde, Abe. On parle d'un truc qui s'est passé il y a plus de soixante-dix ans.
— Je sais, répondis-je d'une voix beaucoup plus pressante que je l'aurais souhaité. Mais j'ai besoin de savoir : c'est possible ?
— Mais bien sûr, que c'est possible. Ça remonte à avant la Seconde Guerre mondiale. Qui sait ce qui a pu arriver à cette machette ? Elle peut être n'importe où.
Je laissai échapper un soupir et m'adossai à mon siège. C'était la meilleure réponse qu'il pouvait me faire et elle résumait parfaitement la situation.
— Vous avez raison : elle peut être n'importe où.

51

Un brouillard nocturne enveloppait Shadow Park. Victoria et une équipe de huit hommes d'une unité du SWAT[1] roulaient en silence à l'arrière d'un véhicule d'intervention spéciale. L'alerte avait été donnée par le client d'une station-service. L'homme, un vétéran du Viêtnam, avait conduit toute la nuit depuis Tallahassee. Il s'était arrêté derrière une berline, était descendu de son camion et s'était faufilé entre son pare-chocs avant et l'arrière de l'autre voiture pour aller à la pompe.

— L'odeur des cadavres, moi, je connais, j'en ai senti un tas au Viêtnam, déclara-t-il à la police. C'est le genre de trucs qu'on n'oublie jamais. Et c'est cette odeur-là qui sortait du coffre de la voiture.

Shadow Park était proche de la maison du suspect, dans un quartier tranquille. C'était un lotissement typique construit dans les années soixante-dix, dans le nord-ouest du comté de Broward. Le genre d'endroit où les propriétaires sont obligés de choisir entre quatre modèles d'habitations, ensuite, on fait venir les bulldozers, on construit des écoles et, deux ans plus tard, un millier de maisons individuelles de style « ranch » occupent un terrain qui faisait autrefois partie des Everglades. Les hommes du SWAT avaient décidé de lancer leur assaut avant le lever du soleil, au

1. Special Weapons and Tactics, unité militaire d'élite, l'équivalent de notre GIGN.

moment où le feuillage des arbres et les hautes fougères leur offraient un camouflage supplémentaire.

Le véhicule s'arrêta. Le chef de groupe, Kyle Crawford, vérifia sa check-list avant de donner l'ordre d'intervention.

Le SWAT 33 était un véhicule à usage double. Il fournissait un support tactique et servait de poste de commandement pour les opérations sur le terrain ainsi que les communications. Une caméra à vision à infrarouge, montée sur le casque de Crawford, transmettait des images vidéo instantanées à un écran qui se trouvait à l'intérieur. Deux autres membres de l'équipe d'assaut, les premiers à entrer, étaient également équipés de caméras. Des micros et des casques permettaient aux hommes de communiquer entre eux. Victoria pourrait ainsi être en contact constant avec l'équipe et assister à l'opération en direct.

Crawford avait terminé sa check-list. Les membres de l'équipe sortirent par les portes arrière. La tension était presque palpable, même si l'attaque n'avait pas encore été vraiment lancée. Une deuxième unité du SWAT, qui suivait dans un autre véhicule, les avait rejoints. Habillés de noir, le visage enduit de suif, ils étaient à peine visibles dans la pénombre. Victoria n'avait pris que son Sig Sauer 9 mm, mais la puissance de feu en appui était largement suffisante. Les membres de l'équipe étaient casqués, portaient des vestes en Kevlar, et étaient armés de M16 automatiques. Ils avaient en plus subi des centaines d'heures d'entraînement qui les avaient préparés à tout ce qu'ils pourraient affronter.

Un troisième véhicule arriva. Le spécialiste en communications de Victoria, un légiste et deux techniciens du labo rejoignirent le groupe à l'intérieur du PC mobile.

Crawford donna le signal. Les membres de l'unité 1 avancèrent en silence dans un ensemble parfait.

A travers ses jumelles à infrarouge, Victoria vit la première vague du SWAT se déployer sur les mille mètres carrés qui entouraient la maison du suspect. Les feuillages des vieux oliviers bloquaient partiellement la vue, mais elle apercevait distinctement le petit jardin, l'allée et la façade de la maison. Les fenêtres étaient obscures, aucun signe de lumière à l'intérieur, mais, sous la véranda, une lampe anti-moustiques donnait à la scène une inquiétante teinte orangée.

Crawford régla ses écouteurs, il recevait des messages radio de l'unité 1.

— Tout le monde en stand-by. L'image vidéo va nous parvenir dans dix secondes.

Victoria retourna à l'intérieur du véhicule. Le spécialiste en communication était assis face à cinq moniteurs, chacun relié à une caméra distincte. Crawford et deux de ses hommes vinrent les rejoindre. Une image apparut sur l'écran n° 1, d'abord vacillante, puis beaucoup plus nette. C'était la caméra des hommes de l'équipe de reconnaissance, les tout premiers à approcher de la maison. Ils avaient auparavant étudié et mémorisé le plan du bâtiment, en particulier du rez-de-chaussée. Les caméras à infrarouge ne pouvaient pas percer les murs de brique, mais en Floride l'hiver était la saison durant laquelle on ouvrait les fenêtres. Si l'une d'elles était restée ouverte, les capteurs de chaleur pourraient détecter toute présence humaine à l'intérieur. Santos ouvrit son micro.

— Réception vidéo confirmée, vous pouvez procéder. Terminé.

— Les plans du bâtiment sont conformes, déclara l'un des policiers envoyés en reconnaissance. Aucune modification à signaler. Deux petites chambres sur le côté de la maison. Elles sont vides. Cuisine, salle à manger et salon du côté est. Vides également. Les capteurs à infrarouge signalent la présence d'un individu dans la chambre principale, au nord. De grande taille, probablement de sexe masculin. Il semble dormir. Des baies vitrées coulissantes donnent un accès direct sur un patio à l'arrière du bâtiment. Terminé.

— Y a-t-il des signes de la présence d'un second individu ? Terminé.

Par « second individu », Victoria entendait une éventuelle

victime. Ils couraient après un tueur en série, et Angelina était toujours portée disparue.

— On ne peut pas avoir de visuel. Les infrarouges indiquent une lueur informe dans la salle de bains de la chambre principale. Une sorte de source de chaleur.

Victoria se pencha sur le moniteur. L'image était faible, mais la description, exacte. Victoria avait utilisé les infrarouges dans de nombreuses enquêtes et elle avait vu ce genre de lueur provenant des cadavres de victimes découverts dans des bennes à ordures ou cachés parmi les herbes folles. Un corps humain continue d'émettre une source de chaleur détectable deux ou trois heures après la mort.

Crawford contacta toutes ses équipes. Sa voix ne trahissait aucune trace d'émotion.

— Stand-by. Quand je dis trois, on passe au jaune.

Jaune était le code SWAT qui indiquait que les hommes étaient en position finale d'approche et de camouflage. Vert indiquait l'assaut, le moment où tout se jouait, entre la vie et la mort.

Crawford sortit du van radio et rejoignit l'unité 2. Victoria ne pouvait plus le voir, mais l'image de la caméra fixée sur son casque apparut sur l'écran n° 2, et celle des autres caméras, sur les écrans n°s 3, 4 et 5. C'était comme si elle assistait au spectacle, assise au premier rang, et elle pouvait, en plus, entendre les ordres de Crawford.

— Trois, deux, un.

Sur les moniteurs, on pouvait voir les équipes du SWAT sortir du parc et du bois en une sorte de ballet silencieux et s'approcher de la maison. Victoria pouvait presque entendre le bruit de leurs pas alors qu'ils avançaient doucement, sur la pointe des pieds, genoux fléchis, en position de tir. Sur l'écran n° 2, on voyait un groupe en approche venant de l'est, prêt à couvrir la porte à l'arrière de la maison. Le moniteur n° 3 montrait des hommes qui avançaient dans la rue, tout près de la porte principale, sans dépasser les limites de la lumière orangée éclairant la véranda. Crawford et deux autres policiers contournaient la maison et se dirigeaient vers le patio, mais, à cause de la brume et des moustiquaires, les images n'étaient pas claires, ce qui ne rassura nullement Santos.

Elle se demandait également ce que pouvait bien être cette source de chaleur qui provenait de la salle de bains.

Sur les images, tout semblait s'être immobilisé. Une dernière vérification au micro, les équipes confirmèrent qu'elles étaient en position.

Dans son casque, Victoria entendit la voix de Crawford.

— A trois, on est au vert, murmura-t-il.

Il se mit à compter lentement, très lentement, même, la voix toujours aussi calme. Quand il eut compté jusqu'à trois, les images se télescopèrent sur les écrans. Les écouteurs de Victoria étaient saturés par les bruits des portes qui volaient en éclats et de la baie vitrée qui explosait. Elle s'attendait à des coups de feu, mais elle n'entendit que les voix de Crawford et de son équipe qui faisaient irruption dans la chambre principale.

— A terre ! A terre ! Couche-toi par terre !

Tous les écrans montraient la même image : l'homme qui se laissait glisser de son matelas et qui s'allongeait sur le sol, cerné par les policiers.

Victoria entendait des crachotements dans la radio, des voix hurlaient des ordres. Le moniteur n° 1 montrait que l'homme était entièrement maîtrisé. Sur les autres écrans, on voyait les images tremblantes des pièces de l'habitation que les hommes du SWAT fouillaient au pas de charge. La caméra n° 5 explorait la salle de bains, où l'autre source de chaleur avait été détectée.

— Rien ici, annonça le policier.

Victoria examina attentivement l'image, mais ne vit qu'une salle de bains vide.

— Fin de l'intervention, annonça Crawford.

Ce fut au tour de Victoria et de son légiste d'entrer en action. Ils se précipitèrent vers la maison, suivis par les autres techniciens. Seul le spécialiste en communication resta dans le véhicule.

Victoria traversa la pelouse aussi vite qu'elle le put. La source de chaleur demeurait encore un mystère, mais, s'ils avaient effectivement mis la main sur Cutter, Victoria ne voulait pas qu'un avocat plus malin que les autres déclare que le suspect était passé aux aveux parce qu'on lui avait collé un M16 sur la tempe. La porte d'entrée avait explosé et tenait à peine sur ses gonds. Elle se précipita à l'intérieur. Les hommes du SWAT conduisirent les techniciens jusqu'à l'ordinateur du suspect, tandis que Victoria et le légiste allaient droit vers la chambre principale. Crawford et deux autres policiers se tenaient au-dessus d'un homme corpulent qui était étendu, menotté dans le dos, le visage contre le sol, à côté du lit. Il portait un bas de pyjama et un T-shirt blanc.

— Où est Angelina Beckham ? hurla Victoria.

— Je sais pas, répondit-il, le nez toujours dans le tapis.

— Qu'est-ce que tu lui as fait ?

— Mais rien. Je sais même pas de qui vous parlez !

Elle n'était vraiment pas sûre qu'il mentait. Le légiste l'appela depuis la salle de bains.

— Santos, j'ai quelque chose.

L'homme était à quatre pattes et examinait le sol.

— J'ai trouvé la source de chaleur.

Santos ne voyait rien d'autre qu'un carrelage immaculé.

— C'est quoi ?

— Un nettoyant chimique. Un concentré d'acide sulfurique ou chlorydrique, qui augmente la quantité d'ions hydronium et attire les ions de n'importe quelle saloperie que vous essayez de nettoyer. Les ions hydronium produisent une réaction chimique qui crée de la chaleur.

— Assez de chaleur pour qu'elle soit détectée par un infrarouge ?

— Oui, s'il y a suffisamment d'acide et de saloperie à nettoyer.

— Quelle sorte de saloperie ?

Il prit sa bouteille de luminol et en répandit un peu sur le carrelage blanc. Victoria éteignit la lumière. Il était inutile d'aller plus loin, la lueur bleue parlait d'elle-même.

— Du sang. Et d'après l'intensité de la chaleur émise, je dirais qu'il utilisait une sacrée quantité de nettoyant chimique et qu'il y avait donc beaucoup de sang.

Un homme du SWAT entra dans la pièce et fit signe à Victoria.

— Il faut que vous veniez voir ça.

Elle le suivit jusque dans le couloir. Un autre policier ouvrit une porte, et elle entra dans ce qui aurait normalement dû être un garage. Elle s'attendait plus ou moins à ce qu'elle allait découvrir, mais elle en eut malgré tout le souffle coupé.

— Oh, mon Dieu, murmura-t-elle en entrant dans la salle.

La partie arrière du garage avait été aménagée en une pièce aveugle. Les murs et le plafond étaient peints en noir. Le sol était en béton brut. Trois projecteurs étaient fixés au plafond et éclairaient le centre de la pièce où quatre anneaux en acier — deux pour les poignets et deux pour les chevilles — étaient scellés dans le ciment. La lumière était si aveuglante que tout le reste de la pièce restait plongé dans l'obscurité, mais on pouvait malgré tout apercevoir l'établi collé contre le mur. Victoria s'avança lentement. Tous les instruments du parfait sadique étaient là, devant elle. Des lanières de cuir. Des fouets. Des tenailles. Des ciseaux. Des pinces crocodile, des laisses, des menottes et des godemichés de différentes tailles et épaisseurs — le plus grand mesurait au moins quarante centimètres. Ils étaient méticuleusement alignés sur l'établi. Mais il y avait un autre outil accroché au mur, juste au-dessus de l'établi, un instrument qui différenciait ce tueur de tous les autres sociopathes et criminels susceptibles d'avoir un profil similaire au sien.

Une machette de coupeur de canne à sucre.

Victoria sentit monter en elle une sorte de… quelque

chose. « Achèvement » était peut-être le mot le plus juste, car l'horreur qu'avaient vécue tant de jeunes victimes lui interdisait de même penser au mot « réussite ».

— On l'a eu, murmura-t-elle tout bas.

52

Je passai devant le campus de l'université de Miami, tôt le matin, bien avant l'heure de pointe. Je me dirigeais vers le poste de commandement de l'association « Il faut retrouver Angelina Beckham ». Je n'avais aucun plan en tête, j'avais simplement besoin de faire quelque chose. Le supermarché Dadeland ouvrait à 7 heures du matin, j'y étais déjà passé faire des courses et j'avais livré trois sacs de provisions chez J.T. pour mettre fin à son éternelle litanie : « J'ai rien à manger. » C'est alors que Rid m'appela de chez lui.

— On a arrêté Cutter.

Des centaines de questions me vinrent soudain à l'esprit, mais je réduisis la liste à une seule, la plus importante.

— Et Angelina ?

— On ne sait pas.

Mes mains tremblaient si fort que je dus sortir de l'autoroute pour m'arrêter à une station-service.

— Tu ne sais pas si c'est lui qui l'a enlevée, ou bien est-ce que c'est lui qui l'a enlevée et tu ne sais pas ce qu'il en a fait ?

— On ne sait pas si c'est lui. Et, crois-moi, Abe, c'est une bonne chose. Parce que, si ce monstre a quelque chose à voir avec la disparition d'Angelina, on a peu de doutes sur ce qu'il a pu lui faire.

Je tournai la climatisation à fond, essayant par tous les moyens de retrouver une respiration normale.

— Qui est-ce ?

— Il s'appelle Tommy Salvo. Il travaille pour Cortinas Sugar.

Je n'en croyais pas mes oreilles.

— Il travaille pour cette putain de compagnie sucrière ? Et c'est seulement maintenant que Santos met la main sur ce type ?

— Tu sais bien que l'industrie sucrière a des centaines de milliers d'employés et d'ex-employés. On a fait une première recherche sur la base de données des ordinateurs et il a été écarté de la liste des suspects. Salvo a une maison dans le comté de Broward, mais pendant la saison de la récolte il travaille et il habite au Nicaragua. Apparemment, ils coupent encore la canne à la main, là-bas.

— C'est un coupeur de cannes ?

— Non. Ce sont des ouvriers nicaraguayens sous-payés qui font le boulot. Salvo est un citoyen américain, il contrôle les opérations. Il est passé à travers les mailles parce qu'il n'a pas de casier et que, d'après les fiches d'immigration, il était au Nicaragua au moment des meurtres.

— Il est donc rentré clandestinement ?

— Exactement. Le FBI pense qu'il a pris un vol Managua - La Havane - Nassau sur une compagnie cubaine et qu'ensuite il a payé en liquide son billet sur un bateau pour aller des Bahamas jusqu'aux Etats-Unis. Ça rallonge le trajet, mais, quand on est un tueur en série et qu'on veut que la police pense qu'on est à l'étranger, ça vaut le détour. Personne ne savait qu'il était ici.

Personne sauf…

— Sauf qui ? demanda Rid.

— Sauf peut-être Tyla Tomkins. Et si c'était pour ça qu'elle m'a appelé et laissé des messages sur mon répondeur ?

Rid ne répondit pas.

— C'est Salvo qui a tué Tyla ?

— On n'est pas sûr.
— Ça, c'est une réponse de merde.
— Abe, je ne peux pas te dire tout ce que je sais. Santos est en train d'interroger le suspect. Tout ça, c'est confidentiel.
Je me sentis envahi par un brusque accès de colère.
— Arrête tes conneries ! Savoir ce qui est arrivé à Tyla peut faire toute la différence entre trouver et ne pas trouver ma femme. Dis-moi ce que tu sais — bon, mauvais, n'importe quoi, mais, bordel de merde, dis-moi !
Une dame en SUV qui amenait tout un tas de gamins à un match de foot était sur le point de s'arrêter à la pompe, juste à côté de moi. Elle accéléra subitement pour regagner l'autoroute. Les vitres de ma voiture étaient fermées, mais je devais avoir l'air d'un fou furieux à hurler dans mon téléphone et à cogner sur mon volant.
— D'accord, voilà ce que je sais. Salvo avait transformé l'endroit où il tuait ses victimes en une sorte de studio de cinéma amateur. Des murs noirs, des projecteurs, tout était insonorisé, le grand jeu. Le FBI a saisi son ordinateur, mais Santos ne dit pas un mot sur ce qu'ils y ont trouvé. Je suis à peu près sûr que le fils de pute prenait son pied à filmer ce qu'il faisait à ses victimes, mais je ne sais vraiment pas si ce sont les cinq femmes du comté de Palm Beach, ou s'il y en a d'autres. Je ne veux pas te donner de fausses informations. Pour toi, ça pourrait être une bonne nouvelle. Ou ça pourrait être la pire de toutes les choses.
Je me laissai tomber en avant, mon front heurta le volant. J'avais du mal à parler.
— Où se passe l'interrogatoire ?
— A l'antenne du FBI.
— J'y vais.
— C'est inutile. Santos ne te laissera jamais approcher.
— Rid, je te dis que j'y vais. Tu joues dans mon équipe ou tu restes sur la touche ?
Il hésita, rien qu'une seconde.

— J'appelle Carmen, je lui dis que ton polygraphe est annulé et je te rejoins là-bas.

Je refermai mon téléphone, démarrai et récitai une courte prière tandis que je quittais la station-service.

53

Victoria savait qu'elle finirait par le briser.

Même s'il avait réussi à faire croire à la police qu'il était resté au Nicaragua, Cutter n'était pas très malin. Victoria avait passé les deux premières heures de l'interrogatoire à lui faire comprendre qu'il était coincé et qu'elle avait suffisamment de billes pour lui coller le cul sur le gril. Puis elle avait quitté la pièce avec son partenaire et l'avait laissé seul, à fixer le mur, pendant dix minutes, vingt minutes, une demi-heure. Les deux agents du FBI l'observaient, dans la salle d'à côté, à travers le miroir sans tain. Bert Franklin et son collègue, tous deux du bureau du shérif du comté de Palm Beach, les avaient rejoints.

— Vous allez le laisser mijoter combien de temps ? demanda Franklin.

— Encore quelques minutes.

— C'est nul, comme méthode. Si vous continuez comme ça, il va finir par demander un avocat.

Franklin n'arrivait pas à digérer qu'il n'était là qu'en simple observateur. Le FBI avait imposé sa juridiction parce qu'ils avaient retrouvé sur l'ordinateur de Salvo des centaines de films pornographiques impliquant des mineurs, ce qui constituait un délit fédéral. C'était l'élément qui avait permis à Victoria de se saisir d'une affaire qui, autrement, aurait été de la compétence de l'Etat de Floride, comme tout homicide. Victoria avait invité les deux hommes par simple courtoisie professionnelle car ils avaient fait partie du groupe de travail.

— Ne vous inquiétez pas, répondit Santos.

Elle s'approcha du miroir et examina l'homme. Salvo était grand, un mètre quatre-vingt-dix, et pesait près de cent kilos. Il était musclé, et ce n'était pas de la gonflette. Il avait le physique et le teint d'un homme qui avait passé sa vie à travailler dans les champs. Il portait une barbe poivre et sel qu'il ne taillait pas, comme quelqu'un de trop paresseux pour se raser. Ses cheveux étaient coupés très court, sans doute pour dissimuler un début de calvitie. Il avait quarante-huit ans, plus vieux que le profil qu'avait dressé Victoria, ce qui expliquait le Viagra qui avait été saisi à son domicile. Ses problèmes d'érection avaient probablement un rapport avec le nombre de godemichés, tous noirs, que l'on avait trouvés chez lui, ce qui en revanche correspondait bien au profil du Blanc fou furieux s'en prenant aux Blanches qui sortent avec des Noirs. « Alors, salope, t'aimes ça, le Noir, hein ? »

— Phase deux, annonça Victoria.

C'était le moment de retourner dans la salle.

Elle avait joué à ce jeu si souvent, et dans de si nombreuses affaires. Le moment où les petits malins commençaient à marchander. Du genre : « Ce que vous savez même pas, c'est qu'il y a cinq corps de plus. Moi, je vous dis où je les ai planqués et vous, vous demandez pas la peine de mort. » Mais elle ne s'attendait pas à cela de la part de Cutter. Il fallait qu'il lui montre combien il était intelligent. « Vous pouvez pas vous imaginer le nombre d'indices que vous avez ratés, et moi j'étais là sous votre nez, et je rigolais en voyant votre incompétence. » Cutter était un vantard. Elle le sentait. Elle posa un paquet de Marlboro devant lui.

— Une cigarette ?

Il en prit une. Elle lui tendit un briquet.

— Je savais que vous fumiez.

— Bravo, Sherlock. Qu'est-ce qui vous a fait découvrir ça ? Les cendriers que vous avez trouvés un peu partout chez moi, ou les cartouches de cigarettes ?

Vantard.

— Les brûlures sur vos victimes.

Il expira un nuage de fumée, sans rien dire.

Victoria posa méthodiquement quatre photos d'autopsies devant lui, quatre des cinq victimes du comté de Palm Beach, excluant celle de la femme dont le corps avait brûlé. On ne voyait que leur visage.

— Mais ce n'est pas de la cendre de cigarette qu'on a étalée sur leur visage, n'est-ce pas ?

Il tira une nouvelle bouffée.

— Vous savez très bien ce que c'est.

— Pourquoi vous ne me le dites pas ?

Il s'adossa sur son siège, faisant tomber sa cendre sur le sol.

Vas-y, c'est ça, mets-toi à l'aise.

— Vous savez pourquoi autrefois on appelait les femmes « les filles d'Eve » ?

Elle en avait une vague idée, mais elle voulait connaître le point de vue de Cutter.

— Je n'ai jamais vraiment réfléchi à ça.

— C'est parce que Eve avait la peau très claire. Et, quand on compare les femmes avec les hommes, on s'aperçoit qu'elles sont vraiment plus claires.

— Qu'est-ce qui est plus clair ?

— Vous pouvez faire attention à ce que je dis ? De quoi vous croyez que je parle ? De leur peau ! Il y a une différence de pigmentation entre les hommes et les femmes.

— J'aurais pensé que cela dépendait des gens.

— C'est parce que vous êtes bête. Et je suis beaucoup plus malin que j'en ai l'air.

Vas-y, petit malin, parle-moi.

— C'est une réalité chimique aussi bien que moléculaire. Bien sûr, ce n'est pas aussi évident que la différence qui existe entre un Noir et un Blanc. Mais si vous comparez un homme blanc et une femme blanche, ou bien un homme noir et une femme noire, vous verrez que l'homme a plus de mélanine et d'hémoglobine. Les hommes sont plus foncés. Les femmes sont plus claires. Les femmes sont les filles d'Eve.

Victoria avait hâte de savoir ce que ce type avait bien pu lire sur internet.

— Ah bon, c'est vrai ?

— Ne me parlez pas sur ce ton-là.

— Mais je vous parle normalement.

— Je sais ce que vous pensez. Vous croyez que je suis le type même du débile raciste membre du Ku Klux Klan et qui dort enroulé dans le drapeau confédéré.

— Je n'ai pas dit ça.

— Les gens croient que je me suis lancé dans l'agriculture parce que j'étais pas capable d'aller à l'université. Mais, en fait, j'étais bon élève. Ce que je préférais, c'était la chimie.

Dis plutôt que tu fabriquais du crack.

— Et j'ai vécu dans le monde entier. Au Nicaragua, en République dominicaine, au Brésil.

— C'est impressionnant.

— J'essaie pas de vous impressionner. Je veux simplement vous expliquer quelque chose. Mon cerveau et ce que je vois de mes propres yeux me disent que la couleur de la peau a de moins en moins à voir avec la race.

— Je ne suis pas sûre de bien comprendre ce que vous venez de dire.

— Essayez de suivre, vous allez voir, c'est simple. Quand vous allez à Managua, Saint-Domingue ou São Paulo, comment vous pouvez connaître la race de ces gens-là ? Ils sont noirs ? blancs ? hispaniques ? indiens ? multiraciaux, si ça veut dire quelque chose ? La vérité, c'est que toutes ces étiquettes qu'on leur colle, c'est de la connerie. Ça va peut-être prendre mille ans, mais on est en train d'évoluer vers un monde où il n'y aura plus qu'une seule race et où la couleur de la peau ne sera importante que pour une chose : le sexe. Le mâle de couleur plus sombre est attiré par les femmes de couleur plus claire.

— C'est votre théorie ?

— C'est pas une théorie, c'est un fait. C'est pour ça que les Noirs ont toujours désiré nos femmes.

— Et ça vous rend furieux ?

— Pas du tout. J'ai toujours travaillé avec des hommes de couleur dans les champs de canne à sucre. Jamais eu de problème avec eux. C'est tout à fait naturel qu'ils soient physiquement attirés par les Blanches.

Il se pencha en avant et souffla la fumée de sa cigarette vers le visage de Victoria.

— Ce qui m'emmerde, c'est les femmes blanches qui se mettent à pondre des petits bébés noirs.

Victoria en avait entendu assez. Avec les vidéos sadiques qu'il avait faites de ses victimes, les preuves récoltées par l'équipe de légistes et son désir évident de propager dans le monde entier ses théories anthropologiques à la con, Cutter se dirigeait tout droit vers le bout du couloir de la mort. Ce qu'elle voulait, maintenant, c'était l'interroger sur les crimes commis hors du comté de Palm Beach.

Elle rangea les photos des victimes dans un dossier.

— Il y a une autre raison pour laquelle je savais que vous fumiez. Je veux dire à part les traces de brûlures sur les victimes.

Il écrasa sa cigarette et en alluma une autre.

— Ça fait partie de votre brillant profilage du criminel ? Un Blanc qui fume cigarette sur cigarette ?

Elle ouvrit un autre dossier et posa une photo de Tyla Tomkins sur la table. Non pas celle de son cadavre, mais le portrait en noir et blanc de Tyla l'avocate tiré du site Web de BB & L.

— Je vous ai vu de l'autre côté de la rue, le soir du service religieux pour Tyla Tomkins.

Il sourit.

— C'était vous, n'est-ce pas ? Le petit point lumineux orange dans le parking ?

Silence.

Elle se pencha vers lui, le regardant droit dans les yeux.

— Est-ce que vous avez tué Tyla Tomkins ?

Il n'eut pas l'ombre d'une hésitation.

— Non. Mais on aurait bien aimé.

— Qui ça, « on » ?

— Tous ceux qui étaient au Nicaragua. Elle faisait partie de l'équipe d'avocats de Miami qui sont venus nous casser les couilles.

Victoria ne s'attendait pas à cela.

— Il y avait qui d'autre dans l'équipe ?

— Des types qui portaient des costumes. Je me souviens pas.

— Ils sont venus vous casser les couilles à cause de quoi ?

— A cause de tout. La récolte de cannes au Nicaragua.

— Quoi exactement ?

— Toujours les mêmes conneries. Des histoires de droit du travail. Demandez aux avocats si vous voulez savoir.

Victoria jeta un coup d'œil à son collègue, qui prit note. Ils allaient *certainement* demander.

Elle posa une autre photo sur la table. C'était un tirage de celle prise par la caméra de surveillance du restaurant d'Orlando où Tyla dînait avec Abe Beckham.

— Pourquoi avez-vous envoyé cette photo à Angelina Beckham ?

— Qui est Angelina Beckham ?

Victoria ne répondit pas. Elle posa un double de la photo prise au restaurant juste à côté de la première, sur lequel on voyait la cendre étalée sur le visage de Tyla.

— Angelina Beckham a trouvé ces photos dans sa boîte aux lettres. Je sais que c'est vous qui les avez envoyées. Il y a votre signature.

Ma signature ?

— La cendre de canne à sucre sur le visage de Tyla.

Il examina la photo et laissa échapper un gloussement.

— Pourquoi on irait étaler de la cendre noire sur le visage de quelqu'un qui est déjà noir ?

— Je ne sais pas. Pourquoi on ferait ça ?

Il tira une longue bouffée sur sa cigarette.

— Pour moi, ça n'a aucun sens.

Pour Victoria non plus, d'ailleurs. Elle posa une photo d'Angelina sur la table.

— Où est Angelina Beckham ?

— C'est elle ?

— Vous savez que c'est elle.

— Jamais entendu parler.

Elle décida de changer totalement de sujet pour le déstabiliser.

— Pourquoi êtes-vous allé au service religieux de Tyla Tomkins ?

— J'y suis pas allé.

— Alors pourquoi étiez-vous en train de fumer une cigarette de l'autre côté de la rue ?

— J'ai une meilleure question à vous poser : pourquoi vous et votre bande de nazes vous pensez que c'est Cutter qui l'a tuée ?

Cutter, le nom que les journalistes avaient inventé. Preuve qu'il avait bien suivi l'affaire dans les médias.

— Est-ce que Cutter l'a tuée ?

— Demandez à Cutter.

— C'est ce que je fais.

Il tira une autre bouffée de sa cigarette en plissant les yeux. C'était un de ces moments cruciaux qui ne pourraient jamais se répéter, et Victoria espérait que la caméra montrerait que, désormais, l'homme parlait de lui à la troisième personne.

— Cutter ne bute pas les Noires, vous devriez savoir ça, bande de petits génies.

Victoria fit glisser l'autre photo vers lui. Elle détestait entrer dans le jeu d'un psychopathe, mais quelquefois c'était nécessaire.

— Est-ce que Cutter a « buté » Angelina Beckham ?

Il regarda la photo avec un sourire malsain.

— Il l'aurait fait. Si elle avait eu besoin qu'on lui rappelle de sucer que les Blancs.

— Angelina avait besoin qu'on le lui rappelle ?

Il secoua la tête et haussa les épaules.

— J'en sais foutre rien. Je l'ai jamais vue de ma vie.

Victoria le regarda droit dans les yeux, sans ciller. Il ne détourna pas la tête. Elle aurait pu le travailler au corps, le pousser un peu plus, lui poser et reposer la même question de cinquante manières différentes. Mais elle n'en voyait pas l'intérêt.

Elle le croyait.

54

Rid me rejoignit à l'entrée du bureau de l'antenne de Miami du FBI. Il avait raison. La sécurité m'autorisa à pénétrer dans le hall principal, mais je ne pus aller plus loin. Santos gardait la mainmise sur l'interrogatoire. Je n'aurais probablement même pas pu entrer dans l'immeuble si Rid n'avait pas été là.

— Elle aurait dû au moins te laisser observer. Tu es quand même l'un des principaux enquêteurs du groupe de travail.

Nous étions tous les deux seuls dans une salle d'attente sans fenêtre. Je faisais les cent pas dans la pièce. Rid était assis dans un fauteuil sous une plaque en bronze commémorant les agents du bureau de Miami tombés en mission.

— Elle pense que je te refile des tuyaux.

— On n'aurait peut-être pas dû annuler la deuxième session au polygraphe ce matin.

— Abe, tu n'es pas en état de passer au détecteur de mensonge.

— Toi, tu le sais. Parce que tu es là, assis juste à côté de moi. Mais imagine que Carmen croie que j'ai tout simplement peur de passer un second test !

Il me lança un regard appuyé.

— Tu sais ce que j'en pense, non ?

Il me l'avait dit lorsque Carmen avait suggéré que je passe un second test. Il n'allait pas me le répéter, mais son conseil « en tant qu'ami » avait été clair : « Je crois qu'il te faut un avocat. »

— On va voir comment ça se passe.

J'ouvris mon téléphone et appelai une nouvelle fois la mère d'Angelina. Pas de réponse. La même chose avec son père. Je ne pris pas la peine de leur laisser un quatrième message pour leur demander de me téléphoner. Je voulais leur annoncer personnellement que Cutter avait été arrêté. Après la façon dont Jake m'avait parlé juste avant la conférence de presse, cela me contrariait que ni l'un ni l'autre ne veuille me répondre. Je me tournai vers Rid.

— Vas-y, appelle-les. On verra s'ils décrochent.

Il appela tout d'abord Margaret, puis Jake. Ni l'un ni l'autre ne répondit. J'essayai leur hôtel, puis la sœur d'Angelina et enfin Sloane au poste de commandement. Aucun signe des parents d'Angelina.

— Ça commence à être bizarre.

Commence seulement à être bizarre ? Rien qu'à son expression, je vis que Rid était à deux doigts de poser la question, mais il se retint à temps.

Mon portable sonna et je répondis sans même vérifier le numéro, espérant que c'était Jake ou Margaret. C'était Ed Brumbel.

— Il paraît qu'ils ont arrêté Cutter ?

On ne s'était pas parlé depuis le message que j'avais laissé sur son répondeur, mais c'était déjà de l'histoire ancienne.

— Comment tu as appris ça ?

— Je lis systématiquement tous les communiqués de presse publiés par l'industrie du sucre. Cortinas vient juste d'en sortir un à propos de Tommy Salvo dans lequel ils le désavouent publiquement.

— Tu peux me l'envoyer ?

— Pas de problème. Je peux aussi te dire un ou deux trucs sur Tommy Salvo. J'ai pris sa déposition il y a vingt ans dans le cadre du recours collectif.

— Pour les ouvriers sous-payés ?

— Exact. Il était l'un des cadres qui contrôlaient le travail à la pièce. Et c'est un putain de menteur.

— J'avais cru comprendre qu'il s'occupait maintenant des opérations au Nicaragua.

— J'ai lu ça dans le communiqué de presse. Et c'est ce qui m'intéresse vraiment. Comparé à ce qui se passe en Amérique centrale, le programme H-2 dans les plantations de Floride, c'est carrément le Club Med.

— Ed, je suis à la recherche de ma femme, je n'ai pas le temps de…

— Je comprends. Hé, au fait, je suis vraiment désolé d'avoir gaffé quand j'ai parlé de Tyla à cette journaliste samedi soir. Ou dimanche matin. Enfin, je ne sais plus quand.

— Ce n'est pas grave.

— Mais écoute-moi quand même. Cortinas a publié ce communiqué de presse à titre préventif pour limiter les dégâts. Ils savent que leur société va être sur la sellette.

— Et pourquoi ? Parce qu'un de leurs dix mille employés se trouve être un tueur en série ? Franchement, ça m'étonnerait.

— Non. Parce que Salvo a quitté le Nicaragua il y a trois mois, juste avant le début de la récolte en Amérique centrale, et juste avant qu'on commence à commettre les crimes en Floride. Cortinas savait pertinemment qu'il ne travaillait plus et qu'il avait une maison pas très loin de l'endroit où les corps étaient jetés dans les champs de cannes. Mais ils n'ont jamais dit au FBI qu'ils devraient s'intéresser de plus près à Salvo. Pour le FBI, il était toujours au Nicaragua.

— C'est un point important, mais je ne vois pas le lien avec la seule chose qui m'intéresse en ce moment : retrouver ma femme.

— C'est une pièce du puzzle. Et ça explique Tyla Tomkins.

— Comment ?

— Tyla essayait de t'informer que des actes criminels étaient commis par Cortinas Sugar. Leurs opérations en Amérique centrale échappent à tout contrôle. Est-ce que tu sais quelle est la seconde cause de décès chez les hommes au Nicaragua et au Salvador ? L'insuffisance rénale chronique. Tu sais où quatre-vingt-dix-neuf pour cent de ces hommes travaillent ? Dans les champs de canne à sucre. C'est la maladie mystère. On ne sait pas si c'est à cause d'une exposition aux pesticides ou si les compagnies sucrières font littéralement travailler ces hommes jusqu'à ce qu'ils en crèvent. Ils appellent ça la « maladie de la canne à sucre ». Des hommes d'une vingtaine d'années, en bonne santé, finissent sous dialyse et meurent. Abe, tout ça, c'est criminel.

— Oui, mais je suis procureur à Miami. Pourquoi Tyla m'aurait-elle informé de crimes commis en Amérique centrale ?

— Elle était en train de dénoncer son propre client et elle te faisait confiance. Quelque chose ou quelqu'un lui a fait comprendre que Tommy Salvo était plongé jusqu'au cou dans ce qui se passait en Amérique centrale. Et elle n'acceptait pas que Cortinas refuse que Salvo soit interrogé par la police locale, même s'il était impliqué dans les meurtres en série.

— Attends. Tu veux dire que Cortinas savait que c'était lui le tueur ?

— Non. Je dis qu'ils en avaient rien à foutre. C'est comme ça que cette société a toujours fonctionné. La seule chose qui les inquiétait, c'était que Tommy Salvo avait des informations sur la « maladie de la canne à sucre » et ils ne voulaient surtout pas qu'il en parle au FBI. Et je crois que c'est *ça* que Tyla Tomkins essayait de te dire. Peut-être qu'elle a découvert quelque chose sur son passé, ou qu'elle avait des doutes sur ce type qui était retourné clandestinement en Floride. En tout cas, elle essayait de te dire que la police devait s'intéresser à Tommy Salvo.

J'avais l'habitude de ne tenir aucun compte de ce qu'Ed disait à propos de Big Sugar, mais pour une fois ça semblait se tenir.

— Et c'est peut-être ce qui l'a tuée, ajouta-t-il.

— Sauf que l'agent Santos est sûre que Cutter n'a pas tué Tyla.

— Peut-être que l'agent Santos se trompe.

Elle pensait aussi que Cutter n'avait rien à voir avec la disparition d'Angelina.

— Oui, elle peut se tromper. Ou alors on a raté quelque chose.

Je sentis que mon téléphone vibrait. C'était un texto de la mère d'Angelina.

— Merci, Ed. Je te rappelle plus tard.

Je raccrochai. Rid me posa une question à propos de la conversation que j'avais eue avec Ed, mais j'étais trop concentré sur le message de Margaret pour lui répondre.

IMPORTANT. Vous allez recevoir un appel du cabinet d'avocats de Jeffrey Winters. Il faut que vous répondiez.

Je connaissais Winters. Il avait quitté le Bureau lorsque Carmen m'avait choisi pour le poste de premier substitut et non pas lui. Difficile de dire qui de nous deux avait finalement gagné, car il était devenu l'un des avocats pénalistes les plus réputés de Miami.

— Rid, tu es au courant d'un appel que je dois recevoir de Jeffrey Winters ?

Il me regarda avec de grands yeux.

— Jeffrey Winters ? Pas du tout.

Je ne le croyais pas.

— C'est bien toi qui m'as dit que je devais prendre un avocat. Est-ce que Margaret et toi avez tout arrangé ?

— Je n'ai pas parlé à Margaret.

Je commençais à m'énerver.

— Rid, c'est gros comme une maison ! Jake n'est pas de mon côté, Margaret, oui. Tu lui as dit qu'il me fallait un avocat. Elle paye Winters en cachette de Jake. C'est pour ça, le coup de téléphone, non ?

— Abe, je n'ai rien à voir avec tout cela.

La porte s'ouvrit. Un des agents du FBI chargés de l'affaire Cutter entra dans la salle d'attente.

— Détective Riddel, vous pouvez entrer si vous voulez. L'agent Santos et moi-même en avons fini.

— Et Abe ?

— Désolé, rien que le groupe de travail.

Mon téléphone se mit à sonner. L'écran indiquait que l'appel provenait du cabinet de Jeffrey Winters.

— Vas-y, je t'attends.

Rid et l'agent sortirent de la salle. Le téléphone continuait de sonner. Je n'avais pas du tout l'intention de parler à Jeffrey Winters, mais j'eus soudain envie de savoir si Rid n'avait « rien à voir avec tout cela », ou si, pour la première fois depuis que je le connaissais, il m'avait ouvertement menti.

Encore une sonnerie et l'appel irait sur ma boîte vocale. Je décrochai.

— Abe ?

J'étais pétrifié.

— Abe, c'est moi.

Je faillis en laisser tomber le téléphone.

C'était ma femme.

55

J'arrivai au bureau de Jeffrey Winters en moins de dix minutes.

Ma conversation avec Angelina avait été rapide. Winters ne voulait pas que l'on parle sur une ligne non sécurisée. Il était important que l'on discute en privé. Elle me dit simplement qu'elle n'avait rien et qu'elle n'avait jamais été en danger.

— *Jamais* été en danger ?

— Je t'expliquerai quand tu seras là. Et ne dis rien à personne avant de m'avoir vue et d'avoir parlé à Jeffrey.

— Il faut que je prévienne tes parents.

— Ils sont au courant.

Et ils ne m'avaient rien dit. Tout cela devenait plus bizarre que bizarre.

Le cabinet occupait tout le dernier étage d'un nouvel immeuble dans un vieux quartier le long de la rivière Miami, à moins de deux kilomètres du palais de justice. Depuis le vaste bureau de Winters, on avait une vue imprenable sur le centre-ville. Au sud, je pouvais voir l'endroit où il travaillait autrefois. Mon bureau. L'immeuble Boomerang. Cela donnait une connotation ironique à la scène que je vivais : ma femme jadis disparue et aujourd'hui retrouvée qui se précipitait vers moi et se jetait dans mes bras.

— Je suis tellement désolée, Abe.

Elle me serrait de toutes ses forces en tremblant d'émotion. Je la tenais contre moi en regardant par la fenêtre, derrière elle.

— Je suis désolée de m'être enfuie.

Je m'écartai pour la regarder. Elle avait l'air stressée, mais j'avais déjà rencontré des femmes qui s'étaient enfuies et Angelina ne ressemblait à aucune d'elles. Elle ne s'était ni coupé ni teint les cheveux. Elle n'avait utilisé aucun maquillage pour colorer sa peau, elle ne portait pas de fausses lunettes ni de lentilles de contact pour changer la couleur de ses yeux. Et avec son jean qui venait tout droit d'un designer et son pull en cachemire, elle ne donnait pas du tout l'impression d'être négligée.

— Mais pourquoi t'es-tu enfuie ?

Winters s'approcha.

— Eh bien, justement, parlons-en.

Angelina me prit par la main et me conduisit jusqu'au canapé. Son avocat s'installa face à nous dans un fauteuil de cuir.

J'avais toujours connu Winters tiré à quatre épingles, même lorsqu'il ne vivait que sur son salaire de fonctionnaire. Les meubles de son bureau donnaient une idée du succès de son cabinet privé et il était clair qu'il n'achetait plus sa garde-robe lors des soldes annuelles chez Hugo Boss. Sa chemise à manchettes et son costume parfaitement repassés me rappelaient à quel point je pouvais paraître négligé. Je marchais à la caféine et on aurait dit que j'avais dormi dans mes vêtements, alors qu'en fait je n'avais pas dormi du tout.

— Tout d'abord, Abe, déclara Winters, je veux que vous sachiez que, même si je suis l'avocat d'Angelina et pas le vôtre, tout ce qui sera dit dans cette pièce est couvert et protégé par le principe du privilège matrimonial. On est bien d'accord ?

— Oui, répondis-je en regardant Angelina. Mais pourquoi as-tu pris un avocat ?

— C'est ma mère qui l'a engagé pour moi.

— Quand ?

— Ce matin.

Je comprenais maintenant pourquoi mes beaux-parents n'avaient pas répondu à mes appels.

— Donc tu as parlé à tes parents *et* tu as engagé un avocat avant même de m'appeler ?

— Oui, mais ne dis pas ça comme si j'avais fait quelque chose de mal. J'ai vu ma mère à la télé la nuit dernière. C'est elle qui avait l'air la plus inquiète. Il fallait que je l'appelle.

— Je comprends. Mais ce qui m'ennuie le plus, c'est que c'est à lui que tu as parlé en premier, répondis-je en désignant Winters.

Winters se redressa sur son siège et s'adressa directement à moi.

— Voici comment cela s'est passé : Angelina a d'abord appelé sa mère, et Margaret m'a appelé. Son principal souci était que la famille pourrait être tenue pour financièrement responsable des frais encourus lors de l'intervention en urgence.

Je me tournai vers Angelina.

— Parce qu'il n'y avait aucune urgence ?

Elle regarda Winters avant de me répondre.

— Allez-y et racontez tout à Abe depuis le début. Cela rendra les choses moins compliquées.

J'avais comme l'impression qu'ils avaient répété toute la scène, mais j'écoutai. Angelina respira un grand coup, puis elle se lança.

— La soirée de vendredi avait été terrible.

Elle avait dit en quelques mots ce que je savais déjà. J'avais du mal à réaliser qu'il ne s'était passé qu'un week-end depuis que la bouteille de bière s'était fracassée contre la porte.

— Tu n'étais plus là et j'avais peur de rester toute seule dans la maison. J'étais trop furieuse pour te demander de revenir et je ne voulais pas que ma mère me voie dans cet état. Alors j'ai serré les dents et je suis restée.

Elle demanda un peu d'eau. Winters lui apporta un verre. Elle but une gorgée puis poursuivit :

— Je n'arrivais pas à dormir. Je me suis levée et j'ai regardé la télé pendant un moment. Et j'ai commencé à entendre des bruits dans la maison. Les fenêtres qui grinçaient, la climatisation qui s'allumait, s'éteignait. Même avec la télévision allumée, j'entendais des bruits. Ou bien je les imaginais. Je suis retournée me coucher, et je suis restée sur mon lit, complètement réveillée, j'avais peur d'éteindre. J'ai commencé à penser à un tas de choses. Il y avait un tueur en série, qui se promenait quelque part, dans la nature. Cinq femmes étaient mortes. Une photo de la dernière victime était là, sur la table de mon salon, elle avait été déposée dans ma boîte aux lettres par le tueur lui-même. Pourquoi avait-il fait ça ? Est-ce qu'il allait revenir me chercher ? Qui allait l'arrêter ? Il y avait une voiture de police garée dans la rue, ce qui me rassurait un peu. Mais pourquoi la police assurerait-elle ma protection si je n'étais pas en grave danger ? Et que pouvaient-ils faire contre un psychopathe qui avait décidé que la femme d'Abe Beckham serait sa prochaine victime ? J'étais terrorisée. Alors j'ai décidé…

Elle prit une autre gorgée d'eau.

— Prenez votre temps, dit Winters.

— Je ne pouvais pas simplement rester dans la maison à attendre qu'un malade mental vienne avec sa machette. Et alors j'ai eu une idée : Cutter ne peut pas me tuer s'il ne sait pas où je suis. Et il ne peut pas menacer ma famille et la forcer à révéler où je me cache si personne ne le sait. Alors j'ai décidé de… disparaître.

— Mais comment ? Où ?

— Je ne savais pas. Je me suis dit que j'allais improviser.

— Ceci est très important, Abe, expliqua Winters. Tout laisse à penser que la disparition d'Angelina était spontanée et poussée par la peur. Elle n'avait pas tiré de cash à l'avance. Elle n'a pas essayé de changer d'apparence. Elle n'avait aucun faux papier sur elle. Elle n'a pas pris son passeport et n'avait pas de billet d'avion prépayé sur un vol national ou international.

— Et comment pensais-tu t'en sortir ?

— J'ai paniqué. Quand on regarde des films, on se dit qu'il suffit de cacher ses cheveux sous un chapeau, de mettre des lunettes et le tour est joué. Mais on a besoin d'acheter des choses pour vivre, et il faut que ce soit cash, parce que les cartes de crédit laissent des traces. Je n'ai pu trouver que 175 dollars dans la maison. Je ne savais pas quoi faire, puis je me suis souvenue de *Pawn Stars,* une émission que je regardais tard le soir pendant mes crises d'insomnie. Ça raconte l'histoire de gens qui ont l'air normaux et qui récupèrent du cash avec n'importe quoi dans une boutique de prêteur sur gages. Alors j'ai décidé de gager les bijoux.

— Les bijoux de Samantha, tu veux dire.

Elle détourna son regard un instant, puis me fixa droit dans les yeux.

— Tu aurais préféré que je vende *ma* bague ?

Qu'est-ce que je pouvais bien répondre à cela ?

— Non.

— J'étais au courant pour le coffre-fort. Je suis la seule dans cette maison qui nettoie les placards.

Elle se leva et alla chercher son sac à main qu'elle avait posé sur une crédence. Elle en sortit un sac en plastique qu'elle me tendit.

— Je suis désolée. Je me suis débarrassée du coffre, mais tout est là, sauf les bagues que tu as récupérées.

J'ouvris le sac. Les boucles d'oreilles en diamant de Samantha s'y trouvaient, ainsi que la montre de Luther et d'autres objets qui avaient beaucoup moins de valeur. J'étais soulagé qu'Angelina ne les ait pas vendus, mais je n'étais pas vraiment dans l'état d'esprit à me réjouir. Mon instinct de procureur revenait à la surface, et j'avais plein de questions à poser.

— Comment es-tu allé à la boutique du prêteur sur gages ?

— A pied.

— Tu es passée devant le policier qui était garé dans notre rue ?

— Je suis sortie par la porte de derrière et j'ai laissé la voiture devant le garage pour qu'il ne me voie pas.

— Pourquoi as-tu choisi Pawn 24 à Little Havana ?

— Parce que c'était la boutique la plus proche de notre maison et que justement je pouvais y aller à pied. De plus, elle était ouverte vingt-quatre heures sur vingt-quatre.

— Comment Jerko a-t-il eu la bague ?

— Qui ?

— Le sans-abri à qui tu as vendu la bague. Comment l'a-t-il eue ?

— Je savais que la police me rechercherait et j'avais peur que le propriétaire de la boutique se souvienne de moi. Ce type était assis sur le trottoir, à quelques mètres de la boutique. Je lui ai dit que je lui donnerais 50 dollars s'il vendait la bague pour moi.

— Et tu lui as fait confiance ?

— Je n'aurais pas dû. Quand il est ressorti, il a refusé de me remettre l'argent à moins que je lui donne mon portable en plus des 50 dollars.

Je me souvins de ma rencontre avec Jerko et de la façon dont il avait insisté pour que je lui donne mon portable.

— Tu lui as donné ?

— Oui, j'avais besoin de l'argent. Et de toute façon je ne pouvais pas m'en servir, il aurait pu être repéré.

— Comment se fait-il qu'on l'ait retrouvé le long du Tamiami Trail ?

— Il faut demander à Jerko.

— Ce n'est pas toi qui l'as jeté là-bas ?

— Non.

Je la pressai un peu plus, et je commençai à devenir peut-être trop accusateur.

— Tu n'aurais pas jeté ton téléphone le long de la route pour faire croire à la police que tu avais été assassinée et qu'on avait abandonné ton corps dans les Everglades ? Comme Tyla Tomkins ?

— J'essayais d'échapper à l'homme qui avait tué Tyla Tomkins. Si j'avais jeté mon portable à cet endroit, je ne vois pas comment j'aurais pu lui faire croire qu'il m'avait tuée. Cela n'a aucun sens.

— Sauf si tu essayais d'échapper à autre chose.

— Combien de fois il faudra que je le répète ? *Non*, je n'ai pas jeté mon portable au bord du Tamiami Trail. Ce n'est pas à moi qu'il faut demander.

La température avait baissé d'un cran dans la pièce et Winters sentit qu'il lui fallait intervenir.

— On va tous se calmer et respirer un grand coup.

Je gardai le silence. Angelina se leva et alla s'asseoir dans un fauteuil à côté de l'avocat. Désormais, tous deux me faisaient face. Je décidai de prendre un ton moins incisif.

— Où es-tu allée après avoir vendu la bague ?

— Dans l'hôtel-casino sur la réserve indienne de Miccosukee. Un endroit où tout le monde trouve normal qu'on porte des lunettes de soleil à l'intérieur et même la nuit, et où on peut se fondre parmi les joueurs de poker.

— C'est également en dehors de la juridiction de la police locale.

— Oui, je sais. J'ai peut-être paniqué, mais je ne suis pas complètement idiote.

— Comment es-tu arrivée là-bas ?

— Quelqu'un m'y a amenée.

— Un étranger ?

— Il y a un *coffee shop* pas loin de Pawn 24. Je n'y suis pas entrée, mais j'ai attendu dehors jusqu'à ce que je rencontre quelqu'un à qui je pouvais faire confiance. Deux filles sont arrivées pour se donner un coup de fouet à la caféine après avoir passé toute la nuit dans des clubs. Je leur ai dit que mon connard de petit ami était en train de draguer une autre femme et qu'il m'avait laissée en plan. Je voulais retourner à mon hôtel, mais j'avais peur d'appeler un taxi parce que la semaine précédente une femme avait été violée par un chauffeur de taxi de Miami.

Ce que je n'avais pas trop aimé dans son récit, c'était qu'elle parle de son « connard de petit ami ».

— Tu n'as pas eu peur qu'elles te reconnaissent le lendemain en voyant ta photo à la télévision ?

— J'ai pensé que ça valait la peine de prendre le risque. Et puis les seules informations qui intéressent ce genre de filles, ce sont celles qu'elles reçoivent sur leur compte Facebook.

Je m'enfonçai un peu plus dans mon fauteuil, je ne savais que penser. Je ne savais pas s'il fallait croire tout ce qu'elle me racontait, mais s'il y avait quelque chose de vrai, je regrettais vraiment de l'avoir laissée seule dans la maison. Je me répétais que j'étais heureux qu'elle soit vivante et qu'elle n'ait pas été dépecée par un psychopathe, mais en même temps j'étais dans une colère noire quand je pensais à l'enfer qu'elle nous avait fait vivre à tous.

— Alors, pendant ce temps-là, tu étais simplement dans une chambre d'hôtel ? Tout le week-end ?

— J'étais fatiguée. Je me suis endormie tout de suite en arrivant, et le samedi matin, quand je me suis réveillée, cette histoire avait pris une ampleur que je n'aurais jamais imaginée.

— Tu avais *disparu*. Qu'est-ce que tu croyais qu'il allait se passer ?

— Je n'en sais rien, Abe !

Elle avait crié si fort que cela nous fit sursauter tous les deux.

— Excuse-moi, je ne voulais pas crier... J'ai paniqué, et j'ai vite compris que je n'aurais jamais dû faire ça. Les gens allaient penser que j'étais folle. J'étais malade rien qu'à l'idée de devoir donner des explications à la police et aux médias. Et puis, dimanche, j'ai vu ma mère et mon père à la télévision pendant la conférence de presse et je me suis dit que je devais arrêter tout ça.

— Et c'est pourquoi nous sommes ici, ajouta Winters. Pour vous informer du plan qu'Angelina et moi avons décidé de suivre.

— Un plan ? Pour quoi faire ?

— Pour annoncer son retour. Je ne vois aucun avantage à convoquer la presse et à jeter Angelina en pâture à une meute de loups. Nous allons publier une vidéo sur YouTube. Le réalisateur est en train de préparer la salle de conférences. Angelina lira un communiqué qui a été rédigé par ma conseillère en relations publiques.

— Vous avez engagé un agent publicitaire ?

— Non, une conseillère en relations publiques.

— C'est la même chose.

— Ecoutez, Abe, nous ne voulons pas faire un *reality show*. Tout, dans le moindre détail, jusqu'aux titres que l'on donne à nos collaborateurs, doit prouver que nous ne sommes pas en train de manipuler l'opinion. Nous devons montrer que notre message est clair.

— Et quel est ce message ?

— Simple. Nous sommes extrêmement reconnaissants aux forces de police d'avoir arrêté M. Salvo et d'avoir ainsi mis fin à cette série de meurtres abominables. Nous sommes heureux qu'Angelina ne vive plus désormais dans la peur de mourir. Nous regrettons les conséquences de la décision malheureuse qu'elle a prise alors qu'elle était poussée par l'angoisse.

— « Nous », c'est-à-dire Angelina et moi ?

— Et ses parents. Vous apparaîtrez tous les quatre sur la vidéo.

— Où sont tes parents ? demandai-je à Angelina.

Mais ce fut Winters qui me répondit :

— Ils sont dans la salle de conférences avec le réalisateur.

— Est-ce que je suis censé dire quelque chose ?

— Non. Les parents d'Angelina et vous n'êtes là que pour apporter votre soutien. Mais vous ferez une déclaration dans le communiqué pour la presse écrite.

Il me tendit une feuille de papier, que je me mis à lire. Ce que j'avais à dire tenait en une seule ligne :

« Je suis heureux qu'Angelina soit de retour, et nous

souhaitons à présent que notre vie reprenne son cours normal. »

— Vous êtes d'accord avec ça ?

J'aurais voulu poser encore plein de questions et j'avais pas mal de doutes quant aux explications fournies par Angelina. Elle dut sentir ma réticence car elle revint s'asseoir près de moi et me prit la main.

— Abe, tu es content que je sois revenue, n'est-ce pas ?

Quelle sorte de mari hésiterait à dire qu'il était content d'avoir retrouvé sa femme ? Ce n'était pas cela, le problème.

— Bon, maintenant, il faut qu'on prenne une décision, coupa Winters. Abe, vous êtes d'accord ou non ?

Je reconnus le ton de sa voix. Exactement la façon dont je parlais lorsque je voulais secouer un témoin récalcitrant. Winters me faisait comprendre que j'aurais dû être content que ma femme dise au monde entier que, si elle était partie, c'était parce qu'elle avait eu peur de Cutter et non pas de son mari. L'Angelina Express était sur le point de quitter la gare. Soit je montais dans le train, soit je restais sur le quai et donnais à l'avocat d'Angelina toutes les bonnes raisons de me jeter sous les roues de la locomotive.

— Je suis d'accord.

— Merci. Je vais dire à ma conseillère qu'on commence tout de suite.

Winters l'appela immédiatement. Il lui dit simplement « on y va », puis il raccrocha et me donna la marche à suivre.

— Dans dix minutes, j'appelle personnellement l'agent Santos et chaque service de police du groupe de travail Cutter.

— J'appellerai moi-même le détective Riddel.

— Pas question. On doit s'en tenir au message et parler d'une même voix.

— Riddel est mon ami.

— Riddel est un flic.

— S'il te plaît, Abe, écoute-le. Il sait ce qu'il fait.

Et moi, alors ? Je ne sais pas ?

Winters reçut un autre coup de téléphone. Je supposai qu'il s'agissait de son agent publicitaire… pardon : de sa conseillère en relations publiques. La conversation fut rapide et quand il raccrocha il semblait être encore plus excité.

— Le script pour YouTube est prêt. Angelina, vous m'accompagnez à la salle de conférences pour faire une première prise. Je veux lancer la vidéo tout de suite après le communiqué de presse. Abe, il faut absolument que vous fassiez quelque chose pour vos cernes sous les yeux.

— J'ai des cernes sous les yeux ?

— Non, vous n'en avez pas et c'est là le problème. Vous devriez en avoir et le monde entier devrait les remarquer. Je vais demander à l'assistant réalisateur de vous maquiller.

Angelina me regarda avec un sourire.

— Tu vois ? Il est bon, non ?

J'acquiesçai mollement.

— « Bon », ce n'est pas vraiment ce que je dirais, murmurai-je tandis que ma femme et son avocat quittaient le bureau.

56

On tourna la vidéo en une seule prise. Le seul problème, ce fut moi. Cernes ou pas cernes sous les yeux, je refusai le maquillage. Cela n'avait d'ailleurs aucune importance. Je tenais le rôle du mari aimant assis à la droite de sa femme. Jake et Margaret, celui des parents rassurés, à gauche de leur fille. Toute l'attention était sur Angelina, qui fut absolument parfaite lorsqu'elle lut son texte.

— Je suis sincèrement désolée pour la peine que j'ai causée à ma famille et à mes proches, ainsi que tous les problèmes et la gêne que j'ai occasionnés aux forces de police et à tous les volontaires qui sont venus apporter leur aide. Les décisions qui sont prises dans la peur ne sont jamais bonnes, j'ai conscience d'avoir commis une grave erreur et de vous avoir tous trompés. Je ne mérite pas votre pardon, mais j'espère que vous comprendrez que j'ai agi ainsi parce que je craignais pour ma vie. Uniquement parce que je pensais que je n'avais aucun autre choix.

Sa diction fut parfaite. Sa voix se brisa aux bons moments. Le réalisateur demanda trente minutes pour les dernières mises au point. La diffusion sur YouTube était programmée à 9 heures pile, mais les médias avaient été pris de frénésie dès que le communiqué de presse avait été publié, et à 8 h 30 c'était la folie. J'avais éteint mon téléphone pendant le tournage de la vidéo et, lorsque je le rallumai, je vis que j'avais un nombre incalculable de textos et d'appels manqués. La plupart venaient de personnes que je connaissais à peine, des journalistes, des blogueurs qui cherchaient à récolter des informations qui étofferaient le communiqué de presse. Quant à moi, il était essentiel que je m'explique auprès de Carmen et de Rid. Et aussi de l'agent Santos. J'allai prévenir Winters.

— J'ai des coups de fil à donner.

— On doit tous parler d'une seule voix, rappela Winters.

— Je vous emmerde.

— Abe, s'il te plaît, demanda Angelina. Ils ont le communiqué de presse et la vidéo sur YouTube. Attends au moins que les médias se calment, laisse Jeffrey répondre aux questions.

Mon portable sonna une nouvelle fois. Encore un numéro inconnu. Je ne répondis pas et mis le téléphone en mode vibreur.

— Il peut s'occuper des gens que je n'ai jamais rencontrés. Mais pas de mes amis. Et tout spécialement mes amis de la police. Ils étaient là et m'ont aidé sans même que je leur demande.

— J'ai prévu d'appeler les personnes les plus importantes.

— C'est moi qui vais le faire. Mais nom de Dieu je suis procureur ! Je travaille avec ces gens. Je ne pourrai jamais plus les regarder en face si je ne leur explique pas moi-même ce qui s'est passé.

Winters finit par comprendre que je ne reviendrais pas là-dessus.

— D'accord. Mais vous faites passer le même message. Et n'utilisez pas votre portable. Et vous non plus, Angelina. Les médias ont des oreilles partout, et les seuls moyens sûrs que vous pouvez utiliser, ce sont la ligne fixe et la conversation face à face.

J'étais d'accord. Mais d'un autre côté, si j'utilisais sa ligne fixe, tout le monde verrait que j'appelais depuis son cabinet. Pas très cool. Il était temps que je quitte son bureau et pas seulement pour téléphoner. Je voulais poser des questions à ma femme, et je voulais qu'elle me réponde sans son avocat à côté d'elle.

— Quand pourrons-nous avoir une discussion, juste toi et moi ?

— Il faut qu'on en parle, répondit Winters.

— C'est à ma femme que je m'adresse.

— Je sais. Mais je veux justement qu'on discute du problème de savoir où tout le monde va aller après être sorti d'ici.

— Et, moi, ce que je veux, c'est simplement avoir une conversation avec ma femme.

— Aucun problème, dès qu'on aura tout réglé. J'ai fait en sorte que les parents d'Angelina changent d'hôtel et puissent rester à Miami pendant quelques jours. Les médias n'arriveront pas à les retrouver. Vers la fin de la semaine, lorsqu'ils seront reposés et prêts à partir, ils pourront prendre de longues vacances.

— Ils m'ont parlé de la Nouvelle-Zélande.

— C'est parfait.

— Moi, j'ai un métier, objectai-je. Et je ne vais pas aller courir me cacher à l'autre bout du monde.

— Ce n'est pas du tout ce que j'avais prévu pour Angelina et vous. Vous devez retrouver une vie normale.

— Je suis d'accord. Et le plus tôt sera le mieux.

— Je vais immédiatement exiger que la police de Miami-Dade lève les scellés sur votre maison. Je voudrais que cette nuit vous dormiez là-bas.

Je jetai un coup d'œil à Angelina et me demandai si cela voulait dire dans le même lit.

— Ça me semble une bonne idée.

— A moi aussi, dit Angelina sans me regarder.

— Alors, on est d'accord. Mais, avant, on a du travail. Tous les médias seront là-bas. Aucun de vous ne doit quitter ce bureau avant que ma conseillère et moi ayons tout mis en scène, depuis le trajet en voiture jusqu'à la manière dont vous allez vous regarder lorsque vous franchirez votre porte.

— C'est inutile, répliquai-je. Moi, je dis qu'on peut y aller maintenant.

— Non, non, non ! répliqua Winters. La seule image de vous deux que je veux donner au public aujourd'hui, c'est la vidéo sur YouTube. On va laisser passer une douzaine d'heures, ça nous donnera du temps pour répéter.

— Je n'ai pas besoin de répétition pour rentrer dans ma propre maison.

— Vous serez assailli de questions à la minute où vous poserez un pied hors de la voiture. Si vous dites ce qu'il ne faut pas ou si même vous ne regardez pas la caméra comme il se doit, vous risquez de foutre en l'air tout le boulot qu'on a fait jusqu'à présent. Ma conseillère va organiser des jeux de rôle pour vous préparer à votre première rencontre en direct avec les journalistes.

Je regardai ma femme.

— Angelina, rentrons à la maison.

— Mais pourquoi tu rends les choses si difficiles ? me demanda-t-elle.

— *Je* rends les choses difficiles ? Tu peux m'expliquer pourquoi on n'a pas pu discuter même une seconde juste toi et moi sans que ton avocat soit collé à nous ?

— Ce n'est pas juste, Abe. J'ai pris de très mauvaises décisions ces derniers temps. J'ai besoin de conseils.

— Les miens sont gratuits.

— Ceux de Jeffrey sont objectifs.

— Jeffrey ne pense qu'à Jeffrey.

Voilà. Il fallait que je le dise. Je m'en étais d'ailleurs rendu compte le jour même où je l'avais rencontré au bureau de la procureure générale. Son obstination à vouloir faire d'Angelina une coqueluche des médias et une star de YouTube m'avait convaincu qu'il n'avait pas changé.

— Abe, tu devrais t'excuser auprès de Jeffrey. Tout de suite !

— Ce n'est pas la peine. Abe a tout à fait le droit d'exprimer son opinion.

Tous deux avaient sans doute raison, mais j'en avais assez de toute cette mascarade et je n'allais certainement pas m'excuser.

— Abe… Je ne veux pas me disputer avec toi.

— J'ai vu ça des dizaines de fois, déclara Winters. Avec les flics, les procureurs, les représentants de la loi en général. Tous aimeraient bien se passer des avocats de la défense. Il n'y a rien de personnel dans tout ça, Abe, mais j'ai prévenu Angelina, je lui ai dit comment vous alliez réagir.

— Tout ce que je veux, c'est trente minutes en tête à tête avec ma femme.

— Mais vous les aurez, et peut-être pas plus tard que ce soir, si tout va bien. Mais les douze prochaines heures sont cruciales. Angelina a besoin d'un avocat. Et je lui ai conseillé d'éviter de rester seule avec toute personne qui voudrait la convaincre du contraire. Même avec son mari.

— Surtout avec son mari ?

— Je n'ai pas dit ça. Mais j'étais sûr que vous alliez essayer. Et votre comportement prouve que j'avais raison.

Je me levai.

— Je vais donner des coups de téléphone.

Winters parut soulagé de me voir partir.

— Souvenez-vous de ce que j'ai dit à propos du téléphone. La réceptionniste peut mettre une salle avec une ligne fixe à votre disposition.

— Merci, mais je préfère passer mes appels depuis mon bureau.

— Tu t'en vas ? me demanda Angelina.

— Oui. Tu veux venir avec moi ?

Elle ne bougea pas et se contenta de regarder son avocat. On se serait cru à l'exposition canine du Westminster Club : Winters l'avait dressée comme un petit chien.

— C'est bien ce que je pensais.

Je quittai le bureau.

C'était l'heure de pointe, et tout le quartier autour du palais de justice n'était plus qu'un gigantesque embouteillage. Il était ridicule d'attendre d'avoir accès à une ligne fixe pour passer mes appels. Je téléphonai à Carmen depuis ma voiture.

— Tout ça risque de déclencher un sacré bordel, me répondit-elle.

Mon premier appel avait été pour Rid, mais j'étais tombé sur sa boîte vocale. Carmen était la deuxième sur la liste. Elle avait lu le communiqué de presse de Jeffrey Winters et je l'informai du film qui allait être diffusé sur YouTube d'un moment à l'autre. Elle était bien sûr soulagée de savoir Angelina saine et sauve, ce qui ne l'empêchait pas de s'inquiéter de l'ampleur du « bordel » que tout cela allait entraîner.

— Vous voulez dire avec les médias ?

— Non, ça, je m'en occupe. Je voulais parler de l'agent Santos.

— Vous l'avez contactée ?

— Oui. Et elle a des questions auxquelles je ne peux pas répondre, et si elle n'a pas de réponses ça risque de tourner très mal. Vous savez que c'est un crime fédéral de simuler sa propre disparition et de perturber l'enquête d'un groupe de travail multijuridictionnel.

— Oui, on le sait. C'est pour cela qu'Angelina a pris un avocat.

— Abe, écoutez ce que je vais vous dire. Santos ne croit pas un instant qu'Angelina ait pu monter cette histoire toute seule. Elle pense que quelqu'un de proche a donné des informations bidons, s'est débrouillé pour que l'enquête n'avance pas, a lancé les flics sur de fausses pistes. Et ce quelqu'un, ça pourrait bien être son mari.

— Mais c'est complètement fou. Même si Santos a dit ça, c'était sûrement une simple hypothèse lancée pendant une séance de brain-storming. Elle ne peut pas vraiment le croire. Pourquoi aurais-je fait une chose pareille ?

— Vous avez raison et je ne sais pas ce qui se passe dans sa tête. Elle pense peut-être que vous et votre femme avez décidé que la seule manière de protéger Angelina était de faire croire à Cutter qu'elle avait été tuée par un plagiaire.

Un plagiaire. Je pensai de nouveau au téléphone d'Angelina qu'on avait retrouvé sur le Tamiami Trail, pas très loin de l'endroit où le corps de Tyla avait été découvert.

— Carmen, vous savez que jamais je ne ferais une chose pareille. Je pourrais être radié du barreau.

— Oui.

— C'est ce que veut Santos ?

— Je vous l'ai dit, je ne sais pas où Santos veut en venir. Peut-être qu'elle est tout simplement furieuse que les médias prêtent plus d'attention au retour d'Angelina qu'à l'arrestation par le FBI d'un tueur en série. Mais, si j'ai un conseil à vous donner, c'est de clarifier toute cette histoire.

— C'est un bon conseil, et c'est ce que je vais faire.

Je raccrochai. J'étais sur le point d'appeler Santos, mais je repensai à ce qu'avait dit Carmen à propos d'un plagiaire et à Angelina qui avait été si catégorique lorsqu'elle avait affirmé ne pas savoir pourquoi on avait retrouvé son téléphone près du Tamiami Trail : « Ce n'est pas à moi qu'il faut poser la question. »

Alors ? A qui fallait-il poser la question ?

Je pus enfin me sortir des embouteillages et m'arrêtai à une station-service pour appeler Rid. Je tombai de nouveau sur sa messagerie. J'essayai encore trois fois sans plus de succès. Peut-être avait-il été occupé toute la matinée, mais je n'arrivais pas à croire qu'il avait été pris au point de ne pas avoir trouvé une minute pour me rappeler. Il était clair que Rid ne voulait pas me parler.

Je fis demi-tour si rapidement que mes pneus crissèrent sur la route : je retournai au cabinet de Winters.

57

Victoria Santos n'avait qu'une seule chose en tête : trouver l'assassin de Tyla Tomkins.

Elle savait que ce n'était pas Cutter, et pas seulement parce qu'une femme noire de Miami-Dade ne correspondait pas au profil du tueur : des Blanches du comté de Palm Beach qui sortaient avec des Noirs. On n'avait trouvé aucune vidéo de Tyla sur l'ordinateur de Tommy Salvo et aucune trace de son ADN, ni dans la salle des meurtres, ni dans la maison, ni dans sa voiture. D'un point de vue purement technique, il n'entrait pas dans la juridiction du FBI d'enquêter sur un homicide qui n'était pas en soi un crime fédéral. Mais toutes subtilités légales mises à part, pour Santos, ce cas était différent : on lui avait menti.

La vidéo sur YouTube l'avait rendue folle de rage. C'était du Jeffrey Winters tout craché, un médiocre avocat pénaliste, un comédien qui se prenait pour un ténor du barreau. Rien ne pourrait plus faire plaisir à Victoria que de prendre Winters à son propre piège, de retourner sa stratégie contre lui pour résoudre l'affaire Tyla Tomkins. Elle visionna la vidéo du mea-culpa d'Angelina trois fois, puis se rendit directement chez les Beckham. A son arrivée, elle fut assaillie par une meute de journalistes qui la pressèrent à tel point qu'elle eut du mal à sortir de sa voiture. Ils la suivirent jusqu'à la porte de la maison et les questions fusaient de toutes parts.

« Le FBI va-t-il faire des commentaires sur la vidéo de ce matin ? »

« Est-ce que l'affaire va être portée devant la justice ? »

« Pourquoi la résidence des Beckham est-elle toujours sous scellés ? »

Victoria savait que, pour le moment, il valait mieux ne rien répondre du tout. Elle se fraya un chemin parmi la foule, regardant droit devant elle : « Pas de commentaire. » Elle passa sous les rubans jaunes qui barraient l'accès de la maison, entra et ferma la porte. La détective Reyes, de la brigade de protection de la famille, l'attendait dans le salon.

— Un sacré cirque médiatique, dehors.

Victoria regarda par la fenêtre. Il y avait presque tous les journalistes qui avaient couvert l'opération « Il faut retrouver Angelina Beckham » pendant tout le week-end, et d'autres les avaient rejoints, attirés par les derniers rebondissements de l'affaire.

— Ils sont alléchés par l'odeur du sang.

Elle fit quelques pas dans le salon, et s'approcha de l'endroit où, le samedi matin, on avait retrouvé les débris de la cannette de bière.

— Et moi je sens l'odeur de violences conjugales.

— Il faut plus qu'une odeur pour mettre quelqu'un en examen, fit remarquer Reyes.

— Peut-être. Mais on y arrivera certainement si on procède à un examen médical d'Angelina. Aucune femme ne quitte sa maison en pleine nuit et ne simule sa disparition à moins d'être terrorisée par son mari. Je suis sûre qu'on trouvera des hématomes ou des coupures sur son corps.

Reyes secoua la tête.

— Vous n'arriverez jamais à obliger une victime à subir un examen médical. J'ai déjà essayé.

— Oui, mais là je peux vous aider.

— Comment ?

— D'accord, on ne peut pas forcer Angelina à subir un examen. Mais, si on lui fait comprendre qu'elle va être poursuivie par le gouvernement fédéral et qu'elle risque cinq ans d'emprisonnement pour avoir simulé sa disparition et fait obstruction à la justice, elle pourrait très bien changer d'avis.

— C'est très aimable à vous de me proposer votre aide. Mais je suppose que vous ne vous replongez pas dans cette affaire merdique par simple grandeur d'âme. Qu'est-ce que vous voulez de moi ?

Santos s'approcha d'elle, le visage dur.

— La mise en examen pour violences conjugales n'est que la partie visible de l'iceberg. Je veux l'assassin de Tyla Tomkins.

— Ce n'est pas Cutter ?

— Non.

— Vous devriez voir ça avec le détective Riddel.

— Le détective Riddel parle trop avec Abe Beckham.

— Vous êtes sûre que ce n'est pas Cutter ? Il n'y a rien qui le relie à Tyla Tomkins ?

Victoria préférait garder le silence sur la rencontre entre Tommy Salvo et Tyla Tomkins sur la plantation de Cortinas au Nicaragua. Du moins, pour l'instant.

— Je vais vous dire une chose. Un élément pourrait peut-être permettre de relier Cutter à Tyla Tomkins. La nuit du service funéraire de Tyla, j'ai vu une lueur orange dans le parking de l'autre côté du funérarium. Quelqu'un était là qui regardait en fumant une cigarette. Et Tommy Salvo fume cigarette sur cigarette.

— Alors, c'était lui ?

— Au début, il a dit que non. Ensuite, on a commencé à parler de Cutter à la troisième personne et il a insinué que c'était peut-être lui, mais ce sont mes questions qui l'ont amené à dire ça. Et c'est d'ailleurs tout à fait en accord avec le stéréotype du tueur en série d'assister aux funérailles de ses victimes, ou de se rendre sur leur tombe. Sauf que Tyla n'est pas une de ses victimes.

— Peut-être y est-il allé par pure curiosité, juste pour savoir pourquoi on pensait que Tyla Tomkins était une de ses victimes ?

— Peut-être. Mais je ne pense pas.

— D'accord. Vous savez que quelqu'un regardait, dans le noir, de l'autre côté de la rue, et qu'il fumait. Si ce n'est pas lui, qui est-ce ?

— C'est la question que je me pose. Et la réponse va dépendre de ce que vous allez trouver ici, dans votre enquête pour violences conjugales.

— J'espère que vous n'allez pas penser que j'ai un verre d'eau tiède à la place du cerveau, mais est-ce que vous pouvez me dire exactement ce que vous voulez qu'on cherche ?

Victoria traversa la pièce, examina la table du salon et celle de la salle à manger.

— Il n'y a pas un seul cendrier ici, n'est-ce pas ?

— Je n'en ai pas vu et aucun n'est mentionné dans l'inventaire de la police scientifique.

Elle colla son nez contre les rideaux.

— Aucune odeur de tabac ?

— Je n'ai rien remarqué, mais ce n'était pas notre préoccupation principale lorsqu'on enquêtait sur la disparition de Mme Beckham.

— Voilà ce que je cherche : n'importe quoi, je dis bien *n'importe quoi* qui pourrait indiquer qu'Angelina Beckham fume en cachette.

— Et quel est le rapport avec des violences conjugales ?

Il n'y en a aucun.

— Faites-moi confiance, dit Victoria, vous verrez.

58

Je me garai à côté de la Tesla toute neuve et rutilante de Jeffrey Winters et me ruai à l'intérieur de l'immeuble. Je n'attendis même pas l'ascenseur, je pris l'escalier et grimpai les marches quatre à quatre. J'étais en sueur et pratiquement hors d'haleine lorsque j'arrivai dans le cabinet. Je passai devant la réceptionniste sans m'arrêter et fis irruption dans le bureau de Winters. Angelina et ses parents étaient avec lui.

— Angelina, il faut que je te parle.

Ils me regardaient tous avec de grands yeux, se demandant certainement pourquoi je haletais comme un saint-bernard.

— Désolé, j'ai couru dans l'escalier. Angelina, c'est important. Tu me donnes juste cinq minutes et tu écoutes ce que j'ai à te dire. Je ne viens pas de faire tout ce chemin simplement pour te demander de virer ton avocat.

Elle consulta Winters du regard, et celui-ci lui donna le feu vert.

— Vous pouvez aller dans la salle de conférences.

La salle était juste de l'autre côté du couloir. Elle n'était pas aussi vaste que le bureau de Winters, mais bien assez grande pour nous deux. En fermant la porte, je me demandai si on y avait installé des micros et si Winters pouvait entendre tout ce qu'on se dirait. Mais je m'en fichais. J'étais content de pouvoir enfin parler seul à seul avec Angelina. Nous nous assîmes face à face.

— Qu'est-ce qu'il se passe ?

J'eus encore besoin d'un instant pour reprendre mon souffle.

— J'ai réfléchi à ton histoire.

— Ce n'est pas une histoire. C'est la vérité.

Elle commençait à parler comme son avocat.

— D'accord. Je recommence.

Je gardai un instant le silence. Je savais que Winters ne m'accorderait pas plus de cinq minutes et qu'il allait bientôt frapper à la porte. Mais je ne pouvais pas simplement lâcher d'une traite ce que j'avais à dire. Tout ceci était délicat.

— Angelina, en tant que procureur, j'ai rencontré de nombreuses victimes. Beaucoup d'entre elles avaient subi d'horribles choses. Personne ne veut en parler. Ce n'est jamais facile. Certaines sont capables de se souvenir de tout, et peuvent raconter chaque détail. D'autres se rappellent ce qui s'est passé, mais n'arrivent pas à en parler. Elles refoulent tout en bloc, simplement pour pouvoir continuer de vivre.

— Mais de quoi tu parles ?

— Je parle de toi.

— Eh bien, on ne dirait pas.

— Ton histoire m'inquiète.

— Ce n'est pas une…

— Pardon : ta déposition. C'est peut-être la « vérité », mais je pense que tout n'est pas vrai. Il y a des incohérences. J'ai du mal à te croire. Et je crois que le public va également avoir du mal.

— Ça, c'est ce que tu penses.

— Je vais essayer d'être plus clair. Je crois que tu as eu peur après que je suis parti. Mais tu n'as pas quitté la maison en pensant que tu serais à l'abri de Cutter en te cachant. Peut-être que tu étais si furieuse contre moi que tu as voulu me faire mal et vendre la bague de Samantha.

— Je n'ai pas fait ça pour me venger.

— Suis-moi bien. Peut-être que tu t'es retrouvée dans un quartier mal fréquenté à 2 heures du matin et qu'il est arrivé quelque chose. Je veux dire, qu'il *t'*est arrivé quelque chose.

Elle ne répondit pas.

— Quelque chose dont tu ne veux pas parler. Que tu refuses de raconter en détail à moi, à ta mère, à ton père, à la police, à un jury ou à quiconque.

Elle secoua la tête, visiblement troublée.

— Qu'est-ce qui te fait croire ça ?

— Tout d'abord, ton téléphone. Tu n'arrives pas à expliquer comment il s'est retrouvé sur le Tamiami Trail, à côté de l'endroit où était le corps de Tyla. Tu dis que Jerko t'a obligée à le lui donner. Quand j'ai insisté, tu m'as répondu que je posais la question à la mauvaise personne. Et j'ai soudain pensé que la « bonne personne » avait peut-être fait plus que te prendre ton portable.

— Abe, tu fais fausse route.

— Ah bon ? Tous ceux qui ont regardé la télévision ces derniers jours savent tout sur Tyla Tomkins : l'endroit où son corps a été découvert, l'enquête que mène la police pour retrouver un tueur en série. C'est le genre d'informations qu'un type peut utiliser à son avantage s'il repère une femme seule dans le quartier des prêteurs sur gages à Little Havana. Disons qu'il est tard, la femme semble au bout du rouleau et elle est à pied. Il s'arrête. Elle sait qu'il ne faut surtout pas monter dans la voiture, mais il l'oblige et il la viole. Pour une raison ou pour une autre, il la laisse repartir, ou peut-être qu'elle s'est débattue et a réussi à s'enfuir. Mais il a gardé le sac à main de la femme et son portable et il ne veut surtout pas que la police suive sa trace. Alors il jette le téléphone de sa victime par la fenêtre, sur le Tamiami Trail. La police cherchera Cutter, et pas lui.

On arrivait au bout des cinq minutes, mais je laissai Angelina réfléchir trente secondes à ce que je venais de dire. Si elle n'avait été pour moi qu'une étrangère, je sais comment je lui aurais parlé ensuite. Je lui aurais dit que, tout cela, ce n'était pas sa faute, qu'il n'y avait aucune honte à avoir été une victime, et qu'elle avait la chance d'être toujours en vie. Je lui aurais expliqué que trop d'agressions sexuelles étaient gardées sous silence, et qu'il était primordial d'attraper le type qui lui avait fait ça pour être sûr que jamais il ne recommencerait. Mais je ne pouvais pas dire ça à Angelina, et malgré tous mes efforts je n'avais aucune idée de ce qui se passait dans sa tête. Au bout d'un moment, elle prit enfin la parole.

— Abe, je comprends ce que tu veux faire. Je sais que tu veux m'aider. Mais tu ne peux pas m'obliger à dire ce qui n'est pas vrai. Parce que, alors, ce serait vraiment une histoire.

— Angelina, s'il te plaît.

— Non, Abe. Ce que tu viens de raconter ressemble peut-être plus à la vérité. Mais, moi, je m'en tiens à la vérité *vraie*.

On frappa à la porte et Winters entra.

— On peut avoir encore une minute ? lui demandai-je avec une pointe d'agacement.

— Il faut que vous voyiez ça.

Il saisit la télécommande, alluma la télé et zappa sur l'édition du matin d'Action News.

— Ils sont de nouveau chez vous.

— Qui, les médias ?

— La police.

Il monta le son. Sur l'écran, il y avait la même journaliste qui m'avait interviewé le samedi après la disparition d'Angelina. Elle avait l'air beaucoup moins réservée que la dernière fois, et, micro en main, parlait d'une voix surexcitée.

— On s'attendait à voir Angelina Beckham rentrer chez elle ce matin. Au lieu de quoi, nous avons assisté au retour de la police de Miami-Dade. Bien que nous ignorions encore ce que les enquêteurs recherchent, il est clair que la résidence des Beckham est toujours considérée comme une scène de crime.

L'angle de la caméra s'élargit pour montrer le trottoir devant la maison, puis notre jardin et l'allée qui menait au garage. Je reconnus la voiture de l'agent Santos garée derrière celles du MDPD. Angelina fronça les sourcils.

— On dirait ton ami, là-bas.

— Santos, tu veux dire ?

— Non. Le type derrière la journaliste. Ce n'est pas le détective Riddel ?

Je me levai et m'approchai de l'écran. En arrière-plan, derrière la journaliste d'Action News, on voyait un homme dans l'allée qui courait vers la maison, essayant d'échapper aux journalistes.

— Oui. C'est bien lui.

Winters décrocha son téléphone.

— Il faut arrêter ça. J'appelle directement le chef de la police.

Je fis le tour de la table et coupai la communication avant même qu'il ait fini de composer le numéro.

— Mais qu'est-ce que vous faites ?

Je dévisageai Angelina.

— Tu me jures que j'ai tort ? Que j'étais complètement à côté de la plaque ? Que ce que je t'ai raconté n'est jamais arrivé ?

Elle soutint mon regard.

— Ce n'est jamais arrivé.

— Alors je vais m'occuper de Riddel.

— Comment tu vas faire ? demanda-t-elle, visiblement inquiète.

— Je vais à la maison.

— Vous êtes fou, me dit Winters, vous allez tomber dans un nid de guêpes. Vous ne pouvez pas aller là-bas.

— Eh bien, vous allez voir si je ne peux pas.

— Mais, nom de Dieu ! Qu'est-ce que vous croyez pouvoir faire ?

Sur l'écran de la télévision, on voyait la meute de journalistes qui se pressaient contre les rubans de plastique qui délimitaient la scène de crime et qui appelaient Rid par son nom alors qu'il entrait dans ma maison.

— Je vais aller voir Rid.

59

Les journalistes me sautèrent dessus au moment même où je sortis de ma voiture. Ils se poussaient, se bousculaient, se bagarraient pour avoir la meilleure place tandis que je remontais l'allée. Ce n'était pas la première fois que j'avais une forêt de micros brandis vers moi, mais les autres fois, c'était sur les marches du palais de justice et non pas sur la pelouse devant ma maison. J'avais décidé de ne pas courir, de ne pas forcer mon chemin, ni avoir l'air agacé. Je m'arrêtai et leur fis le petit discours insipide que j'avais préparé dans ma voiture pendant le trajet.

— Je voudrais remercier chacun d'entre vous pour le professionnalisme avec lequel vous avez couvert cette affaire, tout en préservant notre vie privée pendant la disparition d'Angelina. Elle s'est excusée ce matin du plus profond de son cœur. Maintenant que tout cela est derrière nous, j'espère que vous allez continuer à respecter notre intimité, tout spécialement autour de notre maison. Je vous remercie encore.

Je poursuivis mon chemin vers la maison, toujours entouré par la foule des journalistes. J'avais l'impression d'être coincé comme un poisson rouge dans son bocal. Les questions jaillissaient de toutes parts : Où est Angelina ? Pourquoi la police est-elle ici ? Qu'est-ce qu'ils cherchent ? Mais je ne répondis à aucune. Je passai sous les rubans de plastique jaunes, et marchai lentement, calmement, conscient de l'effet désastreux que je donnerais si je me précipitais vers la maison et claquais la porte au nez des médias. Avant d'entrer, je me retournai et fis un petit signe amical aux caméras.

Quand je fus à l'intérieur, mon sourire commercial s'effaça immédiatement : Santos m'attendait.

— Votre maison est toujours sous scellés. Vous ne pouvez pas entrer ici.

— Arrêtez vos conneries. Il ne peut pas y avoir de scène de crime là où il n'y a pas de crime.

La détective Reyes sortit de la cuisine et vint vers nous.

— On est en train de mener une enquête pour violences conjugales, Abe.

— C'est faux. Je regardais la télé tout à l'heure et j'ai vu Riddel entrer dans la maison.

— Je lui ai dit de partir. La brigade criminelle n'est pas impliquée.

— Alors j'abuse de ma femme ? On est revenus à la case départ ? Vraiment ?

— Je fais mon boulot, répondit Reyes. Il y avait une bouteille de bière cassée sur le sol. Le labo a confirmé que le sang qu'on a retrouvé sur les fragments était bien celui d'Angelina.

J'étais au courant pour le sang mais pas pour le rapport du labo. Mais que ce soit celui d'Angelina ne me causa vraiment aucun choc.

— Elle s'est probablement blessée en marchant dessus.

— Votre examen médical a révélé que vous aviez un hématome sur le bras.

— Je vous l'ai dit. Je me suis cogné en tombant dans l'appartement de J.T.

— Peut-être. Et peut-être même qu'on pourrait vous croire si on pratiquait un examen médical sur Angelina et qu'on ne trouvait rien.

Je fis tout mon possible pour garder mon calme, mais je sentis que ma voix vibrait de colère.

— Le seul *abus* qui existe dans cette maison est un abus de pouvoir de la police. Si vous cherchez quelque chose, revenez avec un mandat. Et au fait, ajoutai-je, m'adressant à Santos, depuis quand le FBI enquête-t-il sur des violences conjugales ?

Je ne la lâchais pas des yeux, je n'allais pas bouger avant qu'elle me réponde.

— Et si on discutait tous les deux dans la cuisine ? suggéra-t-elle.

Reyes parut stupéfaite d'être si soudainement mise à l'écart, mais elle ne fit aucun commentaire. Je suivis Santos. Nous étions de chaque côté du bar où, moins de trois jours auparavant, Rid avait dévoré l'osso-buco d'Angelina.

— Vous pouvez nous obliger à demander un mandat, mais, déjà que les médias sont sur votre dos, qu'est-ce que vous croyez qu'ils vont faire quand ils apprendront que la police a obtenu l'autorisation de perquisitionner votre maison ? En fait, on est train de vous rendre service : on reste discrets et on fait croire qu'on boucle une enquête sur une scène de crime.

Je ne pus m'empêcher d'éclater de rire.

— Vous *me* rendez service ? Dites plutôt que c'est au FBI que vous rendez service. Je vois très bien ce qui se passe. Ma maison était une scène de crime. Mais, maintenant que Cutter est arrêté, il n'y a plus de groupe de travail, vous n'êtes plus coordinatrice. Et il ne vous reste plus qu'à retourner courir après les voleurs de banques exactement comme J. Edgar Hoover vous avait dit de faire. Au lieu de ça, vous utilisez Reyes et toutes ces conneries de violence conjugale pour outrepasser votre juridiction fédérale et venir fouiller chez moi. Qu'est-ce que vous cherchez, Santos ? Qu'est-ce-vous cherchez vraiment ?

— Ce n'est pas Salvo qui a tué Tyla Tomkins. Je veux savoir qui c'est.

— Si elle n'est pas une des victimes de Cutter, alors ça ne vous regarde pas. Vous n'avez plus qu'à laisser la police locale mener l'enquête.

Elle me lança un regard venimeux.

— Vous aimeriez bien, n'est-ce pas ? Confier l'enquête à votre copain Riddel.

J'étais sur le point de lui répondre, mais je me rendis compte que cela ne nous mènerait à rien. Il valait mieux cesser les hostilités.

— D'accord. Si le FBI a décidé de fourrer son nez là où il n'a rien à faire, il vaudrait mieux que vous cherchiez dans la bonne direction. Quand avez-vous rendu visite à Belter pour la dernière fois ?

— Je m'occupe de Belter.

— Pas autant que vous le devriez. En ce moment, il est en mode camouflage.

— Il n'y a rien d'étonnant à ce qu'un cabinet d'avocats s'oppose à une assignation de produire les mails et les dossiers de l'une de ses associées. Surtout de quelqu'un comme Tyla, l'une des principales conseillères de Big Sugar.

— Je ne parle pas de l'assignation. Belter m'a proposé un dessous-de-table hier. Un quart de million de dollars.

— Hier ? Et c'est maintenant que vous le dites ?

— Je l'ai dit à Carmen hier soir.

Je ne sais pas pourquoi je lui ai sorti ça. Il semblait que j'avais pris la mauvaise habitude de mentir chaque fois que Santos me posait une question embarrassante.

— Est-ce que la procureure générale va convoquer un grand jury ?

— Je ne sais pas. Je n'ai pas encore fait de rapport écrit. Croyez-moi ou non, mais j'ai eu une tonne d'autres choses à l'esprit ces dernières vingt-quatre heures.

Ça, au moins, c'était vrai.

— Qu'est-ce que Belter voulait que vous fassiez pour un quart de million de dollars ?

J'hésitai, je ne savais pas ce qu'il fallait que je dise à Santos avant d'avoir parlé à Carmen. Mais ce n'était pas Carmen qui squattait ma maison. Une petite coopération entre les forces de loi pouvait amener de grandes choses. Du moins, c'était ce que je croyais avant d'avoir rencontré l'agent Santos.

— Il tournait autour du pot, et je l'ai envoyé balader. Mais je sais très bien où il voulait en venir.

— Vous allez me le dire ?
— Vous allez arrêter de me casser les couilles ?
— Ça dépend. C'est quoi, votre théorie ?
De nouveau, j'hésitai. Je ne pensais pas que « ma théorie » suffirait à Santos pour qu'elle me lâche définitivement. Mais cela pourrait au moins ralentir son zèle.
— D'accord. Mais il faut savoir qu'il y a pas mal de suppositions de ma part. Belter pense que le principal suspect pour le meurtre de Tyla Tomkins est une personne qui a couché avec elle. Je pense qu'il cherchait à trouver un terrain d'entente avec moi. Il ne dirait rien sur moi si je ne disais rien sur lui, à condition que tous les deux nous disions ce que nous savions sur Cortinas.
— Cortinas couchait avec Tyla ? Vous en êtes sûr ?
— Je sais que Tyla utilisait un téléphone prépayé pour parler avec certaines personnes, des hommes, surtout. Un des numéros qu'elle appelait régulièrement n'a toujours pas été identifié, ce n'est pas vrai ?
Elle ne répondit pas.
— C'est bien ce que je pensais. Belter affirme que c'est Cortinas. Il avait son propre téléphone prépayé et il s'en servait pour ses rendez-vous avec Tyla.
Santos étudiait mon visage pendant que je parlais. Il me sembla que ma franchise avait apporté un léger mieux dans nos relations. Enfin, pour le moment.
— Merci.
— De rien.
— On aura quitté votre maison dans une heure. On lèvera le périmètre de sécurité. Vous et votre femme pouvez retourner chez vous. Ça vous va ?
— Ça me va.
Elle retourna dans le salon. Je sortis par la porte de derrière, traversai le jardin des voisins et pris une rue parallèle à la nôtre. Je laissai ma voiture à la garde des médias. Je pouvais très bien prendre un taxi.

60

Je marchai pendant une centaine de mètres et, au lieu d'appeler un taxi, j'essayai Rid. Cette fois-ci, il me répondit.

— Pourquoi tu ne voulais pas me répondre ce matin ?

— Tu crois que je travaille que sur une seule affaire ?

— Ne dis pas n'importe quoi, Rid. Je suis allé directement chez moi quand je t'ai vu à la télé. Mais tu étais déjà parti. Est-ce que Santos et Reyes t'ont vraiment mis à la porte ?

— Ouaip. Elles m'ont dit que ce n'était pas une enquête criminelle. Mais ce n'est pas pour ça qu'elles m'ont viré.

— C'est pour quoi ?

— Il paraît que je parle trop. Donc je ne dis plus rien, Abe.

Il avait l'air déprimé, comme chaque fois qu'il se heurtait à sa hiérarchie.

— Est-ce que quelqu'un t'a reproché d'avoir été trop copain avec moi pendant l'enquête ?

— Naaan ! Qu'est-ce qui peut bien te faire penser une chose pareille ?

— Tu peux venir me chercher ?

— Tu n'as pas entendu ce que je viens de te dire ?

— Tu ne diras pas un mot. C'est moi qui parle et toi tu écoutes. Tu peux au moins me faire ça.

— Je sais ce que je devrais te faire, marmonna-t-il.

Il raccrocha. J'en conclus qu'il était d'accord et lui envoyai par texto l'adresse de la station-service où je me trouvais. Cinq minutes plus tard, il vint me chercher dans une voiture banalisée.

— On va où ?

— Au Boomerang.

Ça ne le fit même pas sourire. Nous prîmes la direction de mon bureau. Je ne savais pas très bien par où commencer, et en fait c'est lui qui prit la parole en premier.

— Tu as un problème, Abe. Et beaucoup plus gros que tu ne le penses.

Il tourna à gauche, vers la rivière. Il prenait le chemin le plus long. Je voyais bien qu'il hésitait : est-ce qu'il devait me parler ou non ? Mais il y avait quelque chose qu'il voulait absolument me dire.

— J'ai réfléchi à propos des photos de toi et Tyla Tomkins au restaurant.

Il gardait le regard rivé sur la route.

— Oui. Et alors ?

— Comment Angelina les a-t-elles reçues ?

— Elles étaient dans la boîte aux lettres.

— Et qui les a mises là ?

— Cutter.

— Et comment Cutter les a-t-il eues ?

— Il suivait ses victimes. On en a déjà parlé.

Il prit une autre rue. Nous roulions le long du fleuve et croisâmes un porte-conteneurs panaméen qui remontait lentement le courant. Il garda le silence un instant, puis il se lança.

— C'est des conneries, Abe.

— On croirait entendre Santos.

— Je suis d'accord avec Santos.

— A propos de quoi ?

— J'ai regardé la vidéo de l'interrogatoire de Cutter. Il nie avoir tué Tyla. Il nie avoir envoyé les photos à Angelina, il dit qu'il ne sait même pas qui est Angelina. La cendre noire sur le visage de Tyla ne correspond pas à son profil. Ce fils de pute l'a dit lui-même : pourquoi noircir un visage qui est déjà noir ? Ça n'a aucun sens. Sauf si on essaye de *faire croire* que c'est Cutter qui a envoyé ces photos.

J'attendis qu'il poursuive, mais il se tut. Nous roulâmes encore quelques centaines de mètres. J'avais l'impression qu'il voulait m'en dire plus, mais qu'il pensait être allé déjà suffisamment loin. J'essayai de le pousser un peu.

— Qui aurait fait ça ? Si ce n'est pas Cutter, c'est qui ?

— J'allais te poser la question.

— Je vais te faire la même réponse que j'ai faite à Carmen. On en a parlé au tout début, juste après que Santos et toi êtes allés au bureau de Belter et que vous l'avez accusé de coucher avec Tyla. Les photos, c'était la réponse du berger à la bergère, sa façon de dire « si vous foutez mon mariage en l'air, je fous Abe Beckham en l'air ».

— Celui qui a envoyé ces photos connaissait la signature de Cutter. Ce n'est pas Belter.

— Alors c'est Cutter. La seule autre possibilité, c'est un membre des forces de police.

— Ou quelqu'un de marié à un membre des forces de police.

On entendit la sirène d'une ambulance qui approchait derrière nous. Rid se rangea pour la laisser passer.

— Santos pense que c'est Angelina.

Il redémarra, regardant toujours droit devant lui, et je me demandai si j'avais bien compris.

— Qu'est-ce que tu as dit ?

Le bruit de la sirène s'éloignait, mais cela ne me rendait pas les choses plus claires pour autant.

— Comment aurait-elle su pour la cendre ?

— Peut-être que tu lui en as parlé. Ou elle t'a entendu au téléphone.

— Je fais beaucoup plus attention que ça, mais mettons. Pourquoi se serait-elle envoyé les photos ?

— Pour faire croire que ce n'est qu'après la mort de Tyla qu'elle a appris que tu la trompais.

— Je n'ai pas trompé Angelina.

— Tu ne comprends pas. Le problème n'est pas de

savoir si tu trompais ta femme ou pas. Mais de savoir si Angelina pensait que tu la trompais et à partir de quand. C'est une question de mobile.

— Le mobile… d'assassiner Tyla Tomkins ?

— Bingo !

— Allons, Rid. C'était horrible, sanglant, même ! Elle a été tuée à coups de machette.

— Tu en es sûr ? On n'a pas retrouvé sa tête. On n'a jamais pu vérifier s'il n'y avait pas des traumatismes dus à un objet contondant. Peut-être que quelqu'un s'est tout simplement glissé derrière elle et l'a frappée avec un putain de rouleau à pâtisserie.

— Le légiste a dit qu'on l'a frappée à la base du cou avec un couteau de grande taille.

— Ouais. Mais peut-être que Tyla était déjà morte à ce moment-là. Peut-être qu'on l'a frappée avec une machette uniquement pour que ça ressemble à Cutter.

Cette conversation me mettait vraiment mal à l'aise, mais je ne pouvais pas en réfuter les arguments.

— Angelina n'est pas une tueuse.

Je pensai qu'il allait me dire qu'il était d'accord, mais il n'en fut rien.

— Je te l'ai dit, Abe. J'ai pensé à ces photos. Je les ai même étudiées de très près.

— Et ?

Nous étions arrêtés à un feu rouge et Rid me tendit son téléphone. Une des photos de Tyla et moi était affichée sur l'écran.

— Regarde bien.

— C'est ce que je fais.

— Regarde ce qu'il y a dans ton assiette.

J'agrandis l'image et zoomai sur le plat.

— Qu'est-ce que vous mangiez au restaurant ce soir-là, Tyla et toi ?

On voyait clairement sur la photo ce que c'était. Un plat dont je n'avais jamais entendu parler avant de rencontrer

Angelina mais que, après avoir goûté au sien, je commandais systématiquement lorsqu'il était au menu d'un restaurant.

— Un osso-buco.

— Et qu'est-ce qu'avait cuisiné Angelina la nuit où elle a disparu ?

Je ne répondis pas immédiatement.

— Je sais que tu t'en souviens, parce que j'en ai mangé, j'ai adoré et tu m'as dit que c'était meilleur que la queue de bœuf.

— Un osso-buco.

— Ouais. Et, si tu penses que c'est une coïncidence, c'est que tu es vraiment con. Angelina t'a mené en bateau. Et c'est ce qu'elle continue de faire en ce moment.

Je lui rendis son téléphone. Le feu passa au vert. Rid démarra, roula encore quelques instants et s'arrêta à une centaine de mètres du Boomerang.

— C'est assez près ?

— Ouais, merci.

J'allais descendre de la voiture, mais il me retint.

— Abe, tu sais qu'on ne pourra plus jamais parler de ça, n'est-ce pas ?

Je hochai la tête.

— On est cool, alors ?

— Ouais, on est cool.

Je sortis de la voiture, fermai la portière et le regardai s'éloigner.

61

Victoria sortit du domicile des Beckham à 10 heures du matin. Reyes resta pour lever les scellés.

Elle avait l'intention de se rendre au bureau de Jeffrey Winters, mais fit de grands détours pour y arriver. Elle prit l'autoroute, puis la sortie nord d'Overtown, s'engagea dans un labyrinthe de rues à sens unique. En quittant la maison, elle avait refusé de faire tout commentaire à la presse et quelques journalistes encore plus curieux que les autres avaient décidé de la suivre. En jetant un coup d'œil dans son rétroviseur, elle vit qu'il en restait au moins deux.

— Allez, encore un petit tour, les gars.

Elle regagna l'autoroute et reprit une fois de plus le même parcours, bien décidée à le prendre autant de fois qu'il serait nécessaire jusqu'à ce qu'elle soit débarrassée de ses suiveurs. Les journalistes n'étaient pas sa principale préoccupation. Elle ne voulait surtout pas qu'Abe apprenne, par les médias ou de toute autre manière, que le FBI allait interroger sa femme sans qu'il le sache.

Le dernier journaliste abandonna la poursuite au bout du troisième circuit à travers la ville. Santos se rendit alors à l'immeuble de Winters, se gara juste devant, entra et prit l'ascenseur jusqu'au dernier étage. Victoria trouva que la réceptionniste était jeune et jolie, mais n'avait pas l'air très futée. Le genre de bimbo qui mettait un bikini pour passer une audition de *The Voice* et qui repartait en pleurs parce que personne ne l'avait prévenue que, pour être sélectionnée, il fallait savoir chanter. La jeune femme l'accueillit avec un sourire éclatant qui pâlit un peu lorsque Santos se présenta.

— Vous êtes un agent du FBI ? Sérieusement ?

— Oui, sérieusement.

— Est-ce que M. Winters vous attend ?

— Non, à moins qu'il ne lise dans les boules de cristal.

La jeune femme ignorait totalement comment gérer la situation. A la limite de la panique, elle appela l'assistante de Winters et lui dit que « l'agent Cristal » était dans le hall, puis pria Santos d'aller s'asseoir. Victoria entra dans la salle d'attente et admira l'impressionnante collection d'art ultramoderne qui décorait les murs du cabinet d'avocats. Les tableaux et sculptures semblaient sortir tout droit d'Art Basel[1]. Ou venaient peut-être d'un trafiquant de drogue qui n'avait pas pu payer son avocat en cash.

— Excusez-moi, demanda la réceptionniste. Vous pouvez répéter votre nom ?

Victoria s'était demandé combien de temps il faudrait à la jeune femme pour s'apercevoir qu'elle n'était pas l'« agent Cristal ». Elle rectifia l'erreur et se replongea dans l'étude des tableaux.

L'histoire de Beckham à propos de la tentative de corruption la rendait perplexe et elle savait parfaitement où Abe voulait en venir. L'enquête sur Brian Belter allait bientôt suivre, mais auparavant elle voulait savoir ce que l'avocat d'Angelina pensait de tout cela. La réceptionniste réapparut.

— M. Winters va vous recevoir.

Elle accompagna Victoria jusqu'à une salle de conférences vide. Elle s'assit à la table de verre et attendit. Winters et un de ses associés ne tardèrent pas à apparaître. Ils semblèrent un peu surpris de voir que Victoria était seule, alors que les agents du FBI travaillaient en général en binôme. Victoria ne prit pas la peine d'expliquer que, lorsqu'elle poussait à l'extrême les limites de ses pouvoirs,

1. Une des plus grandes foires mondiales d'art contemporain.

elle préférait faire les choses à sa façon. C'était une des raisons pour lesquelles on l'avait mutée sur le terrain, alors que, au faîte de sa carrière, elle aurait dû être en poste à Quantico. Tout le monde se présenta et prit place de chaque côté de la table, deux contre un. Victoria prit la parole la première.

— Votre cliente peut venir nous rejoindre.

— Joker, répondit Winters avec un sourire.

— Ce n'est pas grave. Son mari a beaucoup parlé pour elle.

Le sourire de Winters s'effaça.

— Où est-ce qu'il vous a parlé ?

— Ce n'était pas dans un endroit particulier. Un peu partout…

Les deux avocats échangèrent un regard inquiet.

— Vous avez parlé à M. Beckham personnellement ? demanda Winters.

— Bien sûr.

— Et à propos de quoi ?

— C'est justement de cela que je voulais discuter avec vous. Vous savez, j'ai travaillé très dur sur l'affaire Cutter, et je suis tout à fait sûre que Tommy Salvo n'a rien à voir avec le meurtre de Tyla Tomkins. J'en ai parlé à Abe Beckham, et il semble pousser très fort en direction de Brian Belter. Je suis sûre que vous connaissez M. Belter.

— Oui, je le connais. C'est l'associé principal de BB & L, les avocats de Big Sugar.

— Et le patron de Tyla Tomkins. Je vous livre donc la théorie d'Abe. L'associé principal couche avec Tyla Tomkins, l'étoile montante. Parce qu'elle couche avec Brian Belter, Tyla a accès à des informations confidentielles sur Cortinas Sugar. Elle visite la plantation de la société au Nicaragua, elle est témoin de pratiques industrielles épouvantables et appelle un « vieil ami » au bureau de la procureure générale pour voir si on peut y remédier. Belter découvre qu'elle parle à des représentants de la loi et que de plus Beckham est son nouvel amant en titre, ce qui le plonge dans une rage folle. Il est sur le point de perdre sa femme, sa maîtresse et son meilleur client. Et Tyla Tomkins est assassinée.

Winters restait de marbre.

— Franchement, je ne sais pas du tout de quoi vous parlez.

— Votre cliente le sait très bien, alors prenez des notes, Junior, rétorqua Santos en s'adressant à l'associé.

— Ma cliente ne sait rien sur la mort de Tyla Tomkins.

— Espérons que vous avez raison. Mais Angelina devrait s'inquiéter. Il y a des incohérences dans la théorie de son mari à propos de Brian Belter, et j'ai l'intention de les corriger. Et, lorsque je l'aurai fait, Abe Beckham se rendra compte qu'il est inutile de continuer de viser Brian Belter. Et à ce moment-là il va se tourner vers quelqu'un d'autre.

Winters ne répondit pas immédiatement, mais il était clair qu'il avait bien compris ce que Victoria insinuait : Angelina serait le prochain bouc émissaire qu'Abe choisirait.

— On a beaucoup parlé d'homicide. Mais, pour l'instant, la seule crainte de ma cliente, c'est qu'elle soit éventuellement poursuivie pour avoir organisé sa propre disparition.

— Tout est lié, répliqua Victoria. J'ai regardé la vidéo sur YouTube, et je ne pense pas qu'Angelina se soit enfuie à cause de Cutter. Je crois qu'elle est partie parce qu'elle avait peur de son mari. Mais, contrairement à ce que pensent certains de mes amis de la brigade de protection de la famille du MDPD, je ne crois pas qu'Abe maltraite sa femme. Je pense que c'était un accident. Angelina a découvert quelque chose en ce qui concerne Tyla. En particulier à propos de sa mort. Je pense qu'elle en a parlé à Abe. Mais il a donné sa propre version de ce qui s'était passé et Angelina a refusé, ou a eu peur de l'accepter. Alors elle s'est enfuie.

Winters ne montrait aucune réaction, mais son associé écrivait à toute vitesse. Victoria avait semé le doute.

— C'est très intéressant.

— Il y a autre chose.

Victoria posa son iPad sur la table et montra les photos d'Abe et Tyla au restaurant.

— Je les ai déjà vues. Ce sont les photos que le tueur a mises dans la boîte aux lettres.

— Une autre erreur de la vidéo d'Angelina sur YouTube. Ce n'est pas Cutter.

— Mais alors qui ?

Victoria se pencha en avant afin de mieux capter l'attention de Winters.

— Abe Beckham.

L'associé cessa d'écrire. Même Winters ne put cacher sa surprise.

— Pourquoi aurait-il fait ça ?

— Pour faire croire que ce n'est pas lui qui a tué Tyla, mais Cutter. Se faire passer pour un mari infidèle, c'est nettement mieux que d'être mis en examen pour meurtre.

— C'est Abe qui a envoyé ces photos ? Vous êtes sûre de ça ?

— Pas encore, mais je vais le prouver. Et, si votre cliente comprend où se trouve son intérêt, elle ferait mieux d'arrêter de jouer le jeu de son mari et de m'aider.

62

Nous avons attendu 23 h 30, jusqu'à la fin du dernier journal télévisé. Les équipes de tournage rangèrent leur matériel, notre jardin se retrouva plongé dans l'obscurité et les vans des médias quittèrent les lieux. Sur toutes les chaînes d'infos, le contenu des « dernières nouvelles de 23 heures » avait plus ou moins été : « Bien que les scellés aient été levés chez les Beckham, Angelina et Abe n'ont pas regagné leur domicile et nous ignorons quand ils rentreront. »

C'est alors qu'Angelina et moi sommes revenus chez nous. Seuls.

Angelina entra la première. Je refermai la porte et la verrouillai à double tour. Je remarquai la trace qu'avait laissée la bouteille en explosant sur le mur. Angelina aussi. Nous fîmes comme si nous n'avions rien vu.

— *Home, sweet home*, murmura-t-elle.

Je vérifiai le répondeur du téléphone fixe.

— Trente-huit messages. Probablement des journalistes.

Je n'avais pas le courage de les écouter. Je coupai la sonnerie pour qu'on puisse passer au moins une nuit tranquille.

— Qu'est-ce qu'on va faire s'ils reviennent ?

— On met en marche l'arrosage automatique.

J'avais dit cela pour plaisanter, mais cela ne la fit même pas sourire. Elle me tourna le dos et se dirigea vers notre chambre.

— Je vais me coucher.

Je m'assis sur le canapé, devant la télé. Machinalement, je cherchai la télécommande, mais je changeai d'avis. Je ne voulais ni télévision, ni radio, ni rien. Le silence…

Durant les douze dernières heures, tout le monde était resté sur ses positions. J'avais refusé de retourner au bureau de Jeffrey, et Angelina avait refusé d'en sortir avant l'heure prévue par son avocat. Je m'étais réfugié dans mon bureau. Pas de traquenard tendu par les journalistes. Pas d'appels que je ne voulais pas prendre. Je racontai à Carmen et au responsable de notre unité anticorruption que Belter avait essayé de corrompre un substitut de la procureure générale, c'est-à-dire moi-même. J'avais l'intention de ne m'occuper de l'affaire que la semaine suivante, d'oublier pour un moment tout ce que je venais de vivre, et de consacrer le reste de ma journée aux dossiers en suspens. Mais ce fut impossible. Presque tous mes collègues vinrent dans mon bureau l'un après l'autre pour me montrer qu'ils ne me laissaient pas tomber. Ils avaient vu la vidéo d'Angelina.

Personne ne me dit qu'il croyait ce qu'elle avait déclaré. Personne ne me dit non plus le contraire. En revanche, je remarquai qu'aucun membre de la brigade de protection de la famille ne me rendit visite. Je fis en sorte que nos conversations soient le plus brèves possible mais, lorsque je reçus la visite du responsable de l'unité des violences sexuelles, je fus tenté de discuter plus en détail de l'affaire. J'aurais bien voulu lui parler de ma crainte qu'il soit arrivé quelque chose de terrible à Angelina à Little Havana, qui l'aurait traumatisée au point qu'elle ne voulait pas m'en parler. Je savais qu'il était le procureur le plus expérimenté de l'Etat de Floride pour les affaires de viol, mais après ma discussion avec Rid, et ce qu'il m'avait dit à propos d'Angelina qui « me menait en bateau », je préférai ne rien dire. Je me demandais si j'avais bien fait.

— Abe ?

Je regardai par-dessus mon épaule. Angelina était dans le couloir, sur le seuil du salon. Elle portait une chemise de nuit.

— Tu viens te coucher ?
— J'arrive dans un instant.
— Tu devrais venir maintenant.
Elle regagna la chambre.

Je ne savais pas quoi penser. Qu'est-ce que voulait dire « tu devrais venir maintenant » ? Je veux m'allonger près de mon mari ? Je veux que tu me prennes dans tes bras ? Je veux te faire l'amour ? Tu ne vas pas rester assis ici comme un con jusqu'à 2 heures du matin et me réveiller quand tu vas te mettre au lit ?

— D'accord.

J'allai dans la salle de bains, me brossai les dents et enfilai un T-shirt et un short. Lorsque j'entrai, Angelina était de son côté du lit, allongée dans la pénombre. Je traversai la chambre et me glissai près d'elle sous la couette. Nous étions tous deux silencieux, les yeux grands ouverts, contemplant le plafond.

L'obscurité. Le calme. Le repos. Rien ne vaut un lit, même si la ligne qui séparait le nôtre en son milieu ressemblait de plus en plus à une frontière. Je brisai le silence.

— J'ai parlé à Rid.
— Qu'est-ce qu'il a dit ?

J'hésitai. Je ne savais quoi répondre. *Que tu me mènes en bateau ? Que Santos pense que tu as tué Tyla Tomkins ?*

— Il m'a dit qu'il ne pouvait plus parler de cette affaire avec moi.
— Cela ne m'étonne pas.

De nouveau le silence. Le climatiseur se mit en route et je sentis l'air frais envahir la pièce. Mes yeux s'adaptaient à l'obscurité et je remarquai des fissures sur le plafond. De longs méandres qui allaient d'un mur à l'autre. Des fissures qui étaient là depuis le jour où Angelina et moi avions emménagé, mais que je n'avais jamais remarquées. Jusqu'à ce soir.

— Abe, il faut que je te dise quelque chose.

Les idées se bousculaient dans mon esprit. Est-ce que Rid avait raison et qu'elle allait tout avouer ? Est-ce que c'était moi qui avais eu raison et qu'elle allait me raconter ce qui s'était passé à Little Havana ?

— Quoi ?

— L'agent Santos est allée voir mon avocat aujourd'hui. Je ne m'attendais pas à cela.

— Quand ?

— Avant midi. Ce n'était pas prévu. Santos est arrivée à l'improviste pour discuter avec lui.

— Pourquoi ?

— Je n'étais pas là. Mais Jeffrey m'a dit qu'elle enquêtait sur la mort de Tyla Tomkins. Et c'est toi qu'elle a dans le collimateur.

Je me redressai sur un coude pour la regarder. Elle était toujours allongée sur le dos.

— Pourquoi tu ne me l'as pas dit plus tôt ?

— Jeffrey m'en a parlé il y a moins d'une heure. Il ne voulait pas que je rentre à la maison avec toi. Il m'a annoncé ça dans une dernière tentative de me faire changer d'avis.

J'étais très content qu'elle ne l'ait pas écouté, mais beaucoup moins qu'elle ait attendu qu'on soit au lit pour m'en parler.

— Cela va sans dire, mais tu sais que je n'ai pas tué Tyla Tomkins.

— Je sais. Mais, techniquement parlant, je ne crois pas que l'agent Santos pense que c'est toi.

— Tu viens juste de dire qu'elle me visait.

— Elle pense que tu es responsable, mais que ce n'est pas toi qui as physiquement tué Tyla à coups de machette.

C'était comme si, moi, j'avais reçu un coup de machette. Je me rallongeai sur le dos et contemplai les fissures sur le plafond.

— Je me doutais que d'une façon ou d'une autre ils allaient essayer de mouiller J.T. dans cette histoire.

— Tu crois que c'est lui ?

— Non.

— Il m'a toujours fait peur.

— Il n'est pas violent.

— Il a attaqué le chauffeur de bus.
— C'était plus un malentendu qu'autre chose.
— Son père était coupeur de cannes.
— Mais cela n'a aucun sens, Angelina. Pourquoi J.T. aurait-il tué Tyla Tomkins ?
Elle ne répondit pas.
— Tu vois : aucun mobile. Il n'y a aucune raison pour que J.T. ait commis ce crime. Aucune.
— Aucune, répondit-elle, une pointe de nervosité dans la voix. Sauf si tu lui avais demandé.
Je me redressai et la regardai de nouveau.
— C'est ce que tu penses ?
— Non, Abe. Mais c'est ce que Santos pense.
Je poussai un soupir.
— Angelina, c'est le jeu de Santos. Elle essaie de nous dresser l'un contre l'autre. Elle parle avec Rid, et elle lui dit que c'est toi qui as tué Tyla. Elle va voir ton avocat, et elle lui dit que c'est J.T.
— Elle a dit à Riddel que *j'ai* tué Tyla ?
— Oui.
Elle se redressa à son tour. Nous nous regardions droit dans les yeux, séparés par cette ligne imaginaire qui traversait notre lit, comme deux soldats de chaque côté d'une tranchée.
— Santos pense que j'ai tué Tyla et tu ne me dis rien ? Pourquoi tu ne me l'as pas dit ?
— C'est tellement absurde que cela n'en valait pas la peine.
— Vraiment ?
— Oui, vraiment. Tyla a été découpée à coups de machette. Un crime ignoble, sanglant.
— Donc, si elle avait reçu une gentille balle dans la nuque, cela aurait été différent. C'est le genre de choses que tu m'imagines très bien en train de faire, n'est-ce pas ?
Ce n'était pas vraiment le moment de parler de « rouleau à pâtisserie » et de toutes les autres théories de Rid sur la cause de la mort.

— Je n'ai jamais dit ça.

Elle se remit sur le dos et croisa les bras sur la couette.

— S'il te plaît, Angelina, il faut qu'on arrête. On est en train de jouer le jeu de Santos. Elle veut détruire la confiance qu'on a l'un en l'autre. Elle veut qu'on se déchire.

— Est-ce que tu as confiance en moi ?

Une question toute simple, mais la réponse était compliquée. J'hésitai trop longtemps.

— Abe, est-ce que tu as confiance en moi ?

— Oui, bien sûr.

— Ne dis pas « bien sûr ». Il n'y a plus de « bien sûr ». Nous devons reconstruire. Je veux reconstruire. Mais pas si tu me sors des âneries comme « bien sûr, que j'ai confiance en toi, ma chérie ». J'ai l'impression que tu me méprises, et que tu fais comme si tout ça n'était jamais arrivé.

Elle n'avait pas tout à fait tort.

— Je suis désolé.

Elle poussa un soupir et s'enfonça un peu plus dans le matelas.

— Je n'ai pas tué Tyla. J.T. n'a pas tué Tyla. Je n'ai pas demandé à J.T. de tuer Tyla.

Elle poussa un nouveau soupir.

— Merci.

— De rien. Autre chose que tu veux savoir ?

— Non.

— Bien.

— Si, peut-être une chose.

— Quoi ?

— Juste pour être tranquille : quand je vais fermer les yeux, est-ce que J.T. va sauter en bas de l'armoire avec sa machette ?

Je savais que c'était une plaisanterie, et que j'aurais dû apprécier sa tentative d'humour, mais je n'y arrivai pas et je sentis qu'elle était déçue.

— Non, il ne fera pas ça.

Une minute passa. Je pensai qu'elle avait peut-être autre chose à me dire. Mais non.

— Bonne nuit, Abe.
— Bonne nuit.
Il n'y eut pas de baiser. Je me mis sur le côté et essayai vainement de dormir. J'étais épuisé, mais incapable de faire le vide dans ma tête. Le climatiseur se déclencha de nouveau. Une dizaine de minutes passèrent. Je me tournai de l'autre côté et regardai Angelina.

Elle était toujours allongée sur le dos, les yeux grands ouverts. Je me demandai si elle n'arrivait pas à fermer les paupières parce qu'elle avait tellement de choses dans sa tête. Ou bien est-ce qu'elle était épuisée mais ne voulait pas fermer les yeux avant que je ne me sois endormi ?

J'espérai que la nuit serait courte.

63

Je me réveillai en sursaut. Il était 5 h 30. J'étais sûr d'avoir entendu du bruit quelque part dans la maison. Angelina dormait. Je me glissai hors du lit et allai dans le salon. Le soleil n'était pas encore levé, la pièce était plongée dans l'obscurité, il faisait nuit noire. J'écoutai de nouveau. Rien.

Puis j'entendis frapper à la porte.

J'allai voir par le judas. Une femme se tenait devant l'entrée, un micro à la main. Derrière elle, un homme, caméra à l'épaule. Je reconnus l'équipe de journalistes d'Eyewitness News qui m'avaient interviewé samedi.

Non, mais je rêve.

Elle frappa de nouveau. Il était absolument hors de question que j'ouvre. J'eus un moment l'idée de sortir par-derrière et d'arroser tout le monde avec mon tuyau de jardin. Au lieu de cela, je pris mon portable et rédigeai un texto. Je choisis mes mots avec précaution de façon à ce que, même si la journaliste essayait de les sortir de leur contexte, ce soit elle qui ait l'air d'une cloche :

> Merci d'être venue chez nous à 5 h 30. Comme la plupart des gens, nous dormons à 5 h 30. Veuillez s'il vous plaît sortir de notre propriété avant 5 h 31 afin que je puisse me rendormir à 5 h 32. Faute de quoi j'appellerai la police à 5 h 33. Je vous remercie encore une fois pour votre attention et votre considération toutes matinales.

Je pensai que, normalement, cela devait suffire. J'envoyai le message, attendis une minute qu'elle le reçoive, et regardai par le judas tandis qu'elle lisait. Elle était obligée de partir puisqu'on le lui demandait. C'était la loi et j'étais procureur.

Elle me répondit par un message du style : « Oh, s'il vous plaît, je suis tellement gentille, je ne mords pas et je vous promets que je sortirai mes griffes uniquement si vous êtes assez bête pour m'ouvrir. » Elle glissa sa carte sous la porte — *ben voyons, tu peux compter sur moi pour t'appeler* — et vida les lieux avec toute son équipe.

Je retournai dans la chambre. Angelina n'avait rien entendu, ce qui me surprit jusqu'à ce que je m'aperçoive qu'elle avait mis les protège-tympans qu'elle utilisait habituellement pour la piscine. Ils étaient si étanches qu'elle aurait probablement continué à dormir même si les journalistes s'étaient annoncés en tirant un coup de canon.

Moi, en revanche, j'étais complètement réveillé. Je décidai de la laisser dormir, pris une douche rapide et m'habillai pour partir au bureau. Mais je n'avais pas vraiment envie d'aller travailler si tôt. J'avais besoin de me changer les idées, de voir quelqu'un à qui je pourrais parler d'autre chose que de Tyla Tomkins, de Cutter et, pour être honnête, d'Angelina. Il n'y avait qu'une personne au monde vers qui je pouvais me tourner, quelqu'un qui, de plus, serait content de me voir, même avant 6 h 30. Je sortis du garage, fis un signe au passage à l'équipe de journalistes qui attendaient dans la rue et me rendis à la maison de retraite. Quand j'arrivai, Luther avait déjà pris son petit déjeuner et était assis dans le jardin, donnant des morceaux de pain aux pigeons.

— Allez, arrêtez de vous battre. Est-ce qu'on peut pas tous vivre en harmonie ?

Un bon conseil pour les oiseaux. Et encore meilleur pour les humains.

— Rodney King n'aurait pas dit mieux, remarquai-je en m'approchant.

Luther ne comprit certainement pas mon allusion aux émeutes de 1992 à Los Angeles, mais il était content de me voir. Je lui dis de ne pas se lever et il me dit de ne pas m'en faire. C'était la blague habituelle entre moi et le vieil homme, qui était devenu presque trop faible pour quitter son fauteuil, mais cela me fit sourire. Je m'assis sur le banc près de lui.

— Pourquoi tu t'es levé si tôt ?

— Ils vont ressortir le McRib. Je veux être le premier dans la file d'attente.

Il rit et secoua la tête.

— Tu es vraiment le Blanc le plus drôle que je connaisse.

On bavarda pendant quelques minutes, et il me raconta tout sur la nouvelle kinésithérapeute, son gentil sourire et ses mains douces. Puis il me dit qu'une de mes amies était passée le voir.

— Une de mes amies ?

— Elle s'appelle Victoria. Victoria Santos.

J'étais sur le point d'exploser. C'était la deuxième fois qu'elle me faisait le coup, d'abord avec la mère d'Angelina et maintenant avec le père de Samantha.

— Et vous avez parlé de quoi ?

— Surtout de moi. C'est une gentille fille, mais elle pose beaucoup de questions.

— Des questions sur quoi ?

Il lança un autre morceau de pain aux oiseaux. Ils se grimpèrent les uns sur les autres pour en attraper un bout.

— Sur l'époque où je coupais les cannes.

Je fermai les yeux et les rouvris, lentement, essayant de contenir ma colère.

— Vous avez parlé de J.T. ?

— Oui. On en a parlé.

— Comment ?

— Je m'en souviens plus exactement. Franchement, Abe, je l'écoutais plus à ce moment-là. Elle me demandait des trucs comme « vous êtes sûr que J.T. n'a jamais coupé de canne à sucre ? » et « vous avez passé le flambeau à votre fils ? ». C'était un peu comme demander à Obama si, par tradition, quelqu'un dans sa famille ramassait toujours le coton.

Cela m'aurait fait rire dans d'autres circonstances. Mais ce n'était pas pour rien que Santos s'intéressait à ce que disait J.T. quand il prétendait avoir été coupeur de cannes. Cela collait parfaitement avec sa théorie sur le meurtre de Tyla Tomkins.

Luther fit un signe à une infirmière, qui traversa le jardin pour se diriger vers nous.

— Désolé, faut que j'aille pisser.

— Ce n'est pas grave. J'allais justement partir.

Je lui dis au revoir et regagnai ma voiture. J'avais envie d'aller directement à l'appartement de Santos et de tambouriner sur sa porte, un peu dans le style des journalistes d'*Eyewitness*. Mais cela n'amènerait rien de bon. Au lieu de quoi j'appelai Rid. Il était en train de courir sur un tapis roulant, ce qui me parut être une métaphore intéressante. Il respirait bruyamment.

— Tu sais ce qu'a fait Santos ?

— Abe, répondit-il en haletant. On a dit… qu'on n'en reparlerait plus.

— Elle est allée voir Luther.

J'entendis que le tapis roulant s'arrêtait brusquement.

— Pourquoi ?

— Parce que c'est un ancien coupeur de cannes, et maintenant Santos s'est mis dans la tête de prouver que J.T. et moi avons mis au point un plan pour tuer Tyla Tomkins et faire croire que c'est Cutter.

— Elle ne devrait pas embringuer le vieux dans cette histoire.

— Elle ne devrait pas non plus embringuer J.T. et moi. Rid, il faut que tu m'aides à nous sortir de là.

— Qu'est-ce que tu veux ?

— Dis-moi ce qu'elle cherchait dans la maison hier.

— Abe, grogna-t-il.

— C'est bon, Rid. Toute cette histoire de merde est allée assez loin. On m'a foutu à poil, j'ai subi un polygraphe, elle a fouillé la maison de J.T., elle a fouillé ma maison sans mandat, elle a tendu un piège à mon beau-père dans sa maison de retraite, et, ça, ce sont seulement les choses dont je suis au courant. Qu'est-ce qu'elle va faire la prochaine fois ? Exhumer le corps de Samantha ?

Il ne disait rien, mais je sentais que ça venait. Finalement, il lâcha le morceau.

— Elle cherche à prouver qu'Angelina fume.

— Elle ne fume pas.

— Qu'elle fume en cachette.

— C'est quoi, ce bordel ?

Il me raconta la lueur orange sur le parking la nuit, de l'autre côté de la rue du funérarium, pendant le service funéraire de Tyla.

— C'est le genre de choses que ferait un tueur en série. Epier le funérarium d'une de ses victimes.

— Elle ne pense pas que c'était Cutter.

— Elle pense que c'était Angelina ?

— Disons qu'elle pense qu'Angelina et toi n'avez pas des relations très saines.

— Non, j'ai besoin de plus que ça. Rid, je veux vraiment savoir ce que pense Santos. Est-ce qu'elle croit qu'Angelina est complètement dingue, une monomaniaque qui aurait suivi son mari jusqu'à la cérémonie funèbre de Tyla ?

— Elle a balancé une bouteille de bière contre la porte et elle t'a viré de chez toi. Et n'oublie pas la fois où elle t'a cassé le nez.

Je ne voulais pas revenir là-dessus.

— OK. Tu m'as bien aidé. Il y a autre chose que tu veux me dire ?

— Oui, juste une chose, Abe. On ne parlera plus jamais de ça.

Il raccrocha. Je rangeai mon téléphone. J'avais compris

au ton de sa voix que c'était vraiment la dernière fois qu'il me donnait un coup de main.

J'espérais simplement que je n'aurais plus jamais besoin de lui en demander.

64

Angelina était réveillée et s'affairait dans la cuisine lorsque je rentrai. Les vans des médias n'étaient plus garés devant la maison. Je me demandai si elle avait eu la même idée que moi.

— Comment tu as fait ? Tu as ouvert l'arrosage automatique ?

Elle était en robe de chambre, elle venait de prendre sa douche et avait noué ses cheveux humides dans une serviette.

— Jeffrey s'en est occupé.

Elle se servit une tasse de café dans laquelle elle vida un sachet de saccharine.

— Comment il a fait ?

— Je lui ai dit que les chaînes de télévision étaient là. Il a appelé les producteurs et leur a promis une interview exclusive avec moi si les vans s'en allaient.

— On ne peut pas promettre une interview exclusive à tout le monde.

— Jeffrey, lui, il peut. Ça a marché.

— Et quand es-tu supposée donner toutes ces interviews exclusives ?

— A 16 heures, cela leur donne tout le temps nécessaire pour les passer au journal du soir. Malheureusement, je vais attraper la grippe à 15 h 30.

Je commençais à en avoir sérieusement assez, de ce cirque.

— Habille-toi. On va chez ton avocat.

— Pour quoi faire ?

— Je veux renégocier notre prêt pour la maison. Angelina, est-ce qu'on peut pas tout simplement y aller ?

— Oh, très bien ! Excuse-moi !

Elle emporta sa tasse de café dans la chambre et, furieuse, referma la porte sur elle. J'appelai le cabinet et fixai un rendez-vous avec Winters à 8 h 30. Je ne sais pas pourquoi il fallut autant de temps à Angelina pour décider ce qu'elle devait mettre, mais nous ne quittâmes la maison qu'à 8 h 15. Je parvins malgré tout à arriver à l'heure. Et la mère d'Angelina aussi.

— Margaret ? Qu'est-ce que vous faites ici ?

— Comme c'est moi qui paie les factures, Jeffrey me prévient à chaque réunion.

— Bonjour, maman.

— Bonjour, ma chérie.

La mère et la fille s'embrassèrent. Quant à moi, j'en avais vraiment assez de ce cirque.

— Margaret, je sais que c'est vous qui avez eu l'idée de faire appel à un avocat, mais Angelina et moi paierons les factures.

— Je veux payer.

— Non. Nous paierons. Et, même si c'était vous qui payiez, vous n'êtes pas la cliente, et ce matin l'avocat a un rendez-vous avec sa cliente et son mari.

Margaret mit quelques secondes à comprendre ce que j'étais en train de dire.

— Donc… Vous voulez que j'attende dehors ?

— S'il vous plaît.

— Eh bien. D'accord. Enfin, je pense que c'est d'accord…

— C'est d'accord, maman.

— Eh bien, à tout à l'heure. Si vous avez besoin de moi, je suis là.

La réceptionniste nous accompagna jusqu'au bureau de Winters. Il était au téléphone, mais nous fit signe d'entrer. Nous nous installâmes dans les fauteuils. Winters écourta sa communication, mais ne se leva pas pour nous saluer.

Il semblait en plein coup de feu et nous épargna ses habituelles platitudes.

— Désolé de vous presser, mais je dois plaider à 9 h 30. Que puis-je faire pour vous ?

— Abe pense que le taux de notre prêt est trop élevé, c'est bien cela, chéri ?

C'est ce qu'on appelle un retour à l'envoyeur…

— Vous dites ?

— J'ai quelques soucis avec l'agent Santos. Il y a vraiment deux ou trois choses que…

— Abe, désolé de vous interrompre, mais est-ce que vous pouvez nous excuser un instant ?

— Vous excuser ?

— Oui. Pouvez-vous nous laisser seuls. Avant que nous parlions tous les trois, je voudrais avoir un mot avec ma cliente.

Oh, que j'en avais marre de leur petit jeu !

— C'est ça. Dites-lui un mot. Un paragraphe, aussi. Vous pouvez même lui réciter tout un putain de dictionnaire.

Angelina tenta de me calmer.

— Arrête, Abe.

— J'attends dehors.

Je sortis et refermai la porte derrière moi. Mais je n'avais pas du tout l'intention d'attendre, et en arrivant dans le hall je me dirigeai vers les ascenseurs. Margaret était toujours là, assise sur le canapé en cuir, devant la télévision.

— La réunion a été rapide.

— Ouais. Plus rapide que je ne le pensais.

J'appuyai frénétiquement sur le bouton de l'ascenseur. Je me dis que, s'il n'arrivait pas rapidement, j'allais sauter par la fenêtre. Margaret laissa échapper un soupir.

— Il semble que les journalistes n'ont pas beaucoup apprécié la vidéo d'Angelina.

Les portes de l'ascenseur s'ouvrirent. Je le laissai repartir et m'approchai de Margaret.

— Pourquoi vous dites ça ?

— Depuis ce matin, ils examinent tout à la loupe.

Elle changea de chaîne, zappa sur l'édition du matin d'Eyewitness News et monta le son.

— Tenez, ils en parlent encore.

Je contournai la table pour mieux voir, prenant bien garde de ne pas renverser une œuvre d'art hors de prix faite de balles de ping-pong et de portemanteaux. Le M. Je-sais-tout du jour, le grand spécialiste des questions juridiques, était l'ancien procureur général de Floride du Sud.

— En théorie, déclara-t-il, les forces de police pourraient demander le remboursement de tous les frais engendrés par cette enquête. Mais, à mon avis, c'est peu probable, à condition que la justice considère qu'Angelina nous dit la vérité, c'est-à-dire qu'elle s'est enfuie de peur d'être la prochaine victime d'un tueur en série.

— Vous pensez qu'elle ment ?

— Je pense que l'affaire suit son cours. Une simple vidéo sur YouTube n'explique pas tout. Elle et ses proches vont bientôt devoir donner de solides réponses à de sérieuses questions.

Margaret se leva.

— Je ne veux pas en entendre plus.

Elle sortit du hall et s'éloigna dans le couloir. Je ne lui demandai pas où elle allait, j'étais scotché devant l'écran de télévision. Ce n'était pas plus mal que Margaret soit partie. La chaîne repassait la conférence de presse de samedi soir, où Jake et Margaret suppliaient qu'on leur rende leur fille. La première fois que je l'avais regardée, je m'étais demandé si Margaret arriverait à survivre à toute cette histoire. Et je me posais toujours la question en la regardant une seconde fois.

La réceptionniste vint vers moi.

— M. Winters va vous recevoir.

Je la suivis, traversai le hall et m'arrêtai net. Pratiquement toutes les cloisons qui séparaient les bureaux de Winters étaient des baies vitrées et je voulais être sûr que j'avais bien vu et que je ne m'étais pas trompé. Je voyais à travers trois vitres : la cloison derrière la réceptionniste, la porte vitrée de la grande salle de conférences, et une autre porte qui ouvrait sur un balcon un peu plus loin. Margaret était dehors, sur ce balcon, ne se doutant probablement pas que quelqu'un pouvait la voir.

J'ignorais qu'elle fumait, et je n'avais jamais senti l'odeur du tabac sur elle. Mais elle allumait une cigarette.

La mère d'Angelina fumait en cachette.

Je la regardais, immobile, et j'imaginais la lueur orange sur le parking, de l'autre côté de la rue du funérarium, pendant les obsèques de Tyla. C'était elle qui regardait. La mère d'Angelina *me* regardait.

— Tout va bien, monsieur Beckham ? demanda la réceptionniste.

— Oui, tout va bien.

Je la suivis jusqu'au bureau de Winters.

65

La réceptionniste frappa légèrement et ouvrit la porte du bureau de Winters. Mon portable sonna au moment où j'allais entrer. L'écran indiquait « AAA Mini Storage », le garde-meuble. Je répondis, c'était le gérant.

— Monsieur Beckham ?

— Lui-même.

— Je vous appelle pour vous prévenir que je vais ouvrir votre box.

— Pourquoi ? J'ai oublié de payer la facture ?

— Non. La police est là avec un mandat de perquisition.

Je pensai tout de suite à Santos.

— Quelle police ?

— Miami-Dade.

— Passez-moi un des policiers.

— Ils ne vont pas vous parler. Je leur ai déjà demandé de vous passer un coup de fil, mais ils n'ont pas besoin que vous soyez là. En fait, ils ne veulent pas que vous soyez là. C'est comme ça que ça se passe.

Oui, j'étais au courant.

— Qu'est-ce qu'ils cherchent ?

— J'en sais rien.

— C'est marqué sur le mandat.

— Ecoutez, mec, j'entre pas dans les détails. Je refile juste le tuyau à mes clients au cas où ils voudraient venir. Ou s'ils préfèrent quitter la ville.

— Merci. J'arrive.

Je raccrochai et passai la tête dans l'encadrement de la porte du bureau.

— Désolé, je dois partir.

— Pardon ? s'écria Winters.

— Il s'est passé quelque chose.

— Quoi ? demanda Angelina.

— Je n'ai pas le temps d'expliquer. Tu restes ici.

— Et qu'est-ce que je fais ?

— Je n'en sais rien. Tu n'as qu'à avoir un autre mot avec ton avocat. Prenez le dictionnaire et commencez par la lettre A. Il faut vraiment que j'y aille.

Je les quittai et me précipitai dans le couloir. Un coursier retint la porte de l'ascenseur et trois minutes plus tard j'étais dans ma voiture.

Le gérant m'avait dit que c'était le MDPD. Je le croyais, mais j'étais sûr que Santos était derrière tout ça. Je ne sais pas comment elle avait su pour le box. Peut-être lors de sa visite chez Luther. J'appelai Santos, mais elle ne me répondit pas. Rid non plus. J'accélérai, slalomant entre les voitures. Je me garai près des voitures de police et me précipitai dans l'escalier jusqu'au quatrième étage. La porte de mon box était ouverte. La perquisition avait commencé. L'agent Santos était un peu à l'écart dans le couloir, mais il était évident qu'elle agissait en dehors de sa juridiction et qu'elle était la vraie responsable des opérations, même si elle faisait semblant de n'être qu'une simple observatrice.

Je veux voir le mandat.

— C'est une opération de la police de Miami-Dade. Demandez au détective Reyes.

MDPD, mon cul, oui. J'allai jusqu'à mon box. Des policiers empilaient les cartons dans le couloir. Quelques-uns étaient ouverts. Des objets étaient éparpillés sur le sol. Cela me faisait du mal de voir la police fouiller dans les affaires de Samantha, ses souvenirs, mes souvenirs aussi. La détective Reyes sortit du box et me tendit le mandat.

Je regardai immédiatement le paragraphe qui mentionnait les éléments visés par la fouille.

— Une machette de coupeur de canne à sucre ? Non, mais vous rigolez ?

Santos se rapprocha.

— Votre beau-père m'a dit qu'il l'avait gardée avec tout son équipement.

— Je vais vous faire la liste de toutes les choses qui m'ennuient dans cette histoire. Premièrement, vous auriez dû m'appeler avant d'aller voir Luther. Deuxièmement, ceci est une perquisition de la police de Miami-Dade, pas de vos services. Troisièmement, si c'est vraiment une opération du MDPD, quel est le rapport entre cette putain de machette et la détective Reyes de la brigade de protection de la famille, à part le fait que Reyes et vous êtes devenues comme cul et chemise ? Quatrièmement, vous ne trouverez pas de machette ici.

— Qu'est-ce que vous en avez fait ?

— Rien.

— Et comment savez-vous qu'elle n'est pas là ?

Je réfléchis un instant avant de répondre. *J'ai déjà cherché parce que je voulais savoir si mon beau-frère était un tueur en série ?*

— Regardez vous-même et vous verrez.

— C'est ce qu'on va faire.

L'équipe continua ses recherches en silence, notant tout, vérifiant chaque carton. Je les regardai quelques minutes, bouillant de colère.

— Vous avez d'autres mandats ?

Reyes ignora ma question, Santos ne me jeta même pas un regard.

J'allai jusqu'à la cage d'escalier, à l'autre bout du couloir, et appelai J.T.

— Où t'étais passé, Abe ? J'ai plus rien à manger.

— J.T., écoute-moi. C'est important.

— Manger aussi, c'est important.

— Oui, manger, c'est très important. Mais ce que j'ai à

te dire est encore plus important. Tu te souviens quand la police est venue chez toi avec un mandat de perquisition ?

— Hé ! Je suis pas Forrest Gump ! Je déteste que les gens me traitent comme si j'étais idiot. Je suis intelligent, mec. Samantha a même dit que j'étais un génie.

— Je sais. Excuse-moi. Ce que je te demandais, c'est si tu te souviens quand les policiers voulaient sortir de l'appartement et aller fouiller la terrasse.

— Euh…

— Laisse tomber. Peu importe si tu te rappelles ou pas. Je voulais te dire que le premier mandat ne les autorisait pas à chercher dehors. Mais la police peut revenir avec un autre mandat.

— Oh ! merde ! Ils vont revenir ?

— Calme-toi. Je ne suis pas certain qu'ils vont revenir.

— Ne me prends pas pour un con. Tu m'aurais pas téléphoné sinon.

— Je veux juste que tu sois prêt.

— Prêt ? hurla-t-il. Comment je peux être prêt ? Je peux pas supporter ça encore une fois, Abe. Je peux pas.

— Ça va aller, J.T., il faut que…

— C'est à cause du bracelet.

— Non, ce n'est pas le bracelet.

— Toute cette merde est arrivée depuis qu'on m'a mis ce putain de bracelet.

— Ça n'a rien à voir.

— Faut que je sorte d'ici.

— J.T., tu ne peux pas sortir avec le bracelet. Si tu fais ça, la juge va te mettre en prison.

— Je m'en fous. Ils vont venir. Tu l'as dit. Je t'ai entendu. Ils vont revenir ici !

— Ne bouge pas, J.T. J'arrive.

— Je vais sortir, Abe.

— J.T., ne fais…

Il avait raccroché. Je rangeai mon portable et me ruai jusqu'à ma voiture. Je démarrai si vite que je fis voler un nuage de poussière mêlée de gravier sur les voitures de police garées à côté de moi. Il ne manquait plus que J.T. se fasse arrêter et traîner devant le tribunal pour violation d'assignation à domicile ! Je l'appelai deux fois, mais en vain. Je me retrouvai encore en train de slalomer entre les voitures, dépassant même celles qui roulaient au-delà de la vitesse limite. Je n'étais plus qu'à quelques centaines de mètres de chez J.T. lorsque je me trouvai coincé derrière un peloton de cyclistes habillés comme pour faire le Tour de France, mais qui en revanche avançaient comme des escargots. L'un d'eux me fit un doigt d'honneur tandis que je les dépassais par la droite, à cheval sur l'accotement et les pelouses. Je m'arrêtai dans un crissement de pneus et courus jusqu'à la porte. Elle était verrouillée. Je frappai comme un malade.

— J.T., ouvre-moi.

J'attendis quelques secondes. Je frappai encore et collai l'oreille contre la porte. Je n'entendais rien à l'intérieur, mais je me dis qu'il n'aurait pas pris le soin de fermer à clé s'il s'était enfui de peur qu'« ils » ne reviennent. Je fis le tour de l'immeuble et courus à la porte de derrière. Je sentis l'odeur du gardénia quand j'arrivai devant la terrasse. L'arbre que Samantha et moi avions planté quand nous avions emménagé était en fleur. Le jardin, tout juste assez vaste pour accueillir une petite terrasse de bois et un arbre, était entouré d'une clôture d'un mètre cinquante de haut. La porte était fermée, signe que J.T. devait se trouver dans l'appartement. En sautant par-dessus la barrière, j'accrochai la manche de ma chemise à un buisson de bougainvillées. J'atterris de l'autre côté en faisant une roulade. Je me relevai et restai un instant figé par ce que je vis. Les planches que Samantha et moi avions soigneusement alignées étaient couvertes de sang. De larges flaques de sang noir.

— J.T. !

Je me précipitai, trébuchai et tombai sur les genoux. Il y avait du sang partout, mon pantalon en était trempé et les traces allaient jusque dans la cuisine. Je voulais rejoindre J.T. à l'intérieur, mais j'étais pétrifié. Une hésitation qui n'a peut-être duré qu'une fraction de seconde, mais dont j'ai gardé le souvenir si nettement gravé dans mon esprit que cela sembla beaucoup plus long. Je ne pouvais détacher mon regard de la terrasse. Sur les planches de bois, il y avait une vieille machette de coupeur de canne à sucre. Posé à côté de la machette, le pied de J.T. Le bracelet était toujours autour de la cheville. Une pointe d'os brisé sortait de sa chaussure.

— Oh, merde, J.T., *merde, merde* !

J'appelai les secours et je me ruai à l'intérieur. Je suivis les traces de sang à travers la cuisine, le salon et jusqu'au vestibule. J.T. n'avait pas pu aller plus loin. Il était recroquevillé sur le sol, immobile, devant la porte. Je me penchai sur lui. Je l'appelai, le giflai, essayai de lui tenir les yeux ouverts, je faisais tout pour qu'il revienne à lui.

— Il a le pied sectionné, hurlai-je dans le téléphone. Il se vide de son sang. Envoyez tout de suite une ambulance !

Je déchirai ce qu'il restait de la manche de ma chemise pour en faire un garrot autour de son tibia, que je serrai aussi fort que je pouvais. Je le fis rouler sur le dos et commençai le massage cardiaque. Trois rapides compressions sur la cage thoracique, une pression sur la blessure.

— Allez, mon pote ! Allez !

J'ai continué jusqu'à l'arrivée des secours.

66

L'enterrement de J.T. eut lieu au cimetière de Mt Olive, là où, depuis plus d'un demi-siècle, reposent tous les membres de la famille Vine, à l'ombre de chênes immenses.

Malgré tous mes efforts, je n'avais pu ranimer J.T. L'ambulance était arrivée trop tard. La perte de sang massive avait causé un arrêt cardiaque. Il était mort avant d'arriver à l'hôpital.

Un simple cercueil de métal reposait sur des piliers au-dessus de la tombe ouverte. Les feuillages nous protégeaient du soleil brûlant de l'après-midi. C'était une cérémonie discrète et intime : Luther, moi et le même pasteur qui avait célébré les funérailles de Samantha. Je n'en voulais pas à Angelina d'avoir refusé de venir.

Surtout après qu'on eut appris qu'on avait retrouvé du sang de Tyla Tomkins sur la machette.

C'était celle de Luther. Samantha l'avait donnée à J.T. Elle faisait partie de l'héritage qu'elle lui avait légué lorsqu'elle était malade : le journal jauni de 1941 que la police avait trouvé dans la table de chevet de J.T., la montre de leur mère et d'autres objets personnels. J.T. avait tout soigneusement rangé dans l'appartement après la mort de Samantha. Il avait enterré la machette sous le plancher de la terrasse après s'en être servi pour tuer Tyla. Samantha lui avait fait promettre qu'il ne la perdrait jamais et qu'il la léguerait lui-même à un musée. Si on connaissait un peu J.T., il était facile de comprendre pourquoi il l'avait gardée, même après s'en être servi pour commettre un crime.

Le plus difficile à comprendre, c'était pourquoi il avait tué Tyla.

Le révérend Brown se tenait à côté du cercueil. Il prit la parole.

— Nous ne sommes pas réunis aujourd'hui pour analyser ni les pourquoi ni les comment du péché. La Bible nous dit : « Celui qui obéit à la loi mais qui oublie de respecter un seul de ses commandements est coupable. Car Lui qui a dit "tu ne commettras pas d'adultère" a également dit "tu ne tueras point". »

Je tiquai car il me sembla qu'il ne regardait que moi lorsqu'il prononça le mot « adultère ».

— Ce n'est pas l'importance du péché mais le manque de foi qui nous éloigne de Dieu. J.T. avait l'esprit confus, mais il n'avait pas le visage du diable. Espérons qu'il a maintenant rencontré le visage de la miséricorde et trouvé la vie éternelle. Vous pouvez dire amen.

— Amen, dis-je doucement, en même temps que Luther.

Deux geais bleus croassaient dans l'arbre derrière nous. Le révérend Brown s'approcha de Luther et lui adressa quelques mots de consolation. Je me levai pour mettre en route le lecteur de CD. J'avais choisi un air. C'était la chanson que J.T. et moi avions chantée ensemble dans son appartement, celle que Samantha chantait à son frère. *Remercions-Le.*

La cérémonie se termina à 15 heures. Luther et moi saluâmes le révérend. On était à moins de cinquante mètres de la tombe de Samantha et je proposai à Luther de lui rendre visite.

— Tu y vas, me répondit-il. Moi, faut que je me repose un peu.

Je pris le chemin de gravier qui menait à la tombe. Tout était calme et tranquille. Des centaines de personnes m'avaient suivi le long de ce sentier le jour de l'enterrement de Samantha. Et nombreux étaient ceux qui pleuraient. J'avais l'impression que je les entendais encore.

— Tu tiens le coup, Abe ?

Je m'arrêtai net. Ce n'était pas mon imagination qui me jouait des tours. Rid était là, à l'ombre du plus grand chêne du cimetière. Nous étions tout près de Samantha.

— Oui, ça va. Luther m'inquiète un peu. Il n'arrive pas à croire que c'était avec sa machette que…

— Je comprends.

Le soleil était vraiment très fort, aveuglant, même. Je me mis à l'ombre, près de Rid.

— Tu aurais été le bienvenu parmi nous. Tu n'étais pas obligé de te tenir éloigné.

— J'étais assez près. Je ne veux pas manquer de respect à la famille de Tyla.

— Je comprends.

Il s'assit sur un banc, sous l'arbre.

— Tu sais que, tout ça, ce n'est pas fini ?

— Si, c'est fini. J.T. l'a tuée. Point final.

La machette n'était pas le seul élément de preuve. Jusqu'à ce que Rid me montre le contrat signé le jour de la mort de Tyla, j'ai toujours cru qu'il fallait une carte de crédit pour louer une voiture. L'ironie, dans tout cela, c'est que j'étais celui qui avait insisté pour que J.T. passe son permis de conduire et qui avait contresigné sa carte de retrait dans le but qu'il puisse retrouver une vie normale. Le justificatif de retrait avait conduit le MDPD jusqu'à la société de location et on avait retrouvé la voiture. Il y avait encore des traces de sang dans le coffre.

— Santos ne va pas lâcher, ajouta Rid. Il reste toujours le problème du mobile.

On ne savait pas non plus exactement à quel endroit il avait tué Tyla. A cause de la très petite quantité de sang trouvée dans le coffre, on pouvait supposer qu'elle avait reçu le coup fatal après le trajet en voiture, probablement pas loin de l'endroit où il avait abandonné le corps, et que les traces du meurtre s'étaient perdues dans les Everglades. Le fait qu'elle ne portait pas de marques de liens signifiait qu'il l'avait probablement assommée avant de l'emmener, peut-être avec le plat de la machette. Mais comme l'avait dit Rid, lorsque le corps est sans tête, il est difficile de savoir s'il y a eu fracture du crâne ou simple contusion. Est-ce que J.T. l'a suivie dans sa voiture de location et l'a enlevée lorsqu'elle faisait son jogging ? Est-ce qu'il a dit qu'il était mon beau-frère et en a profité pour lui donner un rendez-vous quelque part et lui tendre un piège ?

Une seule question était vraiment importante : pourquoi ?

— Parfois, les mobiles peuvent être complexes. Surtout quand il s'agit de quelqu'un comme J.T.

Rid se pencha en avant, l'air grave.

— Santos ne pense pas que J.T. voulait tuer Tyla. Elle croit qu'il l'a tuée parce que quelqu'un voulait qu'elle meure.

— J.T., un tueur à gages ?

— Tu devrais prendre ça sérieusement, Abe. Il y a un tas de possibilités. Santos va les étudier, une à une. Et tu es impliqué dans la plupart d'entre elles.

J'allai m'asseoir près de lui. On regardait en direction de la tombe de Samantha, les pierres tombales s'alignaient devant nous.

— Elle pense quoi ?

— Que tu es un homme marié qui avait besoin de se débarrasser d'un problème vieux comme le monde. Une possibilité, c'est que tu as demandé à J.T. de tuer Tyla. Une autre, c'est que J.T. a décidé tout seul de la tuer en pensant que ça te rendrait service.

— Ce n'est pas ce qui s'est passé.

— Ça paraît quand même plus vraisemblable que de dire que J.T. a tué Tyla sans raison aucune.

— Il avait une raison.

— Tu vas la garder pour toi ?

Mon regard s'était perdu au loin.

— Ouais.

Il secoua la tête et se leva.

— OK. J'espère que tout ira bien.

— Moi aussi. Du moins aussi longtemps que Luther est en vie.

Il posa la main sur mon épaule.

— Prends soin de toi.

Je hochai la tête et le regardai s'éloigner. Je restai assis sur le banc encore une minute ou deux. Puis je me levai et allai sur la tombe de Samantha. Je sentis tout à coup une douleur envahir mon corps, j'avais de plus en plus de mal à poser un pied devant l'autre. Je connaissais bien cette douleur, c'était celle que j'avais ressentie à la mort de Samantha.

Tyla avait téléphoné à l'appartement où j'avais vécu avec Samantha autrefois. Peut-être voulait-elle vraiment m'avertir des crimes que Cortinas avait commis au Nicaragua. Mais je pense que c'était plus vraisemblablement un prétexte pour renouer avec moi car elle savait qu'un procureur de Miami ne pouvait absolument rien faire contre des crimes commis au Nicaragua. La première fois qu'elle a appelé, J.T. n'a pas répondu. Elle m'a laissé un message sur mon vieux répondeur qui n'a jamais été effacé et que Rid, Santos et moi avions écouté. Mais était-ce le seul appel ? Comment pourrait-on jamais savoir si Tyla avait rappelé ?

Et si J.T. lui avait parlé ? Il n'y aurait eu aucune trace parce que J.T. aurait utilisé le téléphone fixe. Il aurait pu lui parler et les seuls à le savoir auraient été Tyla et lui-même. Santos, Rid et moi, nous nous sommes focalisés sur le répondeur. Mais peut-être était-ce leur conversation — une conversation dont on ignore tout — qui aurait fait comprendre à J.T. qu'en réalité tout ce Tyla voulait, c'était moi.

Je m'arrêtai devant la tombe de Samantha. La pelouse était fraîchement tondue. Quelqu'un avait déposé un bouquet de fleurs coupées. Il n'y avait pas de carte. Rien qu'un bouquet. Samantha avait tant d'amis, tant de personnes l'aimaient.

— Je suis désolé, Samantha.

Le meurtre de Tyla était pour J.T. comme une rédemption. Le châtiment de Tyla était le prix à payer pour un péché, un péché que J.T. a découvert un jour, alors qu'il manipulait mon téléphone et qu'il a lu les messages érotiques que nous échangions avec Tyla. Elle était plus jeune et moins prudente à l'époque et je pense que c'est après cela qu'elle prit la précaution d'utiliser un téléphone prépayé et n'a plus jamais envoyé de textos. Désormais, j'étais l'unique dépositaire de ce secret. Il n'y avait personne avec qui je puisse le partager. Il ne restait plus qu'un seul coupable : moi.

Ce n'est pas un grand malheur de mourir... Mais c'est un grand malheur de mourir de chagrin.

Samantha n'était pas morte de chagrin. Mais elle avait le cœur brisé quand elle est morte. Je n'ai jamais trompé Angelina. Mais j'avais trompé ma femme.

Je tombai à genoux et effleurai de la main l'herbe qui recouvrait sa tombe.

— Je suis tellement désolé.

Pour J.T., la mort de Tyla n'était que justice. A tort ou à raison, J.T. ne m'a jamais reproché mon « erreur » avec Tyla, du moins pas après que Samantha lui eut dit qu'elle me pardonnait et que lui aussi devait me pardonner. Pour lui, Tyla était la seule responsable, celle qui avait brisé le cœur de Samantha. Il se reprochait de ne pas avoir sauvé sa sœur parce que sa moelle épinière n'était pas compatible. Il avait fait ce qu'il pensait devoir faire pour tout réparer.

D'une certaine manière, Tyla Tomkins était morte de chagrin.

Du chagrin de Samantha.

Epilogue

Dix mois plus tard

Le sucre d'orge de Noël. Certains disent qu'il est fabriqué avec la canne la plus sucrée de toutes. Ce n'est pas vrai, bien sûr, c'est uniquement un prétexte pour que Big Sugar refuse de stopper la récolte et de donner à ses employés un jour de congé.

Lorsque le temps s'écoule, les mensonges et les excuses peuvent finir par se transformer en réalité.

Angelina faisait partie de ces gens qui attendent Noël avec impatience. La dinde de Thanksgiving était à peine refroidie que déjà elle courait acheter le plus beau des sapins qu'elle puisse trouver.

La plupart des gens avaient prédit que notre mariage ne tiendrait pas jusqu'à Pâques, la Pentecôte peut-être, ou jusqu'au 4 Juillet au pire. Nous avions fait ce que notre conseiller conjugal appelait, par euphémisme, une « coupure » pendant deux mois. Mais nous étions de nouveau ensemble, ce qui n'était pas le cas de Brian Belter et de sa future ex-épouse. Dans la guerre ouverte qu'ils s'étaient livrée pendant leur divorce, ils avaient utilisé toutes les armes qui pouvaient exister, à part peut-être la bombe atomique et les engins de destruction massive. Après la fin de sa vie conjugale, Belter allait peut-être bientôt connaître celle de sa vie professionnelle : une mise en examen pour tentative de corruption. Bonne année !

Mais il restait encore des zones d'ombre à l'intérieur du couple Beckham.

— Abe chéri ! Tu peux aller m'acheter des échalotes ?

Angelina était dans la cuisine. J'étais affalé sur le sofa en train de regarder deux équipes universitaires s'affronter dans un match de football qui ne m'intéressait absolument pas.

— Bien sûr.

Des échalotes ? Pour quoi faire ?

— Et du sucre roux.

— Ouais.

— Ils ferment à 16 heures. Dépêche-toi !

J'attrapai mes clés et sortis.

Angelina et moi avions arrêté d'essayer de faire un bébé. On n'avait d'ailleurs jamais commencé. Pendant notre séparation, il n'était pas question de faire l'amour. Après les deux mois, notre conseiller suggéra que nous ayons une « réunion » afin de voir où nous en étions. Il pensait que je n'avais jamais vraiment essayé de vivre avec Angelina et que, si tôt après la mort de Samantha, il se serait passé la même chose avec n'importe quelle autre femme. Il n'était pas prévu que nous couchions ensemble durant cette « réunion ». En fait, c'était même fortement déconseillé. Mais nous avons quand même fait l'amour, et j'ai pris soin de me retirer au moment où je jouissais.

— Je vais reprendre la pilule, m'avait-elle chuchoté à l'oreille.

Fin de discussion. Mais il était tout de même bizarre qu'Angelina ait parlé pour la première fois d'avoir un bébé justement le jour où les chaînes de télévision avaient annoncé la mort de Tyla. Simple coïncidence. Ou pas. Chaque fois que j'y pensais, je me souvenais de ce que Rid m'avait dit : « Angelina t'a mené en bateau, Abe. Et elle continue encore aujourd'hui. »

Je sortis du garage en marche arrière et stoppai brusquement. *Du sucre roux et quoi d'autre ?* Puis ça m'est revenu et j'ai redémarré. En allant au magasin, je passai devant les palmiers couverts des guirlandes et autres décorations qui font la tradition d'un Noël en Floride du Sud.

L'agent Santos était partie. Je n'ai jamais su quelle faute elle avait pu commettre pour exaspérer à ce point ses supérieurs, mais elle avait fait pénitence, et sa mutation sur le terrain avait été de courte durée. Elle était retournée à Quantico, à l'unité d'analyse comportementale, là où était sa place. J'aurais voulu lui envoyer un petit mot de félicitations, mais finalement je ne l'ai jamais fait. Peut-être que j'avais tout bonnement peur qu'elle me fasse une réponse du style : « Je n'en ai pas fini avec vous, Beckham, ni avec votre femme. »

Je mis près de dix minutes pour trouver les échalotes et le sucre, attendis un bon quart d'heure pour passer à ce qu'ils appellent la « caisse express » et rentrai à la maison.

J.T. n'avait pas reçu un second coup de téléphone de Tyla. Il n'y avait eu que ce fameux message sur le répondeur, ce qui était loin d'être suffisant pour le faire réagir et lui faire croire que Tyla me courait après. Ce sont les photos d'elle et moi au restaurant qui ont tout déclenché. Et c'est Angelina qui les lui a données.

Je l'appelai depuis ma voiture.

— J'ai acheté tout ce que tu voulais.

— Merci, mon chéri. Rentre vite.

La mère d'Angelina est une femme intelligente. Suffisamment intelligente pour se rendre compte que sa fille n'était pas heureuse dans son couple. Elle a tout de suite pensé qu'il y avait une autre femme. Le détective privé qu'elle avait engagé pour me suivre pendant mon voyage à Orlando avait fait du bon boulot avec ces photos. Je ne sais toujours pas pourquoi Angelina les a montrées à J.T. Nous en avons parlé, elle et moi, durant le week-end de Labor Day. Elle m'a dit qu'elle essayait simplement de rassembler tout ce qu'elle pouvait comme informations sur Tyla et qu'elle voulait savoir si J.T. était au courant de ma relation avec elle. Une explication somme toute plausible. Mais il y avait une autre hypothèse : peut-être avait-elle misé sur la paranoïa de J.T., sur ses peurs, sa vulnérabilité. Est-ce qu'Angelina était allée voir J.T. pour lui dire que Tyla Tomkins était leur ennemie à tous les deux et qu'il fallait l'éliminer ?

Non, me répondit-elle. Absolument pas.

Mais je n'en étais pas si sûr. A l'époque, j'utilisais la date de naissance de Samantha comme mot de passe pour mon portable, ce qui a probablement rendu Angelina encore plus furieuse lorsqu'elle l'a découvert. Qui d'autre aurait pu répondre à mon téléphone lorsque j'étais sous la douche et parler pendant deux minutes avec Tyla ? Qui d'autre aurait pu écouter ma boîte vocale et effacer les quatre messages ? Qui d'autre aurait pu m'entendre parler avec Rid ou Santos de la signature de Cutter et pour quelle autre raison aurait-elle étalé de la cendre sur les photos avant de les glisser elle-même dans notre boîte aux lettres, afin de faire croire que Cutter avait tué Tyla et que désormais il était après elle ?

Pour quelle autre raison se serait-elle enfuie ?

Elle ne s'était pas enfuie parce qu'elle pensait qu'elle serait la prochaine victime de Cutter. Ni pour me donner une leçon ou parce qu'elle avait peur de moi. Elle s'était enfuie parce qu'elle savait que J.T. avait tué Tyla Tomkins. Elle avait peur qu'il ne la dénonce comme complice — c'est-à-dire celle qui lui avait mis cette idée de meurtre dans la tête et l'avait encouragé à le commettre. Peut-être même est-elle allée plus loin. Peut-être a-t-elle donné un rendez-vous à Tyla pour qu'elles se parlent « de femme à femme » et envoyé J.T. à sa place. Elle a pu l'aider à louer la voiture qu'il a — ou qu'ils ont — utilisée pour aller jeter le corps dans les Everglades. Et puis, en pleine nuit, elle a paniqué. Elle a vendu la bague de Samantha à un prêteur sur gages et jeté son portable en passant sur le Tamiami Trail à l'endroit où on avait découvert le corps de Tyla. *Hé, les filles ! J'ai mal au cœur quand je suis à l'arrière d'une voiture. Je vais ouvrir la vitre.* Elle s'était enfuie et était revenue deux jours plus tard lorsqu'elle a réalisé combien il était difficile d'organiser sa propre disparition.

Mais je ne pouvais rien prouver. Je ne voulais même pas y penser. Il n'empêche que, parfois, je pensais qu'elle me menait en bateau.

Je posai les échalotes et le sucre roux sur le comptoir de la cuisine.

— Et voilà !

— Merci, mon chéri.

Elle souriait. Elle était heureuse et grossissait beaucoup. Son gynécologue nous avait expliqué que la pilule qu'il lui avait prescrite était efficace à 95 % mais pas à 100 %. Je me suis parfois demandé si Angelina l'avait vraiment prise, ou si notre « réunion » n'avait pas été organisée le jour du mois où elle avait le plus de chances de tomber enceinte. Mais je balayai mes mauvaises pensées. On attendait une petite fille. La vie était belle, non ?

— Le dîner sera prêt à 18 heures.

— Super. Qu'est-ce qu'on mange ?

— Ton plat préféré. Un osso-buco.

Oui, Angelina continuait de me mener en bateau.

Et je me posai la question : quel serait notre dernier repas ?

Remerciements

Il y a vingt-cinq ans de cela, j'avais entrepris un roman policier dont l'action devait se dérouler dans les Everglades, chez les coupeurs de canne de Floride. J'étais, à cette époque, jeune avocat, employé par un grand cabinet de Miami et, après avoir passé toutes mes nuits à écrire pendant quatre ans, le résultat s'était avéré très décevant. Pour reprendre la formule optimiste de mon agent, Artie Pine, j'avais reçu « les lettres de refus les plus encourageantes qu'il eût jamais vues ». C'est exactement ce qu'il m'a dit. « Laisse tomber tes coupeurs de canne », a-t-il ajouté, « et écris-nous donc un nouveau roman ». C'est ce que j'ai fait … j'en ai même écrit vingt-deux de plus, pour être précis.

Les profondeurs n'a plus rien à voir avec ce premier balbutiement, mais, en renouant vingt ans plus tard avec l'univers de la canne à sucre et les Everglades, j'ai souvent pensé avec émotion à « Artie l'optimiste », qui nous manque à tous. Son fils Richard est devenu mon agent, et je lui serai toujours reconnaissant pour ses excellents conseils. Mon éditrice, Carolyn Marino, a fait partie depuis le début de notre dynamique trio. Son expérience et ses compétences m'ont aidé à améliorer mon texte.

Mes premières lectrices, Janis Koch et Gloria Villa, sont très vite devenues des membres indispensables de notre équipe. Merci à elles pour leur regard aiguisé et leur attention au détail, qualités qui se perdent en ces temps de « correction automatique ». Merci également à Emily Krump, la toute nouvelle assistante éditoriale de l'équipe : bienvenue à bord !

Je tiens également à exprimer mes plus vifs remerciements à Rex Hamilton et à la Fondation des Everglades. Nos excursions dans les Everglades et dans la baie de Floride ont été des expériences inoubliables et très instructives, en même temps que d'inestimables sources d'inspiration pour *Les profondeurs*. Mon fils Ryan, lui, a particulièrement apprécié les balades en hydroglisseurs.

Pour la petite histoire, j'étais encore célibataire et je fréquentais une très belle femme, diplômée en littérature anglaise, quand mon premier roman « canne à sucre » a fait un bide — ce qui ne l'a pas empêchée de m'épouser. Merci, Tiffany, pour avoir partagé mes hauts et mes bas, et avoir rendu ma vie plus douce.

JMG, automne 2014

CHEZ MOSAÏC POCHE

Par ordre alphabétique d'auteur

DIANE CHAMBERLAIN	*Une vie plus belle* *Des mensonges nécessaires*
SYLVIA DAY	*Afterburn/Aftershock*
MEG DONOHUE	*La fille qui cherchait son chien (et trouva l'amour)*
JAMES GRIPPANDO	*Les profondeurs*
ADENA HALPERN	*Les dix plus beaux jours de ma vie*
KRISTAN HIGGINS	*L'Amour et tout ce qui va avec* *Tout sauf le grand Amour* *Trop beau pour être vrai* *Amis et RIEN de plus* *L'homme idéal... ou presque*
ELAINE HUSSEY	*La petite fille de la rue Maple*
LISA JACKSON	*Ce que cachent les murs* *Le couvent des ombres* *Passé à vif* *De glace et de ténèbres* *Linceuls de glace* *Le secret de Church Island* *L'hiver assassin*
MARY KUBICA	*Une fille parfaite*
ANNE O'BRIEN	*Le lys et le léopard*
CHRISSIE MANBY	*Une semaine légèrement agitée*
TIFFANY REISZ	*Sans limites* *Sans remords*

.../...

CHEZ MOSAÏC POCHE

Par ordre alphabétique d'auteur

EMILIE RICHARDS	*Le bleu de l'été* *Le parfum du thé glacé*
NORA ROBERTS	*Par une nuit d'hiver* *La saga des O'Hurley* *La fierté des O'Hurley* *Rêve d'hiver* *Des souvenirs oubliés* *La force d'un regard* *L'été des amants*
ROSEMARY ROGERS	*Un palais sous la neige* *L'intrigante* *Une passion russe* *La belle du Mississippi* *Retour dans le Mississippi*
KAREN ROSE	*Le silence de la peur* *Elles étaient jeunes et belles* *Les roses écarlates* *Dors bien cette nuit* *Le lys rouge* *La proie du silence*
DANIEL SILVA	*L'affaire Caravaggio*
KARIN SLAUGHTER	*Mort aveugle* *Au fil du rasoir*

La plupart de ces titres sont disponibles en numérique.

Composé et édité par HARLEQUIN

Achevé d'imprimer en mai 2016

Barcelone

Dépôt légal : juin 2016

Pour l'éditeur, le principe est d'utiliser des papiers composés de fibres naturelles, renouvelables, recyclables, et fabriquées à partir de bois issus de forêts gérées selon un système d'aménagement durable. En outre, l'éditeur attend de ses fournisseurs de papier qu'ils s'inscrivent dans une démarche de certification environnementale reconnue.

Imprimé en Espagne